HEYNE BÜCHER

EDGAR ALLAN POE

wurde am 19. 1. 1809 als Sohn eines Schauspielerehepaares in Boston geboren. Im Alter von einem Jahr wurde er Waise und wuchs im Haus des Kaufmanns John Allen auf, der ihn zum Gentleman erzog, jedoch nicht adoptierte. Nach Schulbesuch in London und Studien an der Universität von Virginia ging er 1827 zur Armee und 1830 für ein Jahr als Kadett nach West Point. Sein Vormund Allen hatte ihn nach einem Zerwürfnis verstoßen. Mit dem Gewinn eines Preises für die Erzählung *»MS Found in a Bottle«* begann er 1833 als Schriftsteller, Journalist und Herausgeber literarischer Zeitschriften. Poe lebte meist in großer Armut, litt immer wieder an Alkoholismus und starb unter weitgehend ungeklärten Umständen am 7. 10. 1849 in Baltimore.

Zu seinen wichtigsten Werken gehören: *»The Narrative of Arthur Gordon Pym«* (1838); *»Tales of the Grotesque and Arabesque«* (1840); *»The Raven and other poems«* (1845).

EDGAR ALLAN POE

GESCHICHTEN DES GRAUENS 3

Mit Textillustrationen von Alfred Kubin

WILHELM HEYNE VERLAG
MÜNCHEN

HEYNE-BUCH Nr. 871-3
im Wilhelm Heyne Verlag, München

11. Auflage
Ungekürzte Taschenbuchausgabe
Lizenzausgabe mit freundlicher Genehmigung
der Nymphenburger Verlagshandlung GmbH, München
Printed in Germany 1982
Umschlag: Atelier Heinrichs, München
Gesamtherstellung: Buchdruckerei H. Mühlberger, Augsburg

ISBN 3-453-00401-9
ISBN 3-453-00195-8

INHALT

IM STRUDEL DES MAELSTROMS

Die Wege Gottes in der Natur wie in den Anordnungen der Vorsehung sind nicht unsere Wege; und die Vorstellungen, die wir uns bilden, entsprechen keineswegs der Großartigkeit, Unermeßlichkeit und Unerforschlichkeit seiner Werke, welche eine Tiefe in sich haben, die großartiger ist als der Brunnen des Demokritos.

Joseph Glanville

Wir hatten jetzt den Gipfel der höchsten Felsenklippe erreicht. Einige Minuten lang war der alte Mann zu erschöpft, um sprechen zu können.

»Es ist noch nicht lange her«, begann er endlich, »daß ich Sie so gut wie der jüngste meiner Söhne diesen Weg hätte führen können, aber vor ungefähr drei Jahren hatte ich ein Erlebnis, wie es keinem Sterblichen vorher begegnete — wenigstens überlebte es keiner, um davon erzählen zu können —, und die sechs Stunden Todesangst, die ich damals erdulden mußte, haben mich an Leib und Seele gebrochen. Sie halten mich für einen *sehr* alten Mann — ich bin es nicht. Es bedurfte weniger als eines einzigen Tages, um dies Haar aus glänzendem Schwarz in Weiß zu verwandeln, meine Glieder zu schwächen und meine Nerven so zu zerrütten, daß ich bei der geringsten Anstrengung zittere und ein Schatten mich zu erschrecken vermag. Glauben Sie wohl, daß ich kaum von dieser kleinen Klippe herunterblicken kann, ohne schwindlig zu werden?«

Die ›kleine Klippe‹, an deren Rand er sich so sorglos zum Ausruhen hingeworfen hatte, daß die schwerere Hälfte seines Körpers über diese hinaushing, während nur die beiden auf dem äußersten schlüpfrigen Rand aufgestützten Ellbogen ihn vor dem Fallen bewahrten — diese ›kleine Klippe‹, ein steiler, senkrecht stehender Felsblock von glänzend schwarzem Granit, erhob sich etwa fünfzehn- oder sechzehnhundert Fuß hoch aus einer Welt von Felsen unter uns. Nichts hätte mich bewegen können, dem Rand auf Ellenweite nahezutreten. Ich war in der Tat so erregt durch die gefährliche Stellung meines Begleiters, daß ich mich der Länge nach auf den Boden streckte, mich an das Gestrüpp des Bodens festklammerte und nicht einmal wagte, aufwärts zum Himmel zu blikken. Vergebens suchte ich die Vorstellung zu bekämpfen, daß die Gewalt des Sturmes die Grundfesten des Berges in Gefahr brächte. Es dauerte lange, bis mir meine Vernunft genügenden Mut zugesprochen hatte, so daß ich mich aufrecht setzen und in die Ferne ausblicken konnte.

»Sie müssen solche Einbildungen überwinden«, sagte der Führer, »denn ich habe Sie hierher gebracht, damit Sie den möglichst besten Überblick über den Ort der Begebenheit gewinnen, die ich eben erwähnte – und damit ich Ihnen die ganze Geschichte erzählen kann, während Sie den Schauplatz vor Augen haben.

Wir sind jetzt«, fuhr er in der ihm eigenen umständlichen Art und Weise fort, »wir sind jetzt dicht über der norwegischen Küste auf dem achtundsechzigsten Breitengrade, in der großen Provinz Nordland – und in dem traurigen Distrikt Lofoten. Der Berg, auf dessen Gipfel wir sitzen, heißt Helseggen, der Bewölkte. Erheben Sie sich jetzt einmal ein wenig – halten Sie sich am Gras fest, wenn Ihnen schwindelt – so, und blicken Sie, über den Gürtel von Dunst unter uns, hinaus auf das Meer.«

Ich schaute mit unsicheren Blicken auf und sah auf einen weiten Ozean hinab, dessen Wasser von tintenschwarzer Farbe war, so daß mir sofort der Bericht des nubischen Geographen von seinem *Mare Tenebrarum* in den Sinn kam. Keine menschliche Phantasie kann sich ein erschreckenderes, trostloseres Panorama ausdenken. Zur Rechten und zur Linken, so weit das Auge reichte, lagen wie Wälle, wie Grenzsteine der menschenbewohnten Welt, Reihen von schreckhaft finsteren, überhängenden Felsenklippen, deren düsterer Charakter durch die wüste Brandung, die seit Ewigkeiten heulend und kreischend ihre weißen, geisterhaften Schaumkämme emporpeitscht, grauenhaft gesteigert wird.

Dem Felsenvorsprung, auf dessen Spitze wir uns niedergelassen hatten, gerade gegenüber lag etwa fünf oder sechs Meilen weit in der See eine kleine schwärzliche Insel, von einer Wildnis von brandendem Wogenschaum umgeben, die sie noch deutlicher erkennbar machte. Etwa zwei Meilen näher dem Land zu erblickte man eine zweite, kleinere, die erschreckend unfruchtbar und steinig und mit Unterbrechungen von Gruppen dunkler Felsen begrenzt war.

Das Aussehen des Ozeans zwischen der entfernteren Insel und der Küste hatte etwas Ungewöhnliches an sich. Obwohl gerade zu der Zeit eine so starke Brise landeinwärts wehte, daß eine Brigg weit draußen auf der offenen See die Segel gerefft hatte und fortwährend mit dem ganzen Rumpf untertauchte, so herrschte doch hier durchaus kein regelmäßiges Anschwellen der Wellen, sondern nur ein kurzes, rasches, zorniges Aufplatschen des Wassers nach jeder Richtung hin – selbst gegen den Wind. Schaum kam wenig vor, ausgenommen in der nächsten Nähe der Felsen. »Die entferntere Insel«, fuhr der alte Mann fort, »nennen die Norweger

Vurrgh. Die näherliegende heißt Moskoe. Jene dort, eine Meile weiter nach Norden, heißt Ambaaren. Nach dieser Seite liegen Islesen, Hotholm, Keildhelm, Suarven und Buckholm und weiterhin — zwischen Moskoe und Vurrgh — Otterholm, Flimen, Sandflesen und Stockholm. Dies sind die wirklichen Namen aller dieser Erdenflecke — aber weshalb man es für nötig gefunden hat, diese überhaupt zu benennen, werden wir uns wohl nicht erklären können. Hören Sie etwas? Bemerken Sie irgendeine Veränderung im Wasser?«

Wir befanden uns nun seit etwa zehn Minuten auf der Spitze des Helseggen, zu dem wir aus dem Innern der Lofoten aufgestiegen waren, so daß wir nicht den kleinsten Ausblick auf das Meer gehabt hatten, bis es plötzlich in seiner ungeheuren Ausdehnung vor uns lag. Während der alte Mann sprach, wurde ich mir eines dumpfen, allmählich zunehmenden Getöses bewußt, ähnlich dem Brüllen und Stöhnen einer riesigen Büffelherde auf einer amerikanischen Prärie. Und zu gleicher Zeit bemerkte ich, daß das, was die Seeleute mit ›springendem‹ Wogengang zu bezeichnen pflegen, sich mit äußerster Schnelligkeit in einen nach Osten treibenden Strom verwandelte. Während ich hinblickte, wuchs die Strömung mit reißender, ungeheurer Schnelligkeit. Mit jedem Augenblick nahm ihr gigantisches Ungestüm zu. In fünf Minuten war die ganze See bis nach Vurrgh hin zu unbezähmbarer Wut aufgepeitscht, doch zwischen Moskoe und der Küste raste der Aufruhr am wildesten. Hier narbte und zerfurchte sich das gewaltige Wasserbett in tausend gegeneinander wütende Kanäle, brach sich plötzlich mit krampfhaften Zuckungen — toste, brodelte, zischte, wirbelte in riesenhaften, unzählbaren Strudeln und schoß mit einer Schnelligkeit nach Osten, die man sonst nur bei wilden Wasserstürzen findet.

Wenige Minuten später erlitt die Szene wieder eine vollkommene Veränderung. Die Oberfläche wurde im allgemeinen ruhiger, und die Strudel verschwanden einer nach dem andern, während mächtige Streifen von Schaum an Stellen sichtbar wurden, an denen man bis jetzt noch keinen wahrgenommen hatte. Die Streifen breiteten sich allmählich weithin nach allen Richtungen aus, verbanden sich miteinander und nahmen die wirbelnden Bewegungen der verschwundenen Strudel an, als wollten sie einen neuen, größeren hervorbringen. Plötzlich — ganz plötzlich — nahm dieser deutlich und bestimmt Gestalt an in einem Umkreis, der mehr als eine Meile im Durchmesser hatte. Den Rand des Wirbels bildete ein breiter Gürtel von schimmernder Gischt; doch nicht das kleinste Teilchen davon geriet in den Schlund des fürchterlichen Trichters, dessen Inneres, so weit das Auge es ergründen konnte, eine ebene, glänzende, kohlschwarze Wassermauer war, die mit dem

Horizont einen Winkel von fünfundvierzig Grad bildete und mit schwindelnder Hast immerfort in der Runde herumraste und dabei mit grauenhafter Stimme in den Sturm hinein schrie und brüllte, gräßlicher, als der mächtige Katarakt des Niagara in seiner Todesangst zum Himmel schreit.

Der Berg erzitterte in seinen Grundfesten, und der Felsen bebte. Ich warf mich auf mein Angesicht und klammerte mich im Übermaß nervöser Erregung an das Gras an. »Dies«, sagte ich endlich zu dem alten Mann, »kann nichts anderes sein als der große Strudel des Maelstroms.«

»So wird er zuweilen genannt«, antwortete er; »wir Norweger nennen ihn den Moskoestrom, nach der Insel Moskoe dort drüben.«

Die gewöhnlichen Berichte über diesen Strudel hatten mich keineswegs auf das, was ich sah, vorbereitet. Die Beschreibung des Jonas Ramus, die vielleicht die umständlichste von allen ist, gibt auch nicht die schwächste Vorstellung, weder von der Großartigkeit noch von der Furchtbarkeit des Schauspiels – noch von dem seltsam ergreifenden Gefühl des ›noch nie Gesehenen‹, Einzigartigen, das den Beschauer verwirrt. Ich weiß nicht, von welchem Ort aus noch zu welcher Zeit der genannte Schriftsteller die Erscheinung beobachtete; keinesfalls geschah es vom Gipfel des Helseggen aus und während eines Sturmes. Dennoch gibt es ein paar Stellen in seiner Beschreibung, die es um ihrer Einzelheiten willen verdienen, angeführt zu werden, obgleich ihre Wirkung im Vergleich mit dem Eindruck des Schauspiels außerordentlich schwach ist.

›Zwischen Lofoten und Moskoe‹, sagt er, ›schwankt die Tiefe des Wassers zwischen fünfunddreißig und vierzig Faden; aber nach der anderen Seite, nach Vurrgh hin, nimmt sie derart ab, daß sie keinem Schiff genügende Durchfahrt gewährt. Es läuft Gefahr, an den Klippen zu zerschellen, was sich schon bei dem ruhigsten Wetter ereignet hat. Zur Zeit der Flut schießt der Strom mit tosender Hast zwischen Lofoten und Moskoe dahin, aber bei seinem Zurückebben ins Meer kommt seinem Gebrüll kaum das Getöse des lautesten, furchtbarsten Kataraktes gleich. Man hört das Gebrause mehrere Meilen weit, und die Strudel und Abgründe sind von solcher Ausdehnung und Tiefe, daß ein Schiff, welches in ihren Bereich gerät, unausweichlich hinuntergezogen werden und in der Tiefe an den Felsklippen zerschellen muß. Wenn die Gewalt des Wassers nachläßt, werden die Trümmer wieder nach oben geworfen. Aber diese Ruhepausen finden nur beim Wechsel von Ebbe und Flut während sehr ruhigen Wetters statt und dauern nur eine Viertelstunde, dann beginnt allmählich das alte Getöse wieder. Wenn der Strom am wildesten tobt oder ein Sturm seine Gewalt noch steigert, kann es schon Gefahr bringen, sich ihm auf eine norwegische Meile zu nähern. Boote, Jachten und selbst große Schiffe, die sich nicht vorsichtig fernhielten, sind schon von ihm ergriffen und zum Grund gerissen worden. Es kommt auch häufig vor, daß Walfische der Strömung zu nahe kommen und von ihrer Macht überwältigt werden; ihr Heulen und Bellen bei den fruchtlosen Anstrengungen, sich der Wut des Stromes zu entziehen, ist ganz unmöglich zu beschreiben. Einmal wurde ein Bär, der von Lofoten nach Moskoe zu schwimmen versuchte, von dem Strom erfaßt und hinabgezogen; sein entsetzliches Gebrüll konnte man noch an der Küste hören. Föhren und andere Nadelholzbäume, die der Strom verschlungen hatte, kommen zerbrochen und so zersplittert wieder an die Oberfläche, als wüchsen Borsten auf ihnen. Dies zeigt klar, daß der Meerboden an dieser Stelle aus zackigen Felsen besteht, zwischen denen sie hin und her gewirbelt wurden. Der Strom wird durch die Ebbe und Flut des Meeres reguliert, alle sechs Stunden wechselt hohes und niedriges Wasser. Im Jahre 1645 in der Morgenfrühe des Sonntags Sexagesimae raste er mit solcher Wut und solchem Getöse, daß die Steine von den Häusern an der Küste zu Boden fielen.‹

Was nun die Wassertiefe betrifft, so war mir nicht klar, wie man sie in unmittelbarer Nähe des Strudels überhaupt hätte bestimmen sollen. Die ›fünfunddreißig bis vierzig Faden‹ können sich allein auf Teile des Kanals dicht am Ufer von Lofoten oder von Moskoe beziehen. Die Tiefe im Zentrum des Maelstroms muß unermeßlich viel größer sein; es bedarf dazu keines weiteren Beweises als eines seitlichen Blickes in den Abgrund des Strudels, wie man ihn von der Spitze des Helseggen aus haben kann. Während ich von dem Gipfel in den heulenden Phlegethon unter mir hinabblickte, konnte ich nicht umhin, die Einfalt zu belächeln, mit welcher der ehrliche Jonas Ramus, als sei es schwer zu glauben, seine Anekdoten von Walfischen und Bären erzählt; denn mir war es ganz selbstverständlich, daß das größte Linienschiff, welches in den Bereich dieser tödlichen Anziehungskraft gerät, dieser ebensowenig widerstehen könne wie eine Feder dem Orkan und sofort mit Mann und Maus verschwinden müsse.

Die Versuche, dies Phänomen zu erklären — ich erinnere mich, daß mir einige davon beim Lesen ziemlich überzeugend und erschöpfend vorgekommen waren —, machten mir nun einen ganz anderen, einen ungenügenden Eindruck. Man nimmt im allgemeinen an, daß dieser Strudel, wie auch drei kleinere zwischen den Färöer-Inseln, ›keine andere Ursache haben als das Aufeinanderstoßen von Wellen, die sich während Flut und Ebbe an zackigen Felswänden brechen, zwischen denen das Wasser so eingepreßt ist, daß es wie Katarakte hinunterstürzt. Je höher daher die Flut steigt, desto tiefer muß der Fall sein, und die natürliche Folge davon ist ein Strudel oder Trichter, dessen wunderbare Einsaugekraft von kleineren Experimenten her genügend bekannt ist.‹ Dies sind die Worte der Encyclopaedia Britannica. Kircher und andere nehmen an, daß sich in der Mitte des Maelstroms ein Abgrund befindet, der den ganzen Erdball durchbohrt und seinen Ausgangspunkt in irgendeinem entfernten Erdteil hat – in *einem* Fall wird der Bottnische Meerbusen mit Entschiedenheit als Endpunkt angegeben.

Dieser vielleicht ein wenig kindlichen Annahme stimmte meine Phantasie beim Anblick der Erscheinung am liebsten zu. Ich teilte dies meinem Führer mit und war nicht wenig erstaunt, als er mir antwortete, er teile diese Ansicht, die in Norwegen allgemein verbreitet sei, durchaus nicht. Die erstere Annahme verstehe er überhaupt nicht – hier war ich vollständig einer Meinung mit ihm, denn so überzeugend sie auf dem Papier erscheint, so unbegreiflich, ja absurd findet man sie mitten im Donner des Abgrundes.

»Nun haben Sie den Strudel wohl genügend betrachtet«, sagte der alte Mann, »und wenn Sie um diesen Felsblock herumgleiten wollen, der uns vor dem Wind schützt und zugleich das Getöse des Wassers abschwächt, will ich Ihnen eine Geschichte erzählen, die Sie überzeugen wird, daß ich wohl etwas von dem Moskoestrom wissen muß.«

Ich ließ mich nieder, wo er es wünschte, und er begann:

»Ich und meine beiden Brüder besaßen früher eine zweimastig aufgetakelte Schmack von etwa siebzig Tonnen, mit welcher wir gewöhnlich zwischen den Inseln über Moskoe hinaus in der Nähe von Vurrgh auf Fischfang fuhren. In Nähe aller heftigen Brandungsstellen ist der Fischfang zuzeiten sehr ergiebig, wenn man nur den Mut hat, sich herauszuwagen, doch wir drei waren die einzigen unter den Küstenbewohnern von Lofoten, welche ein regelmäßiges Geschäft daraus machten, an den Inseln zu fischen. Das gewöhnliche Gebiet des Fischfangs liegt viel weiter ab, nach Süden zu. Dort kann man zu jeder Zeit und ohne viel Gefahr fischen und zieht deshalb jene Stellen bei weitem vor. Die bevorzugten Stellen jedoch hier zwischen den Felsen liefern nicht nur die verschiedensten Arten, sondern diese obendrein in reichlichstem Überfluß, so daß wir oft an einem einzigen Tage mehr fingen als unsere furchtsameren Berufsgenossen zusammen in einer Woche. Kurz, wir machten eine Art verzweifelter Spekulation aus der Sache. Die Gefahr für unser Leben war unser Arbeitseinsatz und der Mut unser Kapital.

Wir brachten unser Fahrzeug in einer Bucht unter, die ungefähr fünf Meilen aufwärts von hier liegt, und hatten es uns zur Gewohnheit gemacht, bei schönem Wetter die fünfzehn Minuten Ruhepause zu benutzen, um den Hauptkanal des Moskoestromes weit oberhalb zu durchschiffen und dann irgendwo in der Nähe von Otterholm oder Sandflesen, wo die Brandungen bei weitem nicht so stark sind wie an anderen Stellen, vor Anker zu gehen. Hier blieben wir, bis wieder ruhige See eintrat, lichteten dann sofort die Anker und fuhren heimwärts. Niemals wagten wir dieses Unternehmen, wenn wir nicht mit ziemlicher Bestimmtheit auf günstigen Wind sowohl für den Hinweg wie für die Rückfahrt rechnen konnten, und täuschten uns in diesem Punkt selten. Im Laufe von sechs Jahren mußten wir zweimal die ganze Nacht vor Anker liegen, weil eine vollständige Windstille eintrat, die sonst in dieser Region nur sehr selten vorkommt; und einmal konnten wir sogar ungefähr eine Woche lang nicht an die Heimkehr denken und wären fast vor Hunger gestorben, weil sich gleich nach unserer Ankunft ein Sturm erhoben hatte, der derart im Kanal wütete, daß an keine Rückfahrt zu denken war. Bei dieser Gelegenheit würden wir trotz aller Anstrengungen in die offene See getrieben worden sein — die Strudel warfen uns so wild hin und her, daß wir den Anker aufgezogen hatten —, wären wir nicht in einen der zahlreichen Gegenkanäle geraten, die heute da sind und morgen verschwinden, und der uns endlich an einer windgeschützten Stelle von Flimen glücklich landen ließ.

Ich könnte Ihnen nicht den zwanzigsten Teil der Schwierigkeiten aufzählen, die uns begegneten. Dort, an den Inseln, ist nicht gut sein, selbst nicht bei gutem Wetter — doch gelang es uns immer, dem Moskoestrom selbst zu trotzen, obwohl mir oft das Herz bis in den Hals hinaufschlug, wenn wir uns bei der Berechnung der Ruhepause auch nur um eine Minute geirrt hatten. Manchmal war der Wind nicht so stark, wie wir beim Ausfahren gehofft, und wir kamen langsamer voran, als wir erwartet hatten, weil der Strom das Fahrzeug unregierbar machte. Mein ältester Bruder hatte einen achtzehnjährigen Sohn und ich zwei kräftige Knaben. Diese hätten uns in solchen Fällen wichtigen Beistand leisten können, durch Rudern sowohl wie nachher beim Fischfangen, aber obwohl wir selbst unser Leben wagten, hatten wir nicht das Herz, diese Jugend der Gefahr auszusetzen, denn, um die Wahrheit zu sagen — es war *stets* eine furchtbare Gefahr.

In ein paar Tagen wird es drei Jahre her sein, daß sich das, was ich erzählen will, ereignete. Es war am 10. Juli 18 . ., ein Tag, den die Leute hierzulande niemals vergessen werden, denn er brachte uns den fürchterlichsten Orkan, der hier jemals zwischen Himmel und Erde gewütet hat. Doch wehte den ganzen Morgen, bis spät in den Nachmittag hinein, eine sanfte und beständige Brise aus Südwest, während die Sonne freundlich schien, so daß der älteste Seemann unter uns nicht vorhersehen konnte, was sich ereignen sollte.

Wir drei — meine beiden Brüder und ich — waren ungefähr um zwei Uhr nachmittags zu den Inseln hinübergefahren und hatten das Fahrzeug fast ganz mit vorzüglichen Fischen beladen. Sowohl mir wie meinen Brüdern war aufgefallen, daß die Beute reichlicher war als jemals vorher. *Nach meiner Uhr* war es gerade sieben, als wir Anker lichteten und uns auf die Heimfahrt machten, um die schlimmste Stelle der Strömung zur Zeit der größten Ruhe zu durchqueren, die, wie wir wußten, gegen 8 Uhr eintreten mußte.

Mit einem frischen Wind über Steuerbord brachen wir auf und kamen eine Zeitlang sehr gut vorwärts, ohne uns das geringste von einer Gefahr träumen zu lassen, denn es war, wie gesagt, auch nicht im entferntesten Grund zu einer Befürchtung vorhanden. Plötzlich wurden wir von einer Brise überrascht, die über den Helseggen daherkam. Das war etwas ganz Ungewohntes, etwas, das uns noch nie früher vorgekommen war, und eine kleine Unruhe bemächtigte sich meiner, obwohl ich nicht genau wußte, weshalb eigentlich. Wir richteten das Boot nach dem Winde, konnten jedoch der Wirbel wegen nicht vorwärts kommen, und ich war schon auf dem Punkt, die Rückkehr zum Ankerplatz vorzuschlagen, als wir, rückwärts blickend, den ganzen Himmel von einer seltsamen kupferfarbenen Wolke umhüllt sahen, die mit erstaunlicher Schnelligkeit heraufgestiegen war.

Zu gleicher Zeit legte sich plötzlich der Wind, der uns überrascht hatte; es trat eine tote Windstille ein; wir trieben ungewiß nach jeder Richtung hin und her. Doch währte dieser Zustand nicht lange genug, um uns Zeit zum Nachdenken zu lassen. In weniger als einer Minute überfiel uns ein wilder Sturm — und in weniger als zwei war der Himmel vollständig bezogen. Die Wolken und der aufspritzende Schaum verursachten eine solche Dunkelheit, daß wir einander im Boot nicht mehr sehen konnten. Es wäre Torheit, einen Orkan wie den, der jetzt losbrach, beschreiben zu wollen. Der älteste Seemann in Norwegen hat nie auch nur ähnliches erlebt. Wir hatten unsere Segel gelöst, ehe der Sturm uns überraschte, aber bei dem ersten Windstoß gingen unsere beiden Masten über Bord, als seien sie abgesägt worden — der Hauptmast riß meinen jüngsten Bruder, der sich zur Sicherheit an ihn angebunden hatte, mit sich fort.

Unser Boot war das federleichteste Ding, das jemals auf dem Wasser schaukelte. Es hatte ein vollständig geschlossenes Verdeck, das am Bug nur durch eine kleine Falltür, die wir beim Durchkreuzen des Stromes als Vorsichtsmaßregel gegen die ›springende‹ See stets niederließen, zu öffnen war. Dieser Umstand allein rettete uns vor dem sofortigen Untergang, denn ein paar Augenblicke lang waren wir buchstäblich unter dem Wasser begraben. Wie es kam, daß mein ältester Bruder dem Tod entging, kann ich nicht sagen; ich habe es mir nie zu erklären vermocht. Ich hatte mich, sobald ich das Vordersegel losgelassen hatte, glatt auf die Planken geworfen, stemmte meine Füße gegen die enge Laufplanke des Bugs und klammerte mich mit den Händen an einem Ringbolzen am Fuß des Vordermastes fest. Der bloße Instinkt trieb mich an, dies alles zu tun — zweifellos das beste, was ich tun konnte —; der Schreck ließ mich nicht nachdenken.

Einige Sekunden lang waren wir vollständig überflutet, wie ich schon sagte. Ich hielt während der Zeit den Atem an und klammerte mich an den Bolzen. Als ich fühlte, daß ich dies nicht länger mehr ertragen konnte, ohne zu ersticken, erhob ich mich auf die Knie, ohne daß meine Hände ihren Stützpunkt losließen. So bekam ich wenigstens meinen Kopf frei. Dann gab sich unser kleines Boot selbst einen Stoß, wie ein Hund, der aus dem Wasser will, und erhob sich teilweise über die See. Ich bemühte mich nach Kräften, die Betäubung, die über mich gekommen war, abzuschütteln und meine Sinne soweit zu sammeln, daß ich erkennen könnte, was nun zu tun sei, als ich fühlte, wie mich jemand am Arm packte. Es war mein ältester Bruder, und mein Herz klopfte vor Freude, denn ich glaubte ihn längst über Bord gerissen. Im nächsten Augenblick jedoch wandelte sich die Freude in Grausen, denn er näherte seinen Mund meinem Ohr und kreischte das Wort: ›Moskoestrom!‹

Kein Mensch könnte beschreiben, was ich in diesem Augenblick fühlte. Es schüttelte mich vom Kopf bis zu den Füßen, als hätte ich einen heftigen Fieberanfall. Ich verstand nur zu wohl, was er durch das eine Wort sagen, was er mir zu verstehen geben wollte! Der Wind, der uns vorwärts trieb, führte uns dem Strudel entgegen — nichts konnte uns retten!

Ich sagte Ihnen schon, daß wir, wenn wir den Strömungskanal durchkreuzten, selbst bei ruhigstem Wetter stets in weiter Entfernung oberhalb des Wirbels fuhren und auch mit größter Sorgfalt die Zeit der ruhigen See abwarteten — aber nun trieben wir mit dem fürchterlichsten Orkan auf den Strudel zu. ›Jedenfalls‹, dachte ich, ›kommen wir gerade zur Zeit der stillsten See dort an — wir haben also noch etwas Hoffnung.‹ Aber im nächsten Augenblick verfluchte ich mich für die Torheit, noch von Hoffnung zu träumen. Ich wußte nur zu gut, daß wir dem Untergang geweiht waren, und wären wir zehnmal ein Schiff mit neunzig Kanonen gewesen.

Mittlerweile hatte sich die erste Wut des Sturmes erschöpft, oder vielleicht fühlten wir ihn nicht mehr so sehr wie vorhin, da er uns vor sich her trieb; jedenfalls erhob sich die See, die der Sturm bis jetzt flach und schäumend darniedergehalten hatte, zu Bergeshöhe. Auch der Himmel hatte eine sonderbare Veränderung erlitten.

Rundherum in jeder Richtung war er pechschwarz, aber gerade über unserm Kopf war eine kreisförmige Öffnung entstanden, durch die das Firmament herabsah, so klar und so glänzend tiefblau, wie ich es nie vorher gesehen, mit einem Vollmond, der in solch hellem Lichte strahlte, wie ich es nie zuvor wahrgenommen hatte. Er erleuchtete alles um uns mit größter Deutlichkeit — aber großer Gott! Welch ein Schauspiel war da zu erleuchten!

Ich versuchte ein- oder zweimal, mit meinem Bruder zu sprechen, aber das Getöse hatte unerklärlicherweise so zugenommen, daß ich mich mit keinem Wort verständlich machen konnte, obgleich ich ihm mit voller Kraft ins Ohr schrie. Plötzlich schüttelte er den Kopf, wurde totenbleich und erhob einen Finger, als wolle er sagen: ›Horch!‹

Zuerst begriff ich nicht, was er sagen wollte, doch kam mir bald ein grauenvoller Gedanke. Ich zog meine Uhr aus der Tasche. Sie ging nicht mehr. Ich betrachtete ihr Zifferblatt beim Mondschein, dann brach ich in Tränen aus und schleuderte sie in den Ozean. *Sie war um sieben Uhr stehen geblieben. Wir hatten die Ruhezeit der See versäumt, und der Wirbel der Strömung war in voller Wut.*

Wenn ein Fahrzeug gut gebaut, richtig ausgerüstet, nicht zu schwer beladen ist und mit dem Winde geht, so scheinen die Wellen stets unter ihm wegzuschlüpfen — eine Tatsache, die den Landratten immer sehr seltsam vorkommt. Man nennt dies in der Seemannssprache ›reiten‹. Bis jetzt waren wir ganz geschickt auf den Wogen ›geritten‹ — nun aber erfaßte uns eine riesenhafte Welle von hinten und hob uns höher und höher, als sollte es in den Himmel gehen. Ich hätte nie geglaubt, daß eine Welle sich so hoch auftürmen könne. Dann sausten wir hinab mit einer gleitenden, tauchenden Bewegung, daß mir übel und schwindlig wurde, als fiele ich im Traum von einem hohen Berg herab. Aber von der Höhe der Welle herab hatte ich einen raschen Blick um mich geworfen — und dieser eine Blick genügte. In einer Sekunde überblickte ich unsere ganze Lage. Der Strudel des Moskoestroms lag etwa eine Viertelmeile vor uns, aber er glich so wenig dem Maelstrom aller Tage, wie der Strudel, den Sie jetzt sehen, einem Mühlgraben gleicht. Wenn ich nicht gewußt hätte, wo wir waren und was uns bevorstand, ich hätte den Ort nicht wiedererkannt. So aber schloß ich unwillkürlich meine Augen vor Grauen, und meine Lider zogen sich wie im Krampf zusammen.

Kaum zwei Minuten später fühlten wir, wie die Wogen nachgaben, und wurden von Gischt eingehüllt. Das Boot machte eine scharfe halbe Drehung nach Backbord und schoß dann blitzschnell nach dieser neuen Richtung fort. Zu gleicher Zeit wurde das Gebrüll des Wassers von einer Art schrillem Gekreisch übertönt —

ein Ton, den man sich nur als das Pfeifen von Tausenden von geöffneten Dampfventilen vorstellen kann. Wir befanden uns nun in dem Schaumgürtel, der den Strudel immer umgibt, und ich glaubte natürlich, der nächste Augenblick werde uns in den Abgrund hinabschleudern, in den wir wegen der rasenden Schnelligkeit, mit der wir vorwärtsschossen, nur sehr undeutlich hineinblicken konnten. Das Boot schien das Wasser gar nicht mehr zu berühren, sondern wie eine Luftblase darüber hinzufliegen. Die Steuerbordseite war dem Strudel zugekehrt, und hinter dem Backbord erhob sich die Meereswelt, die wir verlassen hatten. Sie stand wie eine ungeheure verzerrte Wand zwischen uns und dem Horizont.

Es mag seltsam klingen, aber jetzt, da wir uns schon im Rachen des Abgrundes befanden, fühlte ich mich gefaßter, als da wir uns ihm näherten. Nachdem ich mich einmal jeder Hoffnung begeben hatte, verließ mich auch zum großen Teil jenes Entsetzen, das mich zuerst überwältigt hatte. Ich glaube, daß das Übermaß der Verzweiflung keine Wirkung auf meine Nerven mehr ausüben konnte.

Es klingt vielleicht wie Prahlerei, doch ist es reine Wahrheit — ich begann nachzudenken, welche Großartigkeit darin läge, in dieser Weise zu sterben, und wie töricht es von mir gewesen war, angesichts dieser wunderbaren Kundgebung der göttlichen Allmacht ein so kleinliches Interesse, wie es die Erhaltung meines persönlichen Daseins war, gehabt zu haben. Ich glaube, ich errötete vor Scham bei diesem Gedanken. Nach einer kleinen Weile ergriff mich eine durchdringende Neugierde in bezug auf den Strudel selbst. Ich fühlte *klar* den *Wunsch,* seine Tiefen zu erforschen, selbst auf Kosten meiner selbst; mein Hauptkummer war, daß ich meinen alten Gefährten an der Küste die Geheimnisse, die ich schauen sollte, niemals würde mitteilen können. Dies sind ohne Zweifel sonderbare Gedanken für einen Mann, der sich in der äußersten Todesgefahr befindet — ich habe es mir später damit erklärt, daß die vielen Umdrehungen des Bootes um den Schlund mich wohl ein wenig verdreht gemacht haben könnten.

Noch ein anderer Umstand trug dazu bei, mir meine Selbstbeherrschung wiederzugeben; der Wind belästigte uns nicht mehr im geringsten, da er uns in unserer jetzigen Lage nicht erreichen konnte, denn der Schaumgürtel liegt, wie Sie selbst sahen, bedeutend niedriger als das Meeresbett im allgemeinen, das sich jetzt wie ein hoher schwarzer Bergesgrat vor uns auftürmte. Wenn Sie sich niemals während eines heftigen Sturmes auf See befunden haben, können Sie sich nicht vorstellen, welche Geistesverwirrung der Wind und der aufspritzende Wasserschaum verursachen. Man kann nichts mehr sehen noch hören, man wird halb erstickt und verliert die Kraft zum Handeln und zum Denken. Von diesen Belästigungen waren wir, wie gesagt, jetzt zum größten Teil befreit — wie die zum Tode verurteilten Verbrecher im Kerker, denen man kleine Annehmlichkeiten gestattet, die man ihnen, solange der Urteilsspruch noch zweifelhaft war, verweigerte.

Wie oft wir in dem Schaumgürtel die Runde machten, kann ich nicht angeben. Wir kreisten wohl eine Stunde lang herum, flogen mehr, als daß wir glitten, und gelangten allmählich in die Mitte des Strudels und näherten uns immer mehr, immer mehr seinem gräßlichen inneren Rand. Während der ganzen Zeit hatte ich den Ringbolzen nicht losgelassen. Mein Bruder befand sich auf dem Hinterdeck und hielt sich an einem kleinen leeren Wasserfaß fest, welches unter der Steuerbank angebunden worden war; es war der einzige Gegenstand, den der erste gewaltige Windstoß nicht über Bord geweht hatte.

Als wir uns dem Rand des Abgrundes näherten, ließ mein Bruder seinen Halt los und stürzte sich auf den Ring, den er im Entsetzen seiner Todesangst meinen Händen zu entreißen strebte, da er uns beiden keinen sicheren Halt gewähren konnte. Niemals habe ich eine tiefere Betrübnis empfunden als in dem Augenblick, da ich dies sah — obgleich ich wußte, daß er im Wahnsinn handelte, rasend geworden durch die bloße Angst!

Mir lag jedoch nichts daran, ihm den Platz streitig zu machen. Ich wußte, daß es jetzt nichts mehr zu sagen hatte, ob wir uns überhaupt irgendwo festhielten. So überließ ich ihm den Ring und kroch auf das Hinterdeck zu dem Faß. Das war nicht besonders schwierig zu vollbringen, denn die Schmack flog ziemlich gleichmäßig mit glattem Kiel rundherum und schwankte nur in dem ungeheuren Schwellen und Brodeln des Strudels hin und her.

Kaum hatte ich mich in meiner neuen Lage befestigt, als wir mit einem wilden Satz Hals über Kopf in den Abgrund stürzten. Ich stammelte ein kurzes Gebet und dachte, alles sei vorüber.

Als ich fühlte, wie übel mir bei dem Hinabschießen wurde, hatte ich mich instinktiv fester an die Tonne angeklammert und die Augen geschlossen. Einige Sekunden lang wagte ich nicht, sie zu öffnen, denn ich erwartete jeden Augenblick unseren Untergang und wunderte mich nur, daß ich noch nicht im Todeskampf im Wasser läge. Aber Sekunde nach Sekunde verging. Ich lebte noch. Das Gefühl des Fallens hatte aufgehört, und die Bewegung des Schiffes glich der von vorhin in dem Schaumgürtel, nur mit dem Unterschied, daß es jetzt mehr längsseits fuhr. Ich faßte Mut und blickte wieder auf den Schauplatz hinaus. Niemals werde ich das Gefühl der Furcht, des Grausens und der Bewunderung vergessen, mit dem ich nun um mich blickte. Das Boot schien wie durch Zauberkraft auf dem halben Weg nach unten auf der inneren Fläche eines ungeheuer weiten, unermeßlich tiefen Trichters zu hängen, dessen vollständig glatte Seitenwände man für Ebenholz gehalten hätte, hätte man nicht gesehen, daß sie sich mit betäubender Schnelligkeit rundum drehten, während sie einen blendenden, geisterhaften Glanz widerspiegelten, als aus der eben beschriebenen kreisrunden Öffnung der Wolken die Strahlen des Vollmondes wie eine Flut glorreichen Goldes die schwarzen Wände hinab und bis tief in die innersten Tiefen des Abgrundes hineinströmten.

Zuerst war ich zu verwirrt, um irgend etwas genau beachten zu können. Nur ein allgemeiner Eindruck grauenhafter Größe kam mir zum Bewußtsein. Als ich ein wenig zu mir gekommen war, sandte ich den Blick instinktiv nach unten. Nach dieser Richtung hin konnte mein Blick ungehindert erforschen, wie es kam, daß unsere Schmack auf der geneigten Oberfläche des Abgrundes hängengeblieben war. Sie ging auf ebenem Kiel, das heißt, ihr Deck bildete zur Oberfläche des Wassers eine Parallele, aber diese schrägte sich in einem Winkel von mehr als fünfundvierzig Grad nach unten ab, so daß es schien, als habe sich das Schiff auf die Seite gelegt. Dessenungeachtet bemerkte ich, daß es mir kaum schwieriger war, mich mit Hand und Fuß festzuhalten, als wenn wir uns auf ebener Fläche befunden hätten. Dies mochte wohl seinen Grund in der Schnelligkeit haben, mit der wir uns drehten.

Die Strahlen des Mondes schienen den innersten Grund des Schlundes erforschen zu wollen, doch konnte ich nichts deutlich erkennen wegen des dichten Nebels, der dort alles umhüllte und über dem sich ein prachtvoller Regenbogen ausspannte, gleich der schmalen, schwankenden Brücke, die nach dem Glauben der Muselmänner der einzige Pfad aus der Zeitlichkeit in die Ewigkeit ist. Dieser Nebel oder dieser Schaum wurde ohne Zweifel durch das Aufeinanderprallen der mächtigen Wasserwände auf den Boden des Trichters verursacht, aber den gräßlichen, gellenden Schrei, der aus dem Nebel zum Himmel emporstieg, wage ich nicht zu beschreiben.

Unser erstes Hinabgleiten aus dem Schaumgürtel in den eigentlichen Abgrund hatte uns ein großes Stück den Abhang hinuntergerissen, doch glitten wir nicht im selben Verhältnis weiter nach unten. Wir sausten vielmehr in der Runde herum, nicht in gleichmäßiger Bewegung, sondern in schwindelerregenden Stößen, die uns manchmal nur etwa hundert Ellen vorwärts, manchmal fast rund um den Strudel herumschleuderten. Mit jeder Runde näherten wir uns langsam, aber sehr bemerkbar dem Abgrund.

Als ich auf der weiten Wüste flüssigen Ebenholzes, die uns trug, umherblickte, bemerkte ich, daß unser Boot nicht der einzige Gegenstand war, den der Strudel an sich gerissen hatte. Über uns und unter uns erblickte ich Schiffstrümmer, große Mengen Bau-

holz und Baumstämme, viele kleinere Gegenstände, Stücke Hausgerät, zerbrochene Kisten, Fässer und Latten. Ich erzählte Ihnen schon von der unnatürlichen Neugierde, die an die Stelle meiner ursprünglichen Angst getreten war. Sie schien nur zu wachsen, je näher ich meinem schrecklichen Untergang zutrieb. Ich fing an, die Gegenstände, die um uns dahintrieben, mit ganz eigentümlichem Interesse zu betrachten. Ich *muß* wohl von Sinnen gewesen sein, denn es machte mir *Vergnügen*, über die verschiedene Geschwindigkeit ihres Hinabstürzens in den Schaum da unten Betrachtungen anzustellen. Ich überraschte mich einmal, wie ich zu mir sagte: ›Diese Fichte wird sicher das nächste sein, was den grausigen Sprung tut und verschwindet —‹, und ich war enttäuscht, als ich bemerkte, daß sie von dem Wrack eines holländischen Handelsschiffes, das vor ihr verschwand, überholt wurde.

Zuletzt, als ich mehrere Vermutungen dieser Art aufgestellt und mich in allen verrechnet hatte, brachte mich diese Tatsache — die Tatsache meiner unfehlbar falschen Berechnungen — auf einen Gedankengang, der meine Glieder wieder erbeben und mein Herz noch einmal heftig schlagen ließ.

Es war kein neues Entsetzen, das mich so ergriff, sondern das noch fürchterlichere Dämmern einer Hoffnung. Sie erstand mir teils aus der Erinnerung, teils aus meinen gegenwärtigen Beobachtungen. Ich erinnerte mich an die große Verschiedenheit der an die Küste von Lofoten angeschwemmten Dinge, die der Moskoestrom erst an sich gerissen und dann wieder ausgeworfen hatte. Diese Gegenstände waren größtenteils in der ungewöhnlichsten Weise zersplittert und zerrieben, so daß es aussah, als seien sie mit Borsten bedeckt — aber dann besann ich mich deutlich, daß *einige* von ihnen ganz unbeschädigt geblieben waren. Für diese Erscheinung fand ich keinen anderen Grund als die Annahme, daß die zersplitterten Trümmer die einzigen gewesen seien, die der Strudel *vollständig* eingesogen habe — daß die anderen so spät in die Strömung geraten oder aus irgendeinem Grund nach dem Eintritt so langsam abwärts geglitten waren, daß sie den Boden nicht erreichten, ehe die Zeit der Flut oder je nachdem auch der Ebbe wiedergekommen war. Ich hielt es in beiden Fällen für möglich, daß sie wieder auf die Oberfläche des Meeres emporgewirbelt werden könnten, ohne das Schicksal der Dinge zu teilen, die der Strudel früher oder schneller in sich aufgesogen hatte.

Außerdem machte ich drei wichtige Beobachtungen. Die erste war die allgemeine Regel, daß ein Körper, je größer er ist, desto schneller sinkt; die zweite, daß bei zwei Körpern von gleichem Volumen, von denen der eine von sphärischer, der andere von irgendeiner anderen Gestalt war, der sphärische stets rascher unterging; die dritte, daß bei zwei Körpern gleichen Volumens, von denen der eine von zylindrischer, der andere von irgendeiner anderen Gestalt war, der Zylinder am langsamsten eingesogen wurde. Nach meiner Rettung habe ich mich öfters mit einem alten Schulmeister unseres Distrikts über diese Erscheinungen unterhalten; von ihm habe ich auch die Bedeutung der Worte ›Zylinder‹ und ›Sphäre‹ gelernt. Er erklärte mir auch — ich vergaß jedoch wie —, daß das, was ich gesehen hatte, die natürliche Folge der Formen der schwimmenden Trümmer sei, und zeigte mir, woher es kommt, daß ein Zylinder der Einsaugekraft eines Strudels größeren Widerstand entgegensetzt als ein Körper von gleichem Volumen in irgendeiner anderen Form.*

Außerdem trug noch ein auffälliger Umstand dazu bei, mich von der Richtigkeit meiner Beobachtungen zu überzeugen und mich anzutreiben, Nutzen aus ihnen zu ziehen. Bei jeder Umdrehung um den Trichter kamen wir an einer Tonne oder Segelstange oder einem Schiffsmast vorüber, während viele derartige Gegenstände, die mit uns auf gleicher Höhe gewesen waren, als ich zuerst gewagt hatte, meine Augen für die Wunder des Strudels zu öffnen, jetzt hoch über uns schwammen und sich nur wenig von ihrer ursprünglichen Lage fortbewegt hatten.

Nun war mir nicht länger zweifelhaft, was zu tun sei. Ich beschloß, mich fest an das Wasserfaß, an das ich mich bisher angeklammert hatte, anzubinden, das Seil, mit dem es an dem Boot befestigt war, zu lösen und mich mit ihm zusammen ins Wasser zu werfen. Ich machte meinen Bruder durch Zeichen aufmerksam, deutete auf die Fässer, die in unserer Nähe schwammen, und versuchte alles, was in meinen Kräften stand, um ihm mein Vorhaben verständlich zu machen. Ich nahm endlich an, daß er mich begriffen habe; aber wie dem auch sei, er schüttelte verzweifelt den Kopf und weigerte sich, seinen Platz bei dem Ringbolzen zu verlassen. Ihn mit Gewalt fortzubringen war ein Ding der Unmöglichkeit, denn die Situation duldete keinen Aufschub. So überließ ich ihn denn nach bitterem Seelenkampf seinem Schicksal, band mich mit den Seilen, die das Faß an dem Schiff befestigt hatten, an und stürzte mich mit ihm, ohne noch einen Augenblick Zeit zu verlieren, in das Wasser.

Der Erfolg entsprach vollständig meinen Hoffnungen. Da ich selbst Ihnen diese Geschichte erzähle und Sie also sehen, daß ich *wirklich* dem Untergang entronnen bin, und Sie überdies wissen, auf welche Art und Weise ich meine Rettung bewerkstelligte, will ich schnell zum Schluß kommen.

Es mochte wohl eine Stunde vergangen sein, seit ich die Schmack verlassen hatte, als ich sie in weiter Entfernung unter mir plötzlich

* *Archimedes, ›De Incidentibus in Fluido‹, lib. 2.* E. A. P.

drei bis vier wilde Umdrehungen machen und mit meinem geliebten Bruder kopfüber auf immer in das Chaos von Schaum hinabstürzen sah. Das Faß, an das ich mich festgebunden hatte, sank wenig tiefer als über die Hälfte der Strecke zwischen dem Boden des Abgrundes und der Stelle, an der ich über Bord gesprungen war, als das Aussehen des Strudels plötzlich eine große Veränderung erfuhr. Der Abhang der Seitenwände des ungeheuren Trichters wurde von Minute zu Minute weniger steil. Die Umdrehungen des Strudels ließen immer mehr an Heftigkeit nach. Allmählich verschwand der Schaum und der Regenbogen, und der Boden des Strudels schien sich langsam zu heben. Der Himmel wurde klar, die Winde hatten sich gelegt, und der Vollmond ging strahlend im Westen unter, als ich mich auf der Oberfläche des Ozeans wiederfand, angesichts der Küste von Lofoten, oberhalb der Stelle, wo der Wirbel des Moskoestroms *gewesen war.* Die Ruhepause war eingetreten, doch ging die See infolge des Orkans noch haushoch. Ich wurde heftig in den Kanal der Strömung gerissen und in wenigen Minuten an die Küste gespült, in die Nähe der beliebten Fangstellen unserer Fischer.

Ein Boot nahm mich auf; ich war vollständig erschöpft, und jetzt, da die Gefahr vorüber war, sprachlos beim Andenken an ihre Greuel. Die Leute, die mich an Bord zogen, waren meine alten Kameraden und täglichen Genossen, aber sie erkannten mich ebensowenig, wie sie einen Wanderer aus dem Schattenland wiedererkannt haben würden. Mein Haar, das tags zuvor rabenschwarz gewesen, war so weiß geworden wie es heute ist. Man sagte auch, daß sich der ganze Ausdruck meines Gesichts verändert habe. Ich erzählte ihnen meine Geschichte – man glaubte sie nicht. Nun habe ich sie auch *Ihnen* erzählt und kann erwarten, daß Sie dieselbe für wahrhaftiger halten als die zweifelsüchtigen Fischer von Lofoten.«

DIE FLASCHENPOST

Qui n'a plus qu'un moment à vivre,
N'a plus rien à dissimuler.
Quinault, »Atys«

Von meiner Heimat und meiner Familie kann ich nur wenig sagen. Schlechte Behandlung und der Lauf der Zeit haben mich sowohl der einen wie der anderen entfremdet. Mein ererbter Reichtum ermöglichte mir ungewöhnlich ausgedehnte Studien, und eine beschauliche Gemütsart ließ mich die reichlich gesammelten Wissensvorräte in meinem Geist methodisch ordnen. Vor allem gewährten mir die Werke der deutschen Philosophen einen hohen Genuß; nicht etwa, weil ich ihre so beredt vorgebrachten Irrlehren bewunderte, im Gegenteil, weil ich, dank meinen geschulten analytischen Fähigkeiten, mit Leichtigkeit ihre Irrtümer entdeckte. Man hat mir sehr oft die Unfruchtbarkeit und Trockenheit meines Geistes vorgeworfen: geradezu als Verbrechen legte man mir den Mangel an Einbildungskraft aus; auch war ich von jeher wegen meines Skeptizismus bekannt; und es hatte mich auch in der Tat eine starke Neigung zum Materialismus mit dem Hauptirrtum unseres Zeitalters angekränkelt — ich meine, mit der Gewohnheit, alle nur möglichen Begebenheiten in Beziehung zu den Prinzipien der materialistischen Philosophie zu bringen, selbst die ihrem Gebiet fernstliegenden! Im allgemeinen war jedenfalls niemand weniger als ich geeignet, sich durch die Irrlichter des Aberglaubens von den strengen Rechtssprüchen der Wahrheit wegführen zu lassen.

Ich hielt es für angemessen, diese Vorrede voranzuschicken, damit man den unglaublichen Bericht, den ich niederschreiben will, nicht etwa für die Vorspiegelung unverdauter Ideen, sondern für die positive Erfahrung eines Geistes nehmen möge, für den die Träumereien der Phantasie stets gänzlich ohne Interesse und ein hohles Nichts gewesen sind.

Nachdem ich schon mehrere Jahre mit weiten Reisen zugebracht hatte, schiffte ich mich im Jahre 18 . . im Hafen von Batavia, der Hauptstadt der reichen, bevölkerten Insel Java, zu einer Fahrt nach dem Archipel der Sunda-Inseln ein. Ich reiste, weil mich eine gewisse nervöse Rastlosigkeit, die mich wie mein böser Geist verfolgte, dazu antrieb.

Unser Fahrzeug, ein schönes Schiff, das ungefähr vierhundert Tonnen hielt, war mit Kupfer bekleidet und in Bombay aus Teakholz gebaut worden. Es hatte Baumwolle, Wolle und Öl geladen. Außerdem hatten wir noch Kokosbast, Kokosnüsse, Palmenzucker, Butteröl und einige Büchsen Opium an Bord. Man hatte die Waren sehr unordentlich gestaut, so daß das Schiff ein wenig auf der Seite lag.

Bei ganz leichtem Wind gingen wir unter Segel und glitten mehrere Tage lang die östliche Küste Javas entlang, ohne daß ein anderes Ereignis die Einförmigkeit unserer Fahrt unterbrach als das gelegentliche Zusammentreffen mit einem der Küstenboote, die aus dem Archipel kamen, auf den wir zusegelten.

Als ich mich eines Abends über das Gitter am Hinterteil des Schiffes lehnte, bemerkte ich gegen Nordwesten eine sonderbare einzelne Wolke. Sie mußte mir auffallen, denn sie war die erste, die ich seit der Abreise von Batavia gesehen hatte, und dazu von seltsamer Farbe. Ich betrachtete sie sorgfältig, bis sie sich bei Sonnenuntergang über den ganzen Osten und Westen verbreitete und den Horizont mit einem deutlichen Dunstgürtel umgrenzte, der wie ein sehr niedriger, langer Küstenstreifen erschien. Bald darauf erregten der düsterrote Glanz des Mondes und das absonderliche Aussehen des Meeres meine Aufmerksamkeit. Eine plötzliche Veränderung schien mit dem Wasser vor sich zu gehen: es wurde ganz ungewöhnlich durchsichtig. Obgleich ich den Boden deutlich erkennen konnte, wies das Senkblei fünfzehn Faden Tiefe. Die Luft wurde unerträglich heiß und hauchte uns an wie der Atem glühenden Eisens. Als die Nacht kam, starb der letzte kleine Luftzug dahin, und die tiefste Totenstille trat ein. Auf dem Hinterteil des Schiffes brannte eine Kerze, ohne daß ihre Flamme die allergeringste Bewegung verriet, und ein Haar, das ich zwischen Zeigefinger und Daumen hielt, hing so ruhig, daß ich nicht die geringste Schwingung an ihm bemerken konnte. Da der Kapitän jedoch nirgendwo ein Anzeichen von Gefahr wahrnahm, ließ er die Segel einziehen und Anker werfen. Es wurde keine Wache ausgestellt, und die Mannschaft, die hauptsächlich aus Malayen bestand, streckte sich gemächlich auf Deck aus. Ich stieg in meine Kabine hinab – eine Ahnung kommenden Unheils folgte mir. Alle die Anzeichen, von denen ich gesprochen habe, ließen mich einen Samum befürchten. Ich teilte dem Kapitän meine Besorgnisse mit, er schenkte meinen Worten jedoch keine Aufmerksamkeit und verließ mich, ohne diese einer Beantwortung zu würdigen. Meine Unruhe ließ mich nicht schlafen, und um Mitternacht stieg ich wieder auf Deck. Als ich meinen Fuß auf die oberste Stufe der Kajütentreppe setzte, erschreckte mich ein dumpfes, tiefes Summen, wie es die rasche Umdrehung eines Mühlrades wohl hervorbringt, und ehe ich mir noch über die Ursache und die Bedeutung des Geräusches klarwerden konnte, fühlte ich, wie das Schiff bis in seinen Mittelpunkt erbebte. Im nächsten Augenblick warf uns eine wilde, schäumende Welle auf die Seite und überschwemmte das ganze Deck. Aber gerade die *plötzliche* Wut des Sturmes war es wohl, die das Schiff rettete. Obgleich es sofort überschwemmt wurde und seine Masten über Bord gegangen waren, erhob es sich, nach einer Minute etwa, schwerfällig wieder, schwankte ein paar Augenblicke unter dem starken Druck des Sturmes auf und ab und erhob sich dann vollends.

Es ist mir unmöglich, festzustellen, welches Wunder mich vom Tode errettete. Der Anprall des Wassers hatte mich bewußtlos gemacht, und als ich wieder zu mir kam, fand ich mich zwischen dem Hintersteven und dem Steuer eingeklemmt. Mit vieler Mühe stellte ich mich auf meine Füße, blickte schwindlig umher und glaubte, wir seien in eine Brandung geraten; so über alle Vorstellung schrecklich war der ungeheure schäumende Wirrwarr um uns. Nach einer Weile vernahm ich die Stimme eines Schweden, der sich im letzten Augenblick, als wir den Hafen schon verließen, noch mit eingeschifft hatte. Ich rief ihn aus Leibeskräften an, und er kam denn auch sogleich schwankend auf mich zu. Wir entdeckten bald, daß wir als die einzigen den fürchterlichen Stoß überlebt hatten. Alle anderen waren über Bord gerissen oder wie der Kapitän und die Matrosen im Schlaf vom Tod überrascht worden, denn die Kajüten standen voll Wasser. Ohne weitere Hilfe konnten wir nun sehr wenig für unsere und des Schiffes Sicherheit tun, und außerdem waren unsere Kräfte durch die Furcht, jeden Augenblick untergehen zu können, vollständig gelähmt. Das Ankertau war beim ersten Windstoß wie ein Bindfaden zerrissen, sonst wäre das Schiff wohl im selben Augenblick zu Grunde gegangen. Wir schossen nun mit schaudererregender Schnelligkeit vor den Wellen dahin; das Wasser bildete furchtbare Breschen um uns herum. Das Holzwerk auf dem Hinterdeck war vollständig weggerissen worden, und auch sonst hatte das Schiff bedenklich Schaden erlitten. Zu unserer größten Freude jedoch fanden wir, daß die Pumpen funktionierten und sich unser Ballast nicht allzusehr verschoben hatte. Der schlimmste Sturm war vorüber, und wir hatten jetzt vom Wind nur noch wenig zu befürchten. Doch sahen wir mit Entsetzen dem Augenblick entgegen, da er vollständig aufhören werde, denn wir mußten annehmen, daß unser beschädigtes Schiff den wilden Wogengang, der mit Sicherheit folgen würde, nicht aushalten könne. Doch schien sich diese Befürchtung nicht allzubald zu verwirklichen. Fünf ganze Tage und Nächte lang, während derer wir uns kümmerlich mit ein paar Stücken Palmenzukker, die wir mit großer Mühe von unten heraufgeschafft hatten, ernährten, floh unser Schiffsrumpf mit unberechenbarer Schnelligkeit vor den Windstößen, die, obgleich sie sich an Wut mit dem ersten nicht messen konnten, doch schrecklicher waren als irgendein Sturm, den ich bis dahin erlebt hatte. Wir glitten die ersten vier Tage mit ganz geringen Abweichungen nach Südsüdost und hätten also an der Küste von Neuholland landen müssen.

Am fünften Tage wurde es außerordentlich kalt, die Sonne ging mit krankhaft gelbem Glanz auf und erhob sich nur wenige Grade über den Horizont, ohne ein entschiedenes Licht zu entsenden. Wolken waren nicht zu sehen, doch nahm der Wind beständig zu und blies in wütenden, starken Stößen. Es mochte wohl Mittag sein, als das Aussehen der Sonne von neuem unsere Aufmerksamkeit auf sich zog. Sie strahlte kein eigentliches Licht aus, sondern brannte in dunkler, trüber Glut, ohne Widerschein, als wären alle ihre Strahlen polarisiert. Kurz bevor sie in den aufschwellenden Ozean versank, ging ihre mittlere Glut vollständig aus, als sei sie von einer unerklärlichen Gewalt gelöscht worden. Als ein leeres, bleiches, silberglänzendes Rad sank sie in die unergründliche See. Wir warteten sehnsüchtig auf die Ankunft des sechsten Tages — aber dieser Tag kam mir nicht noch meinem Gefährten. Wir blieben von jetzt ab in tiefe Dunkelheit gehüllt; einen Gegenstand, der zwanzig Schritte vom Schiff entfernt war, hätten wir nicht mehr sehen können. Ewige Nacht lag um uns gebreitet, und nicht einmal das Phosphorleuchten des Meeres, an das wir uns in den Tropen gewöhnt hatten, wollte sie matt erhellen. Obgleich der Sturm mit unverminderter Heftigkeit forttobte, bemerkten wir auf den Wellen weder Gischt noch Schaum mehr. Die Welt um uns her war nur Schrecknis, undurchdringliche Düsterkeit, *eine* ebenholzschwarze, schwankende Wüste. Alle Gespenster des Aberglaubens umflatterten das Haupt des Schweden, und *meine* Seele hüllte sich ein in schweigende Verwunderung. Wir sahen von jeder Sorge um das Schiff als unnütz ab, banden uns, so gut es gehen wollte, an den Stumpf des Fockmastes an und blickten, bitterniserfüllt, in die Meereswelt hinaus. Wir konnten weder die Zeit noch den Ort, an dem wir uns befanden, auch nur annähernd bestimmen. Doch wußten wir, daß kein Seefahrer vor uns ebensoweit nach Süden gelangt war, und wunderten uns sehr, daß wir nicht durch die erwarteten Eismassen aufgehalten wurden. Jetzt jedoch konnte jeder Augenblick unser letzter sein — jede der ungeheuren Wellen konnte uns in den Abgrund ziehen. Der Wogengang übertraf an Wildheit alles, was ich bis jetzt erlebt hatte, und es ist wirklich ein Wunder, daß wir nicht beständig unter Wasser begraben waren. Mein Gefährte tröstete mich mit unserer leichten Ladung und dem ausgezeichneten Bau des Schiffes, doch ich empfand nur Hoffnungslosigkeit und dachte angstvoll an den

Tod, der, wie ich glaubte, nicht länger als eine Stunde mehr auf sich warten lassen würde. Denn mit jedem Knoten, den das Schiff zurücklegte, wurden die Wogen dieses schwarzen, geheimnisvollen Ozeans erschreckender, wütender. Zuweilen wurden wir höher hinaufgeschleudert, als der Albatros fliegt; und der Atem verging uns. Dann wieder schossen wir schwindelnd mit rasender Schnelligkeit in einen Wasserabgrund, in dem die Luft still stand und kein Laut den Schlaf des Kraken störte.

Wir befanden uns gerade wieder einmal am Boden eines solchen Abgrundes, als mein Gefährte in grausiger Angst in die Nacht hinausschrie:

»Sehen Sie! Sehen Sie! Allmächtiger Gott! Sehen Sie!«

Ich bemerkte einen trüben, düsteren Schein roten Lichts, der an den Seiten des ungeheuren Schlundes, in dem wir schwankten, herabströmte und einen ungewissen Widerschein auf unser Deck warf. Als ich die Augen erhob, sah ich etwas, das mir das Blut in meinen Adern erstarren machte. In schauerlicher Höhe über uns, dicht am Rande der fast senkrechten Wasserwand, schwebte ein ungeheures Schiff. Obwohl es auf der Spitze einer Welle schwankte, die wohl hundertmal höher war als das Fahrzeug selbst, erkannte ich doch, daß es unendlich größer sein mußte als irgendein Ostindienfahrer. Der riesige Rumpf war tiefschwarz und wies keine der üblichen Verzierungen auf. Eine einfache Reihe eherner Kanonen sah aus den geöffneten Stückpforten hervor und spiegelte auf ihren glänzenden Oberflächen das Licht zahlloser Laternen, die im Takelwerk hin und her schwankten.

Was uns jedoch am meisten entsetzte, war, daß das Fahrzeug auf diesem gespenstischen Meer, bei diesem wüsten Orkan mit *entfalteten* Segeln dahinglitt. Als wir das Schiff zuerst bemerkten, erhob es sich langsam aus dem dunklen, gräßlichen Abgrund hinter ihm, so daß wir nur seinen Bug sehen konnten. Einen Augenblick lang — einen Augenblick voll unaussprechlichsten Schrecks — blieb es auf der schwindelnden Höhe still stehen, als berausche es sich an seiner eigenen Majestät, dann begann es zu zittern, zu schwanken und sauste herab!

Ich weiß es nicht, wie es kam, daß in diesem Augenblick eine plötzliche Kaltblütigkeit in mich fuhr. Soweit es mir möglich war, stürzte ich nach vorn, um die Katastrophe, die uns vernichten mußte, zu erwarten. Unser eigenes Schiff schien den Kampf aufgegeben zu haben und senkte sich mit seinem Vorderteil ins Wasser. Der Aufprall der heruntersausenden Masse traf es also gerade an der Stelle, die schon unter Wasser lag, und das Ende war, daß ich mit unwiderstehlicher Gewalt in das Takelwerk des fremden Schiffes geschleudert wurde.

Als ich fiel, erhob sich das Schiff gerade wieder und stieg in die

Höhe. In der Verwirrung, die auf dem Deck herrschte, bemerkte mich niemand von der Mannschaft. Ohne allzu große Mühe gelangte ich an die Hauptluke, die teilweise offen stand, stieg in sie hinein und verbarg mich im Schiffsraum. Warum ich dies tat, weiß ich nicht. Ein unbestimmtes Angstgefühl, das mich beim Anblick der unbekannten Seefahrer ergriffen hatte, trieb mich vielleicht an, mich zu verstecken. Ich wollte mich wohl nicht einer Menschenart anvertrauen, an der ich beim ersten flüchtigen Blick soviel Seltsames, Neues, soviel Furcht- und Zweifelerregendes wahrgenommen hatte. Ich hielt es deshalb für besser, mich im Schiffsraum zu verbergen. Dort rückte ich einen Teil der beweglichen Bretter, welche die Ladung stützten, beiseite und richtete mir so ein genügend großes Versteck ein.

Ich hatte mein Werk kaum vollendet, als Schritte im Schiffsraum hörbar wurden und ein Mann mit schwachem, unbestimmtem Tritt an mir vorbeiging. Sein Gesicht konnte ich nicht sehen, doch betrachtete ich seine allgemeine Erscheinung. Er war augenscheinlich schon hochbejahrt und gebrechlich. Seine Knie wankten von der Last der Jahre, sein ganzes Wesen schien unter ihr zu zittern. Er redete mit sich selbst, murmelte leise und gebrochen Worte einer Sprache, die ich nicht verstehen konnte, und kramte in einem Winkel herum, in dem allerlei sonderbar aussehende Instrumente und zerfetzte Seefahrerkarten lagen. Sein ganzes Wesen war eine Mischung der üblen Laune zweiter Kindheit und der feierlichen Würde eines Gottes. Er ging alsbald wieder an Deck zurück. Und ich sah ihn nicht wieder.

Ein Gefühl, für das ich keinen Namen finde, hat von meiner Seele Besitz ergriffen – eine Empfindung, die keine Analyse zuläßt und zu der ich in meinem vergangenen Leben keine Parallele finde, zu deren Erkenntnis mir, wie ich fürchte, auch die Zukunft keinen Schlüssel geben wird. Für einen Geist wie den meinigen ist diese letztere Überzeugung eine wahre Todesqual. Ich werde nie – ich weiß, ich werde nie – über das Wesen dieser Empfindungen belehrt werden. Und doch ist es nicht zu verwundern, daß diese Ideen ganz unbestimmbar sind, weil sie so ganz neuen Quellen entspringen. Eine *neue* Empfindung – eine *neue* Wesenheit ist in meiner Seele erwachsen.

Es ist schon lange Zeit verflossen, seit ich das Deck dieses fürchterlichen Schiffes zuerst betrat, und die Strahlen meines Schicksals sammeln sich zu einem Brennpunkt. Unbegreifliche Menschen! In Betrachtungen versunken, die ich nicht erraten kann, gehen sie an mir vorbei, ohne mich zu bemerken. Es ist äußerste Torheit von mir, daß ich mich verberge, denn die Leute *wollen* nichts sehen. Eben jetzt ging ich dicht vor den Augen des Steuermanns vorüber; kurz vorher hatte ich mich in die Privatkajüte des

Kapitäns gewagt und mir alles, was ich zum Schreiben nötig hatte, geholt. Ich werde diese Aufzeichnungen von Zeit zu Zeit vervollkommnen, wenn ich auch wahrscheinlich nie Gelegenheit haben werde, sie der Welt mitzuteilen; doch will ich es immerhin versuchen und das Manuskript im Notfall in einer Flasche verschließen und diese dem Meer übergeben.

Es hat sich neuerdings ein Ereignis zugetragen, das mir nachzudenken gibt. Sind dergleichen Dinge bloß Werke des unlenkbaren Zufalls? — Ich hatte mich aufs Deck hinaufgewagt und, ohne bemerkt zu werden, auf einen Haufen alter Segel niedergeworfen. Während ich über mein seltsames Schicksal nachgrübelte, strich ich in Gedanken mit einer Teerbürste über den Rand eines Beisegels, das sorgfältig gefaltet auf einer Tonne neben mir lag. Dieses Segel ist jetzt aufgezogen worden, und die ganz unbewußt gemachten Bürstenstriche bilden das Wort *Entdeckung*.

Ich habe neuerdings verschiedene Beobachtungen über die Bauart des Schiffes gemacht. Obgleich mit Waffen wohl ausgerüstet, scheint es doch kein Kriegsschiff zu sein. Sein Takelwerk, seine Konstruktion, seine sonstige Ausstattung sprechen gegen eine solche Annahme. Was es *nicht* ist, weiß ich also genau, doch fürchte ich, daß es mir stets unmöglich bleiben wird, zu sagen, *was* es ist. Ich weiß nicht, wie es geschieht: stets wenn ich seinen seltsamen Bau betrachte, die sonderbare Gestalt seiner Mastbäume, seine riesigen Verhältnisse, die übergroße Zahl der Segel, seinen streng geformten einfachen Bug, das altmodische Achterschiff — scheint mir, als durchblitze eine Erinnerung an nicht unvertraute Dinge meine Seele, als überglänze diese schwankenden Schatten ein unerklärliches Gedenken an alte, seltsame Legenden und langversunkene Zeiten. Ich habe die Zimmerarbeit des Schiffes untersucht. Sie ist aus mir unbekannten Materialien hergestellt. Das Holz hat eine Eigentümlichkeit, die es eigentlich für den Zweck, dem es dienen soll, ganz ungeeignet erscheinen läßt. Ich meine seine außerordentliche Porösität, die von der Wurmstichigkeit, die das Meerwasser oft zur Folge hat, und von dem natürlichen Verfall durch Alter ganz verschieden ist. Vielleicht findet man diese Bemerkung ein wenig spitzfindig, doch scheint es mir, als habe das Holz alle Eigenschaften der spanischen Korkeiche, vorausgesetzt, daß man deren Holz durch künstliche Mittel ausdehnen könnte.

Als ich die obenstehenden Sätze noch einmal überlas, kam mir der seltsame Kernspruch einer alten holländischen Teerjacke wieder ins Gedächtnis: »Das ist so gewiß wahr«, pflegte er zu sagen, wenn man irgendeinen Zweifel an seiner Glaubwürdigkeit laut werden ließ, »wie es ein Meer gibt, in dem das Schiff von selber wächst; gerade wie ein Mensch!«

Vor einer Stunde war ich noch kühn genug, mich unter eine

Gruppe von Leuten der Mannschaft zu mischen. Sie schienen mich wieder nicht zu bemerken; denn obwohl ich mich gerade in ihrer Mitte hielt, nahmen sie keine Notiz von meiner Anwesenheit. Wie der Mann, den ich zuerst im Schiffsraum gesehen hatte, trugen auch sie alle Merkmale grauen Alters. Ihre Knie schlotterten vor Schwäche, auf ihren Schultern lagerte der Verfall, ihre verschrumpfte Haut wurde im Wind von Schaudern überlaufen, ihre Stimme klang leise, zitternd und gebrochen, in ihren Augen standen die Tränen der Greisenhaftigkeit, und ihre grauen Haare flatterten unheimlich im Sturm. Um sie her, auf dem ganzen Deck verstreut, lagen sonderbare, längst veraltete mathematische Instrumente.

Ich habe oben von einem Beisegel gesprochen, das man neu angebracht hatte. Von jenem Augenblick an sauste das Schiff mit allen Segeln auf seiner schrecklichen Bahn nach Süden weiter und stürzte sich jeden Augenblick in Wasserschlünde, die wüster waren, als das Hirn des Menschen sie sich ausdenken kann. Ich habe das Deck verlassen müssen, da ich mich dort nicht mehr halten konnte, obwohl die Mannschaft nur sehr wenig Unbequemlichkeit zu verspüren scheint. Es bleibt mir ein unlösbares Rätsel, daß das ungeheure Fahrzeug nicht jeden Augenblick zu Grunde geht. Wir sind wohl verdammt, ewig um den Rand der Ewigkeit kreisen zu müssen, ohne in ihren Abgrund hineinzustürzen. In sausendem Fluge gleiten wir wie die Meerschwalbe über Wellen dahin, die entsetzlicher sind als alles, was ich je gesehen habe. Wie Teufel des Abgrunds erheben ungeheure Wogen ihre Häupter über uns – wie Teufel, die nur drohen, aber nicht vernichten dürfen! Nur ein einziger einigermaßen natürlicher Grund kann mir erklären, daß wir in all diesen Schrecken erhalten bleiben: Ich muß annehmen, daß das Schiff von irgendeiner starken, oberen oder unteren Strömung mit fortgerissen wird.

Ich habe den Kapitän in seiner eigenen Kajüte von Angesicht zu Angesicht gesehen – er jedoch bemerkte mich, wie ich erwartet hatte, durchaus nicht. Obgleich der flüchtige Beobachter an seinem Äußeren nichts findet, das ihn als etwas Höheres oder Geringeres als einen Menschen erscheinen läßt, mußte ich ihn mit unbezwinglicher Ehrfurcht, mit Angst und Verwunderung anschauen. Er ist ungefähr von meiner Größe, das heißt: etwa fünf Fuß acht Zoll hoch. Dabei fest und wohlgestaltet. Und doch ist seine Erscheinung weder durch besondere Kraft noch durch irgend etwas anderes bemerkenswert. Aber der seltsame Ausdruck seiner Züge – er war wie die wunderbare, starke, unbegreiflich gewaltige Offenbarung hohen Alters – erregte in mir eine unauslöschliche, unvergeßliche Empfindung. Seiner Stirn scheint, obschon sie nur leicht gefurcht ist, das Siegel von Myriaden von

Jahren aufgedrückt zu sein, sein Haar hat das Grau unermeßlicher Vergangenheiten, seine noch graueren Augen sind wie Sibyllen, die in die Zukunft schauen.

Auf dem Boden seiner Kajüte lagen sonderbare, eisenbeschlagene Bände, vermorschende wissenschaftliche Instrumente und veraltete, lang vergessene Karten umher. Sein Haupt ruhte in seiner Hand, und mit heißem, unruhigem Auge grübelte er über ein Schriftstück nach, das ich für eine Urkunde hielt und das das Siegel eines Herrschers trug. Er murmelte — wie es der erste Mann, den ich an Bord gesehen hatte, tat — mit leiser, verdüsterter Stimme einige Worte in einer fremden Sprache vor sich hin; und obgleich ich dicht neben ihm stand, tönten die Laute wie aus meilenweiter Ferne an mein Ohr.

Das Schiff und alles, was es enthält, tönt von längst vergangenen Zeiten. Die Leute der Mannschaft wandeln hin und her wie die Geister begrabener Jahrhunderte; in ihren Augen lebt ein heißer, unruhiger Gedanke, und wenn in dem seltsamen Glühen der Laternen die Schatten ihrer Gestalten über meinen Weg fallen, überläuft mich ein Gefühl, das ich nie gekannt habe, obgleich ich stets das Altertum geliebt und mich im Schatten der gestürzten Säulen von Baalbek, Tadmor und Persepolis so oft ergangen habe, daß meine eigene Seele davon zur Ruine geworden ist.

Wenn ich um mich schaue, schäme ich mich meiner ersten Befürchtungen. Wenn mich der Sturm, der uns bis jetzt einhertrieb, schon erzittern ließ, so müßte mich dieser Kampf der Luftgewalten mit dem Ozean, von der die kargen Worte Orkan und Wirbelwind gar keine Vorstellung machen, mit Entsetzen schlagen. Die Finsternis der ewigen Nacht lagert über dem Schiff und dem wüsten Chaos schwarzen Wassers, das nicht schäumt; und doch können wir an jeder Seite, unbestimmt und eine Meile entfernt, schwindelnd hohe Eiswälle sehen, die sich wie die Grenzmauern der Welt bis in den trostlosen Himmel hinein auftürmen!

Wie ich gedacht habe, schießt das Schiff offenbar in einem Strom dahin, wenn man die Flut so nennen will, die an dem weißen Eis heulend und kreischend, mit der rasenden Schnelligkeit eines vom Felsen stürzenden Wasserfalles dem Süden zudonnert.

Es ist unmöglich, sich mein Entsetzen vorzustellen. Und doch überwiegt die Neugierde, die Geheimnisse dieser furchtbaren Regionen zu ergründen, noch meine Verzweiflung und ist stark genug, mich mit dem schauerlichen Anblick des Todes zu versöhnen. Es ist klar, daß wir irgendeiner furchtbaren Entdeckung zueilen — einem

unmittelbaren Geheimnis, dessen Offenbarung den Untergang bringen muß. Vielleicht reißt uns der Strom zum Südpol selbst? Diese seltsam klingende Mutmaßung hat Wahrscheinlichkeit für sich.

Die Mannschaft geht zitternden, unruhigen Schrittes auf Deck hin und her; und doch liegt auf allen Gesichtern ein Ausdruck, der mehr von der Glut der Hoffnung als von der Erstarrung der Verzweiflung zu kommen scheint. Wir fliehen noch immer vor dem Wind, und da das Schiff alle Segel entfaltet hat, werden wir manchmal hoch über das Wasser in die Luft getragen! O Grauen über Grauen! Die Eismauern öffnen sich plötzlich zur Rechten und zur Linken, und wir wirbeln pfeilgeschwind in ungeheuren konzentrischen Kreisen rund um ein riesenhaftes Amphitheater, dessen Gipfel sich in der Finsternis des Raumes verliert. Es bleibt mir nur wenig Zeit, an *mein* Schicksal zu denken. Die Kreise verengen sich mit reißender Schnelle, wir geraten in den Schlund des Strudels, und unter dem Brüllen, Bellen, Donnern des Ozeans und des Sturms geht ein Schauer durch das Schiff – und – o Gott! – es – schießt – hinab ...*

* *»Die Flaschenpost« wurde zum ersten Male im Jahre 1831 veröffentlicht, und erst viele Jahre später kamen mir die Karten von Mercator vor Augen, auf welchen man den Ozean sich durch vier Schlünde in den (nördlichen) Polar-Golf, in die Eingeweide der Erde stürzen sieht. Der Pol selbst wird durch einen schwarzen Felsen dargestellt, der sich zu ungeheurer Höhe auftürmt.* E. A. P.

DER BERICHT DES ARTHUR GORDON PYM AUS NANTUCKET

Vorbemerkungen

Als ich vor einigen Monaten – nach seltsamen Abenteuern in der Südsee und in anderen Zonen – in die Vereinigten Staaten zurückkehrte, geriet ich in Richmond zufällig in eine Gesellschaft von Herren, welche sich für die Gegenden, die ich durchschifft hatte, lebhaft interessierten und mich inständigst baten, ja, es für meine Pflicht erklärten, die Erzählung meiner Abenteuer dem Publikum zugänglich zu machen. Doch ich hatte mehrere Gründe, dies nicht sogleich zu tun, von denen einige ganz privater Natur waren und nur mich allein betrafen; die größten Bedenken erregte mir jedoch der Umstand, daß ich, der ich während des größeren Teiles der Reise kein Tagebuch geführt hatte, nicht imstande gewesen wäre, aus dem Gedächtnis eine genaue und zusammenhängende Reisebeschreibung zu liefern, die so wahrscheinlich klänge, wie es im Interesse der Wahrheit zu wünschen war, und die Vermutung nicht aufkommen ließe, eine starke Phantasie habe dem Erzähler manche Dinge wohl in zu grellem Lichte gezeigt. Ein anderer Grund war der, daß die Begebenheiten, welche ich zu erzählen hatte, wirklich zu wunderbarer Natur waren, und ich, da ich mich nur auf das Zeugnis eines *einzigen* Mannes, der noch dazu ein ungebildeter Indianer war, stützen konnte, bloß bei meiner Familie und ein paar Freunden, die seit meiner Jugend meinen realen Sinn kannten, Glauben zu finden hoffen durfte – daß das Publikum im allgemeinen jedoch meine Erzählung für eine ziemlich unverschämte Erfindung halten würde. Dazu kam noch ein gewisses Mißtrauen, das ich in meine schriftstellerische Fähigkeit setzen mußte, und, wie gesagt, eine Menge privater Gründe, die mich abhielten, der Aufforderung einer Veröffentlichung nachzukommen.

Unter den Herren, die das größte Interesse an meinen Erzählungen, besonders an dem Teil derselben hatten, der sich auf den Antarktischen Ozean bezieht, befand sich auch Herr E. A. Poe, der frühere Herausgeber des ›Southern Literary Messenger‹, einer Monatsschrift des Herrn Thomas W. White in Richmond. Er riet mir besonders dringend, möglichst bald einen genauen Bericht meiner Erlebnisse herauszugeben und dem gesunden Menschenverstand des Publikums zu vertrauen; werde das Buch auch ungeschickt geschrieben, so könne es dadurch doch nicht verlieren, die Ungeschicklichkeit werde im Gegenteil eher behilflich sein, mir Glauben zu verschaffen.

Da ich mich jedoch trotz all seiner Vorstellungen noch immer nicht zu einer Herausgabe entschließen konnte, bat er mich, den ersten Teil meiner Abenteuer in eigener Fassung in dem ›Messenger‹ als Erfindung herausgeben zu dürfen. Ich willigte ein und stellte nur die Bedingung, daß mein Name unerwähnt bleibe. Zwei Teile der angeblich *erfundenen* Erzählung erschienen denn auch im Januar und Februar 1837 im ›Messenger‹ und zwar, um die Vorspiegelung, es handele sich um Erfindungen, vollständig zu machen, unter dem Namen des Herrn E. A. Poe.

Die Art und Weise, in der man nun diese beiden Teile aufgenommen hat, bestimmte mich schließlich doch, an eine regelrechte Beschreibung und Herausgabe der Abenteuer zu gehen. Denn ich hatte gemerkt, daß das große Publikum – trotz des Anscheins des Erfundenen, den Herr E. A. Poe den im ›Messenger‹ erschienenen Bruchteilen, ohne auch nur eine einzige Tatsache zu entstellen oder zu übertreiben, gegeben hatte – doch nicht geneigt war, die ganze Sache für eine Fabel zu halten. Herr E. A. Poe erhielt z. B. mehrere Briefe, deren Schreiber offenbar vom Gegenteil überzeugt waren. Ich schloß daraus, daß die Tatsachen, die ich mitzuteilen hatte, der Art seien, daß man sie um ihrer selbst willen glauben könne, und daß ich nicht Gefahr laufe, durch die allgemeine Ungläubigkeit geärgert zu werden.

Nachdem ich diese Vorbemerkungen gemacht habe, bleibt mir nur übrig, noch einmal zu erwähnen, daß, wie gesagt, nicht *alles*, was folgt, meiner Feder entstammt, daß jedoch Herr E. A. Poe, der die ersten Seiten der Abenteuer geschrieben, auch nicht eine Tatsache verändert oder entstellt hat. Selbst für die Leser, welche den ›Messenger‹ nicht gelesen haben, ist es unnötig, das Kapitel zu bestimmen, an dem *meine* Erzählung beginnt, ein jeder wird den Unterschied im Stil leicht bemerken.

New York, im Juli 1838 A. G. Pym

KAPITEL I

Ein Vorabenteuer

Ich heiße Arthur Gordon Pym. Mein Vater war ein ehrenwerter Mann und betrieb zu Nantucket, wo ich geboren wurde, einen Handel in Schiffseinrichtungsgegenständen. Mein Großvater mütterlicherseits war Advokat und hatte einen großen Klientenkreis. Außerdem spekulierte er erfolgreich und erwarb sich ein ziemlich beträchtliches Vermögen. Er war mir, glaube ich, mehr als irgend jemand anderem auf der Welt zugetan, und ich durfte erwarten, bei seinem Tode den größten Teil seiner Güter zu erben. Als ich sechs Jahre alt war, schickte er mich in die Schule des alten Herrn Ricketts, eines Herrn, der nur einen Arm und ziemlich exzentrische Manieren hatte und jedem, der einmal New Bedford besucht hat, wohlbekannt ist. Ich blieb bis zum siebzehnten Jahr unter seiner Obhut und besuchte dann die Akademie des Herrn E. Ronald. Hier wurde ich mit dem Sohn des Herrn Barnard bekannt, eines Seekapitäns, der im Auftrag der Firma Vredenburgh fuhr; Herr Barnard ist ebenfalls in New Bedford gut bekannt und hat viele Verwandte in Edgarton. Sein Sohn hieß August und war fast zwei Jahre älter als ich. Er war einmal mit seinem Vater auf der Walfischjagd gewesen und konnte mir nicht genug von seinen Seeabenteuern erzählen. Ich brachte manchmal ganze Tage, ja, ganze Nächte bei ihm zu. Wir schliefen in demselben Bett und schlossen oft bis zum Tagesanbruch kein Auge, weil er kein Ende finden konnte, mir die Eingeborenen von Tinian und anderen Inseln, die er besucht, zu schildern. Ich begann mich nach und nach für seine Erzählungen zu interessieren, bis ich dann schließlich nichts lebhafter wünschte, als Seemann zu werden. Ich kaufte mir für fünfundsiebzig Dollar ein kleines Segelboot, den ›Ariel‹, ein Halbverdeck, das ohne Überlastung wohl zehn Personen fassen konnte. Mit diesem Boot nun machten wir die tollsten Streiche von der Welt, und wenn ich mich jetzt an dieselben erinnere, wundere ich mich nur, daß ich noch am Leben bin.

Ich möchte eines dieser Abenteuer meiner längeren und wichtigeren Erzählung als Einleitung vorausschicken. Herr Barnard gab eines Abends eine Gesellschaft, an deren Schluß August und ich nicht wenig bezecht waren, so daß ich, wie meistens in solchen Fällen, vorzog, die Nacht bei ihm zu bleiben, statt nach Hause zu gehen. Er begab sich ziemlich ruhig zu Bett, und auch ich war nach Verlauf einer halben Stunde gerade dabei, sanft einzudämmern, als er plötzlich wieder vom Bett aufstand und mit einem schrecklichen Fluch schwor, daß kein Arthur Pym in der ganzen Christenheit ihn bewegen könne, zu schlafen, wenn eine so glorreiche Brise aus Südwest wehe. Ich erstaunte höchlichst, denn ich konnte mir gar nicht erklären, was er eigentlich wolle, und glaubte, der reichliche Wein- und Schnapsgenuß habe ihn so außer sich gebracht. Er sprach jedoch plötzlich ganz ruhig weiter: Ich hielte ihn wohl für betrunken, jedoch sei er nie in seinem Leben nüchterner gewesen. Er sei es aber leid, in einer so wundervollen Nacht wie ein Hund schlafend zu liegen, er werde jetzt aufstehen, sich anziehen und auf dem Boot ›Spaß machen‹. Ich weiß nicht, welcher böse Geist plötzlich Besitz von mir ergriff: kaum waren die Worte seinem Mund entflohen, so war auch ich der Meinung, daß seine wahnwitzige Idee der köstlichste und vernünftigste Vorschlag von der Welt sei. Es war fast stürmisch draußen und das Wetter sehr kalt, denn wir befanden uns gegen Ende Oktober.

Ich sprang jedoch dessenungeachtet in einer Art von Ekstase aus dem Bett, schrie, daß ich ebenso tapfer sei wie er und ebensowenig geneigt, wie ein Hund die Nacht durchzuschlafen, und, ebenso wie jeder August Barnard in Nantucket, zu jedem Ulk auf seinem Boot bereit.

Mit Windesschnelle fuhren wir in unsere Kleider und eilten hinaus. Der ›Ariel‹ lag auf der alten, verfallenen Werft von Pankey & Co. August sprang hinein und schöpfte ihn aus, denn er war fast halb voll Wasser. Als dies getan war, richteten wir die Segel und steuerten kühn in die See hinaus.

Es blies ziemlich stark aus Südwest, die Nacht war klar und kalt; August saß am Steuer, ich stand auf Deck am Segel. Wir flogen ziemlich rasch dahin, keiner von uns hatte, seit wir das Schiff von der Werft losgelöst, ein Wort gesprochen. Ich fragte meinen Gefährten nach einiger Zeit, wohin er denn eigentlich steuern wolle und wann wir wieder zurückkehren würden. Er pfiff ein paar Minuten lang vor sich hin und antwortete mir dann ganz trocken: »*Ich* fahre auf die See hinaus, *du* kannst ja nach Hause zurückkehren, wenn du willst!« Ich sah ihn erstaunt an und bemerkte, daß er trotz seiner angenommenen Gleichgültigkeit im höchsten Grad erregt war. Ich konnte ihn, da der Mond hell schien, deutlich sehen, sein Gesicht war bleicher als Marmor, und seine Hand zitterte so stark, daß er nur mit Mühe das Steuer halten konnte. Ich empfand, daß er irgend etwas falsch gemacht haben mußte, und geriet in große Unruhe. Mir selbst war die Führung eines Bootes damals noch fast vollständig unbekannt – ich war auf die Geschicklichkeit meines Freundes angewiesen. Der Wind hatte auch plötzlich an Heftigkeit zugenommen, und wir bewegten uns in gerader Linie immer tiefer ins Meer hinaus, doch schämte ich mich, irgendwelche Befürchtungen zu äußern, und schwieg noch eine weitere halbe Stunde lang. Dann jedoch konnte ich mich nicht länger bezwingen und stellte meinem Freunde vor, es sei nun doch Zeit, an die Rückfahrt zu denken. Wieder verging fast eine Minute, ehe er mir antwortete oder vielmehr meinen Vorschlag verstanden zu haben schien. »Hat noch Zeit — hat noch Zeit!« sagte er endlich, und obwohl ich eine ähnliche Antwort erwartet hatte, erfüllte mich der Ton, in dem diese Worte gesprochen wurden, mit unaussprechlichem Schrecken. Ich blickte ihn wieder an und bemerkte, daß seine Lippen totenbleich waren und seine Knie so heftig schlotternd gegeneinanderschlugen, daß er sich nur mit Mühe aufrecht hielt. »Um Gottes willen, August«, rief ich aus, »was fehlt dir? Was ist denn vorgefallen? Was machst du denn da?« »Vorgefallen?« lallte er, offenbar aufs höchste überrascht, ließ im gleichen Augenblick das Steuer fahren und fiel selbst der Länge nach ins Boot zurück. »Vorgefallen? Nichts ist vorgefallen ... wir fahren ... nach Hause ... siehst ... siehst du denn nicht?« Nun erkannte ich plötzlich die ganze fürchterliche Wahrheit. Er war betrunken ... vollkommen betrunken, und konnte weder stehen noch gehen noch sehen. Seine Augen waren ganz verglast. Ich riß ihn vom Boden empor, doch er fiel gleich wieder wie ein Balken in die Wassertümpel auf dem Boden des Bootes. Er hatte offenbar während des Abends viel mehr getrunken, als ich geglaubt und sein Betragen im Bett war nur das Resultat einer besonders hochgradigen Trunkenheit gewesen, welche — gleich einer gewissen Art Irrsinn — zuläßt, daß das Opfer eine Zeitlang wie ein vollständig vernünftiger Mensch reden und handeln kann. Die kalte Nachtluft hatte die Trunkenheit dann zum Ausbruch gebracht, und die schattenhafte Erkenntnis unserer gefährlichen Lage nur dazu beigetragen, die Katastrophe zu beschleunigen. Er war nun vollständig unzurechnungsfähig und konnte allem Anschein nach erst nach Ablauf mehrerer Stunden zu sich kommen.

Es ist fast unmöglich, sich eine Vorstellung von meinem grenzenlosen Entsetzen zu machen. Der letzte Rest von Rausch war verschwunden, und die Ernüchterung machte mich doppelt furchtsam und unentschlossen. Ich wußte, daß ich vollständig unfähig war, ein Boot zu lenken, und daß der Sturm und die starke Ebbe uns unaufhaltsam dem Verderben entgegentrieben. Wir hatten weder einen Kompaß bei uns, noch Lebensmittel, und bei der Schnelligkeit, mit der das Boot vorwärtsschoß, war es unausbleiblich, daß wir bei Tagesanbruch die Küste aus dem Gesicht verloren hatten. Solche und ähnliche angstvolle Gedanken durchsausten mit rasender Schnelligkeit mein Gehirn und machten mich eine Zeitlang zu jeder Handlung unfähig. Das Boot lief mit entfalteten

Segeln gerade vor dem Wind, der Bug war vollständig in Schaum begraben, und ich erwartete jeden Augenblick, daß es beidrehen werde, da August, wie ich schon sagte, das Steuer losgelassen, und ich in meiner Aufregung nicht fähig war, es wieder an mich zu nehmen. Glücklicherweise hielt es stand, und ich erlangte nach und nach meine Geistesgegenwart zurück. Der Sturm nahm jedoch in beängstigender Weise zu, und jedesmal, wenn unser Schiff von einem Absturz nach vorne wieder in die Höhe schnellte, schlugen die Wellen über dem hinteren Teil des Schiffes zusammen und durchnäßten uns. Alle meine Glieder waren bald vor Kälte so erstarrt, daß ich die Bewegungsfähigkeit schwinden fühlte. Da raffte ich mich voller Verzweiflung zu einer letzten Anstrengung auf, stürzte auf das Hauptsegel zu und löste es, soweit ich konnte, vom Mast. Es flog sofort über Bord, wurde vom Wasser durchtränkt, riß, wie ich erwartet, den Mast mit sich fort und rettete uns dadurch vor dem sofortigen Untergang. Wir glitten jetzt langsamer vor dem Wind hin, mußten zwar noch immer Wasserstürze ertragen, waren jedoch in etwa von der Gefahr befreit, jeden Augenblick von den Wellen verschlungen zu werden. Ich ergriff das Steuerruder und atmete ein klein wenig freier, als ich mir sagte, daß noch nicht alle Hoffnung verloren sei. August lag noch immer bewußtlos auf dem Boden des Bootes, und ich bemerkte, daß er in Gefahr war, zu ertrinken, denn das Wasser stand im Schiff fast einen Fuß hoch. Ich richtete ihn mit vieler Mühe teilweise empor und erhielt ihn in sitzender Lage, indem ich ein Tau um seine Brust schlang und dieses an einem der Ringe, die in ziemlicher Höhe im Boot angebracht waren, befestigte. Nachdem ich auf diese Weise alles, so gut es mir in meiner Aufregung, meinem halberfrorenen Zustand möglich war, hergerichtet hatte, befahl ich mich dem Himmel, fest entschlossen, alles, was auch kommen möge, mit möglichstem Mut zu ertragen.

Kaum hatte ich diesen Gedanken zu Ende gedacht, so erscholl plötzlich ein lautes, langes, gellendes Geschrei, welches wie das Geheul eines ganzen Heeres von Teufeln die Luft zu durchfahren schien. Nie, so lange ich lebe, werde ich das Entsetzen vergessen können, das in diesem Augenblick über mir zusammenschlug. Mein Haar sträubte sich, ich fühlte, wie das Blut in meinen Adern erstarrte, mein Herz stockte, und ohne meine Augen erhoben zu haben, um die Ursache der schauerlichen Töne zu erkennen, fiel ich kopfüber und bewußtlos über den Körper meines Gefährten.

Als ich wieder zu mir kam, befand ich mich in der Kajüte eines Walfischfängers, des ›Pinguin‹, der sich auf der Fahrt nach Nantucket befand. Mehrere Personen standen bei mir, und August, bleicher als der Tod, war eifrig beschäftigt, mir die Hände zu reiben. Als er sah, daß ich die Augen aufschlug, kannten seine

Dankbarkeits- und Freudenausbrüche keine Grenzen und entlockten den rauhen Seeleuten, die zugegen waren, abwechselnd Tränen und Gelächter. Das Geheimnis unserer Rettung war nun bald aufgeklärt. Wir waren von dem Walfischfänger, der mit vollen Segeln, im rechten Winkel zu der Richtung unseres Schiffes, also auf Nantucket, lossteuerte, überrannt worden. Auf dem Auslug hatten allerdings ein paar Männer gestanden, doch bemerkten sie uns erst, als es für uns zu spät war, dem Stoße auszuweichen. Ihre Warnungsrufe waren das Geschrei gewesen, das mich so fürchterlich erschreckt hatte. Das große Schiff war, wie man mir erzählte, so leicht über unser Boot dahingesaust, wie dieses selbst über eine Feder gleiten würde — ohne den Widerstand im geringsten als Hindernis zu empfinden. Kein Schrei war vom Deck des kleinen Schiffes gekommen, man hatte nur einen leichten, kratzenden Ton gehört, welcher im Augenblick, da die schwache Barke unter dem Kiel des Walfischfängers verschwand, mit dem Aufschlagen der Wellen heraufgeklungen war. Das war alles gewesen. Da der Kapitän (Kapitän E. T. V. Block aus New London) unser Boot, welches ich, wie man sich erinnern wird, entmastet hatte, für irgendeine Nußschale hielt, die man, als unbrauchbar geworden, den Wellen überlassen, wollte er unbekümmert um diesen Zwischenfall die Fahrt fortsetzen. Glücklicherweise behaupteten die zwei Männer, die am Auslug gespäht hatten, auf das bestimmteste, an dem Steuerruder des verunglückten Schiffes einen Menschen gesehen zu haben, den man möglicherweise noch retten könne. Es kam zu einer Auseinandersetzung, die den Kapitän Block so sehr erbitterte, daß er nach einiger Zeit ausrief, es sei nicht seine Sache, auf jede Nußschale, die im Ozean schwämme, Obacht zu geben. Das Schiff werde wegen eines solchen Unsinns *nicht* umdrehen, und wenn da ein Mann überrannt worden wäre, so sei es seine eigene Schuld, er möge ruhig ersaufen und zum Teufel fahren.

Nun nahm sich Henderson, der Erste Steuermann, der, wie die ganze Mannschaft, über die herzlosen Worte des Kapitäns im höchsten Grade empört war, der Sache an. Er erklärte dem Kapitän in kurzen, klaren Worten, daß er für seine Grausamkeit den Galgen verdient habe, die ganze Mannschaft sei entschlossen, diesmal seinen Befehlen zuwiderzuhandeln, und sollten sie alle dafür, sobald sie den Fuß an Land setzten, gehängt werden. Er begab sich auf das Hinterteil des Schiffes, indem er Block, der totenbleich wurde und keine Antwort gab, beiseite schob, ergriff das Steuer und gab mit fester Stimme das Kommando. Die Mannschaft eilte auf ihre Posten, und das Schiff machte eine geschickte Umdrehung. Die ganze Sache hatte vielleicht fünf Minuten gedauert, so daß es sehr zweifelhaft war, ob man den Verunglückten, vorausgesetzt, daß sich wirklich ein Mensch in dem Boote befunden, noch retten konnte. Doch wurden August und ich in kurzer Zeit aufgefunden und geborgen. Wir schienen unsere Rettung einem jener seltsamen Zufälle zu verdanken, welche die Frommen dem unmittelbaren Dazwischentreten der Vorsehung zuschreiben.

Während das Schiff also ein Stück zurückfuhr, ließ der Steuermann das Rettungsboot hinunter und sprang mit den beiden Männern, die behauptet hatten, mich gesehen zu haben, hinein.

Sie waren eben vom Schiff abgestoßen – der Mond schien noch hell und klar –, als dasselbe sich bedächtig auf die Luvseite legte und Henderson im selben Augenblick von seinem Sitz aufsprang und den Ruderern aufgeregt befahl, wieder zurückzurudern. Er konnte kein Wort weiter reden, sondern kommandierte in einem fort »Zurückrudern! zurückrudern!« Die Mannschaft gehorchte ihm, so schnell es nur möglich war, doch das Schiff hatte sich ganz herumgedreht und segelte dem Rettungsboot gerade entgegen. Trotz der augenscheinlichen Gefahr wagte der Steuermann sofort, eine der von dem großen Schiff herunterhängenden Ketten zu ergreifen und sich an derselben in die Höhe zu ziehen. Er teilte ein paar kurze Befehle aus, und das Schiff neigte sich so, daß seine Steuerbordseite bis fast an den Kiel außer Wasser kam, und man den Gegenstand seiner Aufmerksamkeit erblickte. An dem glatten und glänzenden Boden des Schiffes (der ›Pinguin‹ war ganz mit Kupfer beschlagen) war in seltsamster Weise der Körper eines Menschen befestigt und schlug bei jeder Bewegung des Schiffsrumpfes auf denselben auf. Nach mehreren vergeblichen Anstrengungen gelang es endlich, mich aus meiner gefährlichen Lage zu befreien und an Bord zu ziehen – denn ich war es, der so sonderbar an das Schiff angehakt war. Ein Pflock, der das Holzwerk des Fahrzeugs zusammenhielt, war durch das Kupfer gedrungen und hatte mich, als ich unter dem Schiff hergeschleudert wurde, aufgehalten. Der Kopf des Pflockes hatte den Kragen meiner Jacke von grobem Tuch durchbohrt, war zwischen zwei Flechsen unterhalb des rechten Ohres in meinen Hals eingedrungen und hielt mich auf diese Weise fest.

Ich wurde sogleich zu Bett gebracht, obwohl allem Anschein nach das Leben längst entflohen war. Es befand sich kein Arzt an Bord – doch wendete der Kapitän alle nur erdenklichen Wiederbelebungsversuche an, als wolle er in den Augen seiner Mannschaft seine vorherige Grausamkeit möglichst wieder gutmachen.

Mittlerweile stieß Henderson zum zweitenmal vom Schiff ab, obgleich sich der Sturm zum Orkan gesteigert hatte. Nach wenigen Minuten gelangte er an einige Trümmer unseres Bootes, und bald darauf behauptete einer der Ruderer, mitten durch das Toben des Unwetters einen schwachen Hilferuf vernommen zu haben. Dies

veranlaßte die kühnen Seemänner, noch fast eine halbe Stunde lang mit dem Suchen fortzufahren, obgleich Kapitän Block sie durch verschiedene Signale aufforderte, zurückzukehren, und sie in ihrem schwachen Boot fast beständig in Lebensgefahr schwebten.

Nachdem sie also, wie ich schon sagte, eine halbe Stunde lang auf das eifrigste gesucht hatten, entschlossen sie sich, zum Schiff zurückzukehren. Doch kaum hatte einer von ihnen die Absicht ausgesprochen, so vernahmen sie von einem dunklen Gegenstand her, der ziemlich nahe an ihnen vorbeischoß, einen zweiten schwachen Ruf. Sie ruderten darauf zu und erreichten ihn bald: es war das Deck und die Kajüte des ›Ariel‹, wo August anscheinend in den letzten Zügen lag. Als man ihn ins Boot ziehen wollte, fand man, daß er mit einem Tau an das treibende Holzwerk angebunden war — ich hatte ihn ja selbst, wie man sich erinnern wird, an einem der Ringe an den Seitenwänden des ›Ariel‹ befestigt, um ihn in seiner Betrunkenheit in sitzender Stellung zu erhalten. Dieser Vorsichtsmaßregel hatte er jetzt sein Leben zu verdanken. Der ›Ariel‹ war leicht gebaut, und als er unterging, war sein ganzes Holzwerk in Stücke gebrochen. Das Verdeck der Kajüte wurde durch die Macht des eindringenden Wassers abgerissen, löste sich vollständig von den übrigen Teilen des Wracks los und schwamm, wahrscheinlich mit manchen anderen Bruchteilen, auf den Wellen. August war auf ihm festgebunden und entging so dem sicheren Tod.

Er wurde sofort an Bord des ›Pinguin‹ gebracht, doch mehr als eine Stunde verstrich, ehe er so weit zu sich kam, daß er ein Lebenszeichen von sich gab und die Art des Unfalles, die uns betroffen, verstehen konnte. Endlich erholte er sich jedoch wieder und schilderte lebhaft die Empfindungen, die ihn während seines schrecklichen Aufenthaltes auf dem Wrack gequält hatten. Als er zum Bewußtsein kam, befand er sich unter Wasser, wo er mit unbegreiflicher Schnelligkeit immer rund um sich selbst gewirbelt wurde, einen Augenblick später fühlte er sich schnell nach oben gezogen, schlug mit dem Kopf gegen einen harten Gegenstand, so daß er wieder bewußtlos wurde. Als er zum zweitenmal zu sich kam, begann er sich seiner Lage ein wenig mehr bewußt zu werden, obschon seine Gedanken noch höchst unklar und verworren waren. Er erkannte jedoch, daß sich irgendein Unfall ereignet haben mußte und er im Wasser war, obgleich sich sein Mund über der Oberfläche befand und er ohne Beschwerden atmen konnte. Wahrscheinlich trieb das Verdeck gerade vor dem Wind dahin und zog ihn, da er auf dem Rücken lag, mit sich fort. So lange er sich in dieser Lage erhalten konnte, war er vor dem Ertrinken sicher. Plötzlich warf ihn eine heftige Welle mitten auf das Verdeck; er machte alle Anstrengungen, sich in dieser neuen Lage zu erhalten, und stieß hin und wieder Hilferufe aus. Kurze Zeit bevor ihn Henderson entdeckte, mußte er, von Erschöpfung übermannt, das Verdeck, an das er sich klammerte, loslassen. Er fiel ins Wasser zurück und gab sich selbst verloren. Während der ganzen Zeit des Kampfes war ihm weder die geringste Erinnerung an den ›Ariel‹ noch an irgend einen Umstand, der das Unglück herbeigeführt, gekommen. Ein unbestimmtes Gefühl der Furcht und der Verzweiflung war alles, was er empfinden konnte. Als man ihn dann aufgefischt hatte, verließen ihn seine Sinne von neuem, und wie ich schon sagte, kam er erst, nachdem er eine ganze Stunde an Bord des ›Pinguin‹ war, wieder zum Bewußtsein und zur vollständigen Erkenntnis seiner Lage.

Ich selbst wurde aus einem Zustand, der fast an den Tod grenzte, nur mit allergrößter Mühe wieder ins Leben zurückgerufen. Dreieinhalb Stunden lang stellte man alle nur denkbaren Wiederbelebungsversuche an, erst der letzte, den August vorgeschlagen: heftige Abreibungen mit Flanelltüchern, die in heißes Öl getaucht waren, hatte Erfolg. Die Wunde in meinem Hals war, obwohl sie schlimm genug aussah, nicht gefährlich und heilte bald.

Der ›Pinguin‹ lief um neun Uhr morgens in den Hafen ein, nachdem er noch eine Zeitlang gegen einen der heftigsten Stürme zu kämpfen hatte, die je in der Nähe von Nantucket gewütet haben. August und ich beeilten uns, pünktlich zum Frühstück bei Herrn Barnard zu erscheinen, der sich an diesem Morgen selbst etwas verspätet hatte, vermutlich, weil er nach der Gesellschaft vom gestrigen Abend wohl ein wenig länger geschlafen. Ich glaube, daß alle am Tisch zu müde waren, um unsern bleichen Gesichtern besondere Aufmerksamkeit zu schenken — und im übrigen sind Schulbuben ja fähig, Wunder von Verstellung zu vollbringen. So hatte denn keiner unserer Freunde in Nantucket die leiseste Ahnung davon, daß sich die Geschichte, die ein paar Seemänner in der Stadt erzählten — sie hätten ein Schiff überrannt und ein paar arme Teufel, wohl dreißig oder vierzig, seien dabei umgekommen —, auf August, mich und den ›Ariel‹ bezog. Wir beide haben noch oft später von der Sache gesprochen, doch nie ohne Schaudern. In einer dieser Unterhaltungen gestand August dann freimütig, daß er niemals in seinem Leben einen so wilden Schreck empfunden habe als in dem Augenblick, da er sich in unserem kleinen Boot plötzlich der ganzen Gewalt seines Rausches bewußt geworden sei und sich zu jedem klaren Gedanken unfähig gefühlt habe.

KAPITEL II

Das Versteck

Es führt nie zu etwas, aus irgendwelchen Begebenheiten usw. im *voraus* Folgerungen zu ziehen — und wären es die allereinfachsten Begebenheiten. So irrt sich, wer vielleicht denkt, daß eine Katastrophe wie diejenige, die ich eben erzählt habe, meine beginnende leidenschaftliche Liebe zum Meere hätte bedeutend abkühlen müssen. Oh — ganz im Gegenteil: ich habe nie ein so sehnsüchtiges Verlangen gehabt, die seltsamen Abenteuer, die im Leben eines Seemannes vorkommen, kennenzulernen, als etwa eine Woche nach unserer wunderbaren Errettung. Dieser kurze Zeitraum genügte, um die unangenehmen Erinnerungen zu verwischen und alle aufregenden, interessanten Seiten unseres gefahrvollen Erlebnisses in ein vorteilhaftes Licht zu rücken. Meine Unterhaltungen mit August wurden mit jedem Tage lebhafter und eingehender. Er hatte eine so besondere Art, seine Seegeschichten zu erzählen (ich argwöhne jetzt allerdings, daß sie mehr oder weniger seiner Einbildung entstammten), die wohl dazu angetan war, auf ein leicht begeisterungsfähiges Temperament wie das meine, auf eine etwas dunkle, aber immer lebhafte Vorstellungskraft, stark zu wirken. Nicht minder seltsam ist es, daß er, wenn er mir die entsetzlichsten Augenblicke der Verzweiflung und Not aus dem Leben des Matrosen in lebhaften Farben ausmalte, alle meine Sinne gefangen nahm und meine Sympathie für diesen Beruf erst recht weckte. Den angenehmen Seiten konnte ich weniger Geschmack abgewinnen. Meine ganzen Vorstellungen gingen auf Untergang hinaus, auf Hungersnot, Tod oder Gefangenschaft bei einem barbarischen Stamme, auf ein Dasein voll Leid und Gefahr, auf irgendeiner einsamen Felseninsel kümmerlich gefristet, in fremden, unbekannten Meeren. Solche Träume, solche Begierden — denn dergleichen steigert sich wirklich zur Begierde — sind, wie ich später erfahren habe, ziemlich alltäglich bei melancholischen Menschen; aber zu der Zeit, von der ich spreche, betrachtete ich sie als prophetische Anzeichen eines Geschickes, für das ich mich sozusagen vorbestimmt glaubte. August ging auf meine geistige Verfassung durchaus ein. Es ist wahrscheinlich, daß unsere Vertraulichkeit durch die Abwechslung einiger Züge unserer Charaktere herbeigeführt wurde.

Ungefähr acht Monate nach dem Untergang des ›Ariel‹ ließ die Firma Vredenbourgh den Zweimaster ›Grampus‹ für den Walfischfang ausbessern und zurüsten. Es war ein alter Kasten, der sich, trotz aller Reparaturen, kaum über Wasser halten konnte. Weshalb man ihn anderen besseren Fahrzeugen, die den Eigentümern zur Verfügung standen, vorzog, weiß ich nicht, auf jeden Fall wählte man ihn. Herr Barnard wurde zur Leitung bestimmt, und August sollte mit ihm fahren. Während man die Brigg ausstattete, drängte er mich fortwährend, doch die gute Gelegenheit zum Reisen wahrzunehmen. Ich schenkte seinen Worten nur allzugern Gehör; doch war sein Vorschlag nicht so leicht auszuführen. Mein Vater hatte zwar keine direkte Abneigung dagegen, aber meine Mutter bekam einen Weinkrampf und wurde krank, als sie von dem Plane hörte. Das schlimmste war, daß mein Großvater, von dem ich so viel erwartet hatte, mir versicherte, er würde mir keinen Shilling hinterlassen, wenn ich noch einmal wagte, von dieser Reise zu sprechen. Aber alle diese Hindernisse waren nur Öl in das Feuer meines Wunsches, sie spornten mich an, anstatt mich von meiner Absicht abzubringen. Ich beschloß, auf jeden Fall mitzureisen, und als ich August meinen Entschluß mitteilte, bemühten wir uns beide, die Ausrüstung irgendwie zu ermöglichen. Ich hütete mich wohl, zu Hause noch ein Wort über die Reise fallen zu lassen; und da ich mich mit meinen gewöhnlichen Studien weiterbeschäftigte, nahm man an, daß ich mein Vorhaben aufgegeben. Später habe ich mir noch oft mein damaliges Benehmen mit Mißfallen ins Gedächtnis zurückgerufen. Diese Scheinheiligkeit, mit der ich mein Vorhaben ausführte, diese Falschheit, von der auf die Dauer der Zeit all meine Worte und Handlungen durchdrungen wurden, werden mir selbst nur einigermaßen verständlich, wenn ich die glühende, seltsame Hoffnung auf Abenteuer in Betracht ziehe, die mich zur Erfüllung meines so lange gehegten Wunsches trieb.

Die eigentlichen Vorbereitungen mußte ich August überlassen, der den größten Teil des Tages an Bord des ›Grampus‹ verbrachte, wo er sich mit den verschiedenen Anordnungen für seinen Vater in der Kabine und im Schiffsraum zu beschäftigen hatte; aber abends, wenn wir zusammenkamen, sprachen wir von unseren Hoffnungen. Auf diese Weise war ungefähr ein Monat vergangen, ohne daß sich meine Aussichten auf ein glückliches Gelingen meines Planes verbessert hätten, als er mir eines Abends sagte: er habe für alles vorgesorgt.

Ich hatte einen Verwandten, der in New Bedford wohnte, einen gewissen Herrn Roß, den ich zuweilen auf zwei oder drei Wochen besuchte. Die Brigg sollte gegen Mitte Juni (1827) unter Segel gehen, und so kamen wir überein, daß ein oder zwei Tage vor Abgang des Schiffes mein Vater einen Brief von Herrn Roß erhalten sollte, in dem dieser mich für einige Wochen zur Gesellschaft seiner beiden Söhne einlud. August nahm es auf sich, den Brief abzusenden. Während ich also angab, nach New Bedford zu reisen, sollte ich zu meinem Freunde gehen, der mir unterdessen an Bord des ›Grampus‹ ein Versteck herrichten würde. Dieses Versteck, so versicherte er mir, würde genügend ausgestattet sein, mich für einige Tage zu beherbergen, während welcher Zeit ich mich nicht zeigen durfte. Wenn die Brigg dann so weit wäre, daß eine Rückkehr ausgeschlossen sein mußte, würde ich aller Freuden der Kabine teilhaftig werden; und was seinen Vater anbeträfe, so würde der über den Streich herzlich lachen. Wir würden genug anderen Schiffen begegnen, durch die ich meinen Eltern einen Brief mit den nötigen Aufklärungen zukommen lassen könnte.

Der Tag kam heran, und alles war vorbereitet. Der Brief wurde geschrieben und eines Montagmorgens abgeschickt. Ich gab dann vor, mit dem Dampfboot nach New Bedford zu fahren, und verließ das Haus. August erwartete mich schon an einer Straßenecke, wir wollten uns bis zur Dämmerung versteckt halten, damit ich mich dann unbemerkt aufs Schiff schleichen könne. Da ein dichter Nebel unseren Plan begünstigte, glaubte ich keine Zeit, mich zu verstekken, verlieren zu dürfen. August schlug den Weg zum Hafen ein, und ich folgte ihm in einiger Entfernung, in einen großen Matrosenmantel eingehüllt, den er mir mitgebracht hatte, damit ich nicht so leicht zu erkennen sei. Aber gerade sind wir am Brunnen des Herrn Edmund vorüber und wollen dort eben um die Ecke biegen – wer erscheint vor mir und sieht mir voll ins Gesicht? Mein Großvater selbst, der alte Herr Peterson!

»Nun! Nun?« sagte er nach einer langen Pause. »Gordon! Um Gottes willen! Wie kommst du zu diesem schmutzigen Überzieher?«

»Mein Herr!« erwiderte ich und nahm, so gut es mir gelang, eine beleidigte Miene an, sprach auch in einem rauheren Tone, als man ihn bei mir kannte. »Mein Herr! Sie irren sich, wie mir scheint! Mein Name hat vor allem nichts mit Gordon zu tun, und außerdem wäre es mir lieb, wenn Sie Ihre Augen besser auftäten und meinen neuen Mantel nicht als schmutzigen Überzieher bezeichneten, alter Sonderling!«

Ich weiß nicht, wie ich ein lautes Lachen unterdrücken konnte angesichts der seltsamen Manier, mit welcher der alte Herr diese seine Zurückweisung hinnahm. Er wich drei Schritte zurück, wurde zuerst ganz blaß, dann außerordentlich rot, rückte an seiner Brille und rannte dann mit erhobenem Regenschirm an mir vorüber. Dennoch blieb er gleich wieder stehen, wie bei einem plötzlichen Gedanken; und dann ging er weiter, zitternd vor Wut und zwischen den Zähnen murmelnd:

»Es ist nicht möglich! — eine neue Brille! — Ich hätte geschworen, daß es Gordon war — verfluchter Taugenichts von Matrose!«

Nachdem ich ihm so glücklich entwischt war, setzten wir unseren Weg vorsichtig fort und erreichten glücklich unseren Bestimmungsort. Es waren nur ein oder zwei Männer an Bord, welche auf dem Verdeck ihrer Beschäftigung nachgingen. Der Kapitän Barnard hatte, wie wir wußten, bei Vredenbourgh zu tun und würde vor Abend nicht zurückkehren; wir hatten also von ihm nicht viel zu fürchten. August ging zuerst aufs Schiff, und ich folgte ihm schnell, ohne von den arbeitenden Männern bemerkt zu werden. Wir traten gleich in die Kajüte, die wir leer fanden. Sie war aufs bequemste eingerichtet, was auf einem Walfischfänger ziemlich selten vorkommt. Vier ausgezeichnete Offizierskabinen gab es, die verhältnismäßig breite und hohe Fenster hatten. Dann bemerkte ich noch einen großen Ofen und einen sehr schönen, dicken Teppich, der den Boden der Kajüte und der Offizierskabinen bedeckte. Die Decke war sieben Fuß hoch, und das Ganze sah geräumiger und angenehmer aus, als ich es erwartet hatte. August ließ mir aber nur wenig Zeit, meine Neugierde zu befriedigen, und bestand darauf, daß ich mich sobald wie möglich versteckte. Er führte mich in seine eigene Kabine, die sich am Steuerbord befand und gleich an der Schiffswand lag. Als wir eingetreten waren, schloß er die Türe ab. Mir schien es, als habe ich noch nie ein entzückenderes kleines Zimmer gesehen als das, in dem ich nun stand. Es war zehn Fuß lang und hatte nur ein Fenster. In dem Teil der Kabine, der an die Schiffswand grenzte, befand sich ein vier Fuß breiter Raum, auf dem ein Tisch und ein Stuhl Platz gefunden hatten und ein Bücherbrett, auf dem eine Menge Bücher, die hauptsächlich von Seefahrten handelten, aufgestellt waren. Außerdem sah ich noch eine Menge kleiner Bequemlichkeiten, unter denen ich nicht eine Art Speiseschrank zu erwähnen vergessen will, in dem August eine Menge auserwählter Eßwaren und Liköre aufgespeichert hatte.

Er drückte mit dem Finger auf eine bestimmte Stelle des Teppichs und zeigte mir, daß ein Teil des Bodens herausgenommen war und sich bei seinem Drucke genügend zur Seite schob, um einen Finger durchstecken zu können. Auf diese Weise konnte er die Öffnung erweitern, und ich sah dann, daß sie in das Zwischendeck führte. Er zündete eine Kerze an und steckte sie in eine Blendlaterne, darauf stieg er durch die Öffnung und bat mich, ihm zu folgen. Ich tat dies, und er zog darauf die Öffnung vermittelst eines Nagels wieder zu, wobei auch der Teppich sich wieder darüberschob, so daß dem Auge jede Spur dieser Luke entging.

Die Kerze warf einen schwachen Lichtstrahl, so daß ich nur mit vieler Mühe meinen Weg zwischen all den Gegenständen, die her-

umlagen, fand. Meine Augen gewöhnten sich aber schnell an die Dunkelheit, und ich konnte besser vorwärtsschreiten, wobei ich mich an den Rockschößen meines Freundes festhielt. Er führte mich durch unzählige schmale Gänge in einen runden Eisenkasten, ähnlich denen, die man zum Verpacken kostbarer Fayencen benutzt. Er war vier Fuß hoch und reichlich sechs Fuß lang, aber außerordentlich eng. Zwei große, leere Ölfässer waren darübergelegt und auf diese eine Menge Strohmatten bis zur Decke aufgeschichtet. Rundherum stand eine Menge Schiffsproviant aufgespeichert und dazwischen in wirrem Durcheinander Käfige, Körbe, Fässer und Ballen, so daß es mir wie ein Wunder schien, daß wir durch diesen Wirrwarr bis zu besagter Kiste gelangt waren. August sagte mir dann, daß er absichtlich all dies in das Zwischendeck geladen hätte, damit mein Versteck recht sicher würde, und daß er bei dieser Arbeit nur einen einzigen Mann zur Hilfe gehabt hätte, der noch dazu nicht mitfuhr.

Mein Freund zeigte mir dann, daß die eine Wand des Kastens zu verschieben war. Er zeigte mir, wie es zu machen sei, und dabei sah ich in das Innere; eine Matratze, die er von einem der Fenster genommen hatte, füllte den Boden aus und enthielt alle Bequemlichkeiten, die in dem beschränkten Raume unterzubringen waren. Es blieb mir noch Platz genug, aufrecht auf meinem Lager zu sitzen oder mich der Länge nach auszustrecken. Unter anderem befanden sich einige Bücher, Tinte und Federn, Papier, drei Decken, ein großer, mit Wasser gefüllter Krug, ein kleines, mit Biskuits gefülltes Fäßchen, drei oder vier enorme Boulogner Würste, ein großer Schinken, eine kalte gebratene Hammelkeule und ein halbes Dutzend Schnäpse und Liköre dort. Ich nahm sofort mit dem Gefühl vollkommenster Befriedigung von meiner Wohnung Besitz, und ich bin sicher, daß nie ein Herrscher Größeres beim Eintritt in seinen neuen Palast empfand. August zeigte mir dann noch, wie man die bewegliche Seite des Kastens befestigen könne; darauf näherte er die Kerze dem Rande und machte mich auf eine schwarze Kordel aufmerksam, die dort herabhing. Diese Kordel, erklärte er mir, führe von meinem Verstecke zwischen den Gängen durch bis zu der Öffnung in seiner Kabine. An dieser Kordel könnte ich mich leicht im Falle eines unvorhergesehenen Unglücksfalles zu ihm hinfinden. Dann nahm er Abschied von mir, ließ mir die Laterne und eine ganze Anzahl Kerzen und Streichhölzer und versprach mir, mich zu besuchen, so oft es ihm ohne Aufsehen zu erregen möglich sei. Es geschah dies am siebzehnten Juni.

Ich blieb drei Tage und drei Nächte (wenigstens schien es mir nach meiner Berechnung so lange) in meinem Versteck, ohne mich hinauszuwagen; nur zweimal ging ich zwischen zwei Käfigen gleich vor der Öffnung auf und ab, um meine Glieder vor dem Steifwerden zu bewahren. Während der ganzen Zeit bekam ich August nicht zu sehen; aber das beunruhigte mich weiter nicht, wußte ich doch, daß die Brigg jeden Augenblick unter Segel gehen könne und mein Freund da nicht so leicht Gelegenheit haben würde, mich aufzusuchen. Endlich hörte ich, wie sich die Falltür öffnete und schloß; mit leiser Stimme fragte er mich, wie es mir gehe und ob ich etwas wünsche.

»Nein, gar nichts«, antwortete ich ihm, »es geht mir so gut wie möglich. Wann werden wir in See stechen?«

»In weniger als einer halben Stunde wird der Anker gelichtet werden«, gab er zurück. »Ich kam, um es dir zu sagen, denn ich fürchtete, du möchtest dich wegen meiner Abwesenheit beunruhigen. Ich werde in den ersten drei, vier Tagen nicht wieder hinuntersteigen können. Oben geht alles gut. Wenn ich wieder hinaufgegangen bin und die Tür geschlossen habe, schleiche an der Kordel entlang bis zu der Stelle, wo der Nagel steckt; dort wirst du meine Uhr finden, welche du zu deiner Orientierung gut gebrauchen kannst, da du das Tageslicht nicht siehst. Ich wette, daß du nicht sagen könntest, wie lange du schon hier unten bist! Erst drei Tage. Heute ist der Zwanzigste. Ich würde dir die Uhr selbst bringen, aber ich fürchte, man sucht nach mir.«

Und dann verließ er mich wieder.

Eine Stunde nachher etwa fühlte ich deutlich, daß die Brigg sich in Bewegung setzte, und war glücklich, daß die Reise endlich begann. Ganz von diesem Gedanken erfüllt, beschloß ich, fröhlich zu bleiben und ruhig allen Ereignissen entgegenzusehen, bis ich meinen engen Kasten mit den geräumigen, aber kaum auserleseneren Bequemlichkeiten der Kabine würde vertauschen können. Meine erste Sorge war, die Uhr zu holen. Ich ließ die Laterne unangezündet und bewegte mich tastend in der Dunkelheit vorwärts durch alle diese Irrwege, die so kompliziert waren, daß ich mehrere Male auf dieselbe Stelle zurückkam. Endlich erreichte ich den Nagel, nahm die Uhr an mich und ging zurück. Ich sah mir dann die Bücher an, die August mir als unterhaltende Lektüre anempfohlen hatte, und wählte die Expedition des Lewis und Clarke nach der Mündung des Columbiastromes. Ich vertrieb mir die Zeit mit ihnen; bis ich dann müde wurde, vorsichtig die Kerze auslöschte und bald in einen tiefen Schlaf versank.

Als ich erwachte, fühlte ich mich seltsam schwindelig, und es dauerte längere Zeit, ehe ich mir über meine Situation klar wurde. Ich machte Licht und sah nach der Uhr. Sie war jedoch abgelaufen und ich konnte nicht feststellen, wie lange ich geschlafen haben mochte. Meine Glieder waren vollständig steif geworden und schmerzten sehr. Dabei empfand ich einen verzehrenden Hunger und erinnerte mich zu gleicher Zeit des kalten Hammelfleisches, von dem ich kurz vor dem Einschlafen gegessen hatte. Wie groß war mein Erstaunen, als ich es jetzt vollständig verfault wiederfand! Dieser Umstand beunruhigte mich sehr, denn ich mußte mir sagen, daß er sowohl wie auch die sonderbare Geistesverwirrung, die ich beim Erwachen empfunden, darauf schließen ließen, daß ich eine ungewöhnlich lange Zeit geschlafen haben mußte. Die dicke Atmosphäre des Kielraumes war vielleicht Schuld daran und konnte auf die Dauer höchst gefährlich werden. Ich empfand starkes Kopfweh und bildete mir ein, nur mit vieler Mühe Atem holen zu können. Kurz — eine Menge düsterer Empfindungen bestürmten mich. Doch wagte ich nicht, die Falltür zu öffnen oder sonst ein Geräusch zu machen. Ich zog meine Uhr auf und gab mich, so gut es gehen wollte, zufrieden.

Während der nächsten vierundzwanzig Stunden kam niemand zu meiner Hilfe herbei, und ich mußte August der größten Unaufmerksamkeit anklagen. Was mich am meisten beunruhigte, war der Umstand, daß mein Krug nur noch eine halbe Pinte Wasser enthielt. Dabei wurde ich von einem brennenden Durst gequält, da ich, nachdem das Hammelfleisch verdorben war, reichlich von den scharfen Boulogner Würsten gegessen hatte. Ich geriet in eine solche Unruhe, daß mich auch meine Bücher nicht mehr ablenken konnten. Eine überwältigende Schlafsucht ergriff mich, und doch fürchtete ich mich, ihr nachzugeben, besorgt, die stickige Luft des Loches könne, wie etwa ein unterdrücktes Kohlenfeuer, von giftiger Wirkung auf den schlafenden Organismus sein. Mittlerweile erkannte ich an den Bewegungen des Schiffes, daß wir uns schon im freien Ozean befanden, und ein Sausen, das dumpf wie aus unendlicher Entfernung an mein Ohr schlug, überzeugte mich davon, daß ein ungewöhnlich heftiger Sturm wehe. Augusts Fernbleiben vermochte ich mir durch nichts zu erklären: Wir waren doch gewiß schon weit genug vom Lande entfernt und er konnte mich jetzt holen! Vielleicht war ihm irgend etwas zugestoßen —? Vielleicht war er gestorben, über Bord gefallen? Ich ertrug es nicht, eine solche Möglichkeit auch nur eine Sekunde lang anzunehmen. War es nicht eher anzunehmen, daß wir mit Gegenwind zu kämpfen hatten und uns noch in der Nähe von Nantucket befanden? Diese Deutung mußte ich jedoch gleich wieder fallenlassen. Wäre sie zutreffend gewesen, so hätte sich ja die Brigg oft umlegen müssen. Und dann, wenn wir uns wirklich noch in der Nähe des Landes befanden, weshalb kam August nicht und teilte es mir mit? So grübelte ich über meine trostlose Einsamkeit nach und beschloß, noch vierundzwanzig Stunden in meinem Versteck zuzubringen. Würde man mir dann noch nicht zu Hilfe kommen, so wollte ich mich zur Falltüre tappen und versuchen, meinen Freund auf irgendeine Weise zu sprechen. Jedenfalls konnte ich bei der Gelegenheit etwas frische Luft schöpfen. Während ich so sann und sann, fiel ich trotz aller Anstrengungen, mich wach zu erhalten, wieder in tiefen Schlaf oder vielmehr in Betäubung. Ich hatte die entsetzlichsten Träume und empfand jedes Grauen, jeden Schrecken. Einmal versuchten wilde, gräßliche Teufelsfratzen mich unter ungeheuren Kissen zu ersticken. Gewaltige Schlangen rissen mich in ihre Umschlingungen und sahen mir mit fürchterlichen, glühenden Augen ins Gesicht. Dann breiteten sich plötzlich grenzenlose Wüsten vor mir aus. Riesenhafte, graue, blattlose Baumstämme wuchsen auf einmal, so weit das Auge reichen konnte, aus dem Boden empor, ihre Wurzeln verloren sich in einem uferlosen Sumpfe, dessen Wasser sich in grauenvoller Düsterheit unbeweglich und weithin ausbreitete. Und die seltsamen Bäume bekamen menschliches Wesen, rangen ihre Skelettarme und riefen die schweigenden Wasser in dem schrillen, durchdringenden Klagelaut der bittersten Qual und Verzweiflung um Erbarmen an. Dann änderte sich die Szene. Ich stand nackt und allein im brennenden Sande der Sahara. Zu meinen Füßen schlafend ein Löwe. Plötzlich öffnete er seine Augen und blickte mich wild an. Dann, mit einem Ruck sprang er auf und grimmte seine fürchterlichen Zähne. Aus dem roten Schlunde erscholl ein Gebrüll, schrecklich wie Donner ... Ich warf mich zur Erde nieder. Vor Schreck war ich fast erstickt. Dann fühlte ich, daß ich halb wach wurde. Und – mein Traum war nur zur Hälfte Traum. Wahrhaftig, die Pfoten eines riesigen Untieres drückten schwer auf meine Brust, ich spürte seinen heißen Atem in meinem Ohr und seine weißen, unheimlichen Zähne glühten durch das Dunkel zu mir her.

Und hätte mein Leben an einer einzigen Bewegung, an einem einzigen Ruf gehangen – ich hätte mich nicht rühren, noch ein Wort hervorbringen können. Die Bestie blieb jedoch ruhig, ohne den geringsten Angriff zu machen, und ich lag vollkommen hilflos und halbtot unter ihr. Ich fühlte, wie mich meine körperlichen und seelischen Kräfte rasch verließen – daß ich nahe daran war, an bloßer Angst zu sterben. Mein Gehirn schwamm hin – Schwindel ergriff mich, die Sehkraft verließ mich, selbst die glühenden Augen über mir schienen plötzlich trübe zu werden. Ohne es zu wollen, stöhnte ich noch einmal auf. – Und dieser leise Laut meiner Stimme schien die schlummernde Wut des Tieres aufzustacheln. Es stürzte sich der Länge nach über meinen Körper, doch wie groß war mein Erstaunen, als es mit einem langgezogenen Klageton mein Gesicht und meine Hände unter den tollsten Ausbrüchen der Zuneigung und Freude zu belecken begann. Ich war verwirrt, verblüfft, doch kannte ich das besondere Winseln und die Zärtlichkeitsbeweise meines Neufundländers zu gut. Er war es – mein Hund Tiger. Ich empfand einen plötzlichen Blutandrang nach den Schläfen — ein überwältigendes Gefühl der Befreiung und Neubelebung. Rasch sprang ich auf von der Matratze, auf der ich gelegen, warf mich meinem treuen Freunde und Kameraden um den Hals und erleichterte den Dank, der auf meiner Brust lastete, durch eine Flut heißer Tränen.

Wie früher schon einmal, waren auch jetzt, nachdem ich die Matratze wieder verlassen, meine Wahrnehmungen höchst verwirrte und undeutliche. Lange Zeit war es mir ganz unmöglich, meine Ideen zu verbinden, doch kehrten meine geistigen Fähigkeiten nach und nach zurück, und ich konnte mich wieder auf meine Lage besinnen. Die Gegenwart Tigers versuchte ich mir jedoch vergeblich zu erklären, und nachdem ich mich mit tausend verschiedenen Vermutungen abgequält hatte, mußte ich mich zufriedengeben mit der Freude darüber, daß er da war, um meine traurige Einsamkeit zu teilen und mich durch seine Liebkosungen zu trösten. Die meisten Leute lieben ihre Hunde, doch empfand ich zu meinem Tiger eine Zuneigung, die weit über das gewöhnliche Maß hinausging, und niemals verdiente ein Tier sie mehr. Sieben Jahre lang war er schon mein unzertrennlicher Gefährte und gab mir zahllose Beweise der edlen Eigenschaften, wegen deren wir ein Tier schätzen. Ich hatte ihn, als er noch ganz klein war, aus den Händen eines nichtsnutzigen Straßenjungen in Nantucket gerettet, der ihm einen Stein um den Hals gebunden hatte und ihn gerade ertränken wollte. Diesen kleinen Dienst vergalt er mir drei Jahre später dadurch, daß er mich vor dem Knittel eines Straßenräubers rettete.

Ich hielt meine Uhr ans Ohr und fand, daß sie wieder abgelaufen war. Doch überraschte mich dies nicht weiter, denn ich war, meinem Zustande nach, überzeugt, daß ich wieder eine sehr lange Zeit geschlafen haben mußte. Wie lange — das zu bestimmen war mir natürlich unmöglich. Ich brannte im Fieber, und mein Durst war unerträglich geworden. Ich tappte mich zu meinem Wasserüberrest, denn ich hatte kein Licht, da die Kerze in der Laterne ausgebrannt und die Streichholzdose nicht gleich zu finden war. Als ich den Krug erreicht, entdeckte ich, daß er leer war — Tiger hatte das Wasser ohne Zweifel ausgeschleckt und auch das Hammelfleisch gefressen, denn der Knochen lag, gut abgenagt, am Eingang meines Verstecks. Das verdorbene Fleisch konnte ich entbehren, doch sank mein Herz, als ich kein Wasser mehr vorfand. Ich war so schwach, daß ich bei jeder Bewegung und Anstrengung von Zittern befallen wurde. Und um meine Qualen zu steigern, schwankte die Brigg heftig hin und her, und die Ölfässer, die auf meiner Kiste lagen, waren jeden Augenblick in Gefahr, heruntergeschleudert zu werden und dadurch den Aus- und Eingang zu mir zu versperren. Auch fühlte ich starke Anzeichen der Seekrankheit. Ich beschloß nun, mich an die Falltür zu wagen und Hilfe herbeizurufen, ehe ich überhaupt unfähig dazu geworden sein würde. Ich suchte also nach neuen Kerzen und der Streichholzdose. Letztere fand sich nach einiger Mühe, die Kerzen konnte ich jedoch, trotzdem ich genau wußte, wo ich sie hingelegt hatte, nicht entdecken. Ich gab es auf, sie zu suchen, befahl Tiger, stille zu liegen und machte mich auf den Weg nach der Falltür.

Nun kam mir meine große Schwäche jedoch immer mehr zum Bewußtsein. Ich konnte nur mit äußerster Mühe vorwärts tappen, und oft versagten mir meine Glieder einfach den Dienst, ich fiel ein paarmal aufs Gesicht und blieb halb bewußtlos liegen. Doch kämpfte ich mich langsam weiter, obwohl ich jeden Augenblick fürchtete, ohnmächtig zu werden und in den gewundenen Gäßchen des Kiels liegen zu bleiben, wo ich keine Rettung mehr finden konnte. Endlich, als ich mich mit dem Aufgebot aller nur möglichen Energie vorwärts schleppte, stieß ich mit der Stirn heftig gegen die scharfe, eisenbeschlagene Ecke einer Kiste. Ich war ein paar Minuten lang wie bewußtlos vor Schmerz, und als ich wieder zu mir kam, bemerkte ich mit unaussprechlicher Bekümmernis, daß die schnellen, heftigen Schwankungen des Schiffes die Kiste so unglücklich herabgeschleudert hatten, daß sie mir den Weg vollständig versperrte. Vergebens wandte ich alle Kraft an, ich konnte sie nicht einen Zoll breit aus ihrer Lage bringen, da sie zwischen anderen Kisten und Schiffsgerätschaften förmlich eingekeilt war. Ich mußte mich deshalb, so schwach wie ich war, dazu entschließen, entweder die den Weg weisende Kordel loszulassen, oder über die Kiste zu klettern und meinen Weg auf der anderen Seite fortzusetzen. Im ersten Falle boten sich mir so viel Schwierigkeiten und Gefahren dar, daß ich nur mit Schaudern an sie denken konnte. Bei meiner körperlichen und geistigen Schwäche würde ich nur allzuleicht den Weg verfehlen und mußte dann in den dunklen Irrgängen des Kiels elend umkommen. Ich raffte deshalb noch einmal ohne Zögern all meine Kraft zusammen und beschloß, so gut es eben ging, über die Kiste zu klettern.

Doch als ich zur Ausführung meines Planes schreiten wollte, fand ich, daß derselbe mit mehr Schwierigkeiten verknüpft war, als meine Befürchtungen anzunehmen gewagt. An jeder Seite des engen Ganges erhob sich ein ganzer Wall verschiedenartigsten schweren Gerümpels, welcher mir bei dem geringsten Stoße auf den Kopf fallen konnte; oder, wenn ich diesem Unheil auch entging, mußte ich doch befürchten, bei der Rückkehr meinen Weg durch weitere herabfallende Gegenstände vollständig versperrt zu finden. Dabei war die Kiste sehr hoch und so glatt, daß sie weder der Hand noch dem Fuße einen genügenden Stützpunkt darbot. Ich machte eine letzte, verzweifelte Anstrengung, sie von ihrem

Platze zu bewegen. Sie gab nicht nach, doch fühlte ich, daß ich mit meinem Ellenbogen einen Gegenstand an der Seite des Ganges weitergeschoben haben mußte. Ich tastete nach und entdeckte ein großes Brett, das offenbar sehr wenig fest saß. Es mußte das Seitenbrett, der Deckel oder Fußboden einer großen Kiste sein. Mit Hilfe meines Taschenmessers, das ich glücklicherweise bei mir trug, entfernte ich die lose Planke vollständig und zwängte mich durch die entstandene Öffnung in die Kiste. Mit außerordentlicher Freude bemerkte ich, daß die gegenüberliegende Seite derselben nicht mit Brettern verschlagen war; ich war also offenbar durch den Boden in die deckellose Kiste geklettert. Ich tappte mich nunmehr an meiner Leine, die ich rasch wiedergefunden, bis zu dem Nagel. Mit klopfendem Herzen reckte ich mich an der Falltür in die Höhe und drückte sanft gegen dieselbe. Sie ging jedoch nicht so leicht in die Höhe, und obwohl ich fürchten mußte, daß sich jemand anders als August in der Kajüte befinde, stieß ich stärker gegen dieselbe. Die Tür blieb jedoch fest geschlossen, und ich wurde unmutig, denn ich erinnerte mich, daß ich sie früher mit wenig oder gar keiner Anstrengung geöffnet hatte. Ich drückte fest und anhaltend — sie blieb geschlossen; ich wandte meine ganze Kraft an — die Tür wich nicht. Ich stieß mit Zorn, mit Wut, mit Verzweiflung gegen sie — es war vergebens. Und da sie auch nicht eine Linie wich, mußte ich schließen, daß man das Loch entdeckt und entweder zugenagelt oder ein sehr schweres Gewicht daraufgestellt hatte, so daß es vollständig nutzlos war, weitere Anstrengungen zu machen.

Ein Entsetzen, das sich in eisige Übelkeit umwandelte, erfüllte mich. Vergeblich suchte ich mir zu erklären, wie es möglich gewesen, mich hier lebendig zu begraben. Ich konnte nicht mehr zusammenhängend denken, sank zu Boden und überließ mich wieder den schreckhaftesten Phantasien, die mir baldigen Tod durch Verdursten, Ersticken, Vergiftung von der schlechten Luft vorspiegelten. Endlich erlangte ich ein wenig Geistesgegenwart und Selbstbewußtsein zurück. Ich erhob mich wieder und suchte mit meinen Fingern nach den Zwischenräumen und Ritzen der Falltür. Als ich sie entdeckt hatte, untersuchte ich sie genau, um herauszufinden, ob aus der Kajüte vielleicht ein wenig Licht durch sie hindurchdrang, doch war nicht die allergeringste Helligkeit zu entdecken. Darauf stieß ich die Klinge meines Messers hindurch, bis ich harten Widerstand traf. Ich kratzte über denselben und entdeckte, daß es eine harte, eiserne Masse sein mußte; aus der Wahrnehmung eines gewissen Wogens schloß ich, daß es ein Kabel war. Mir blieb nichts anderes übrig, als meinen Weg zu meinem Versteck zurückzusuchen und mich dort in mein trauriges Schicksal zu ergeben oder zu versuchen, meinen Geist so weit zu beruhigen, daß er irgendeinen Rettungsplan fassen konnte. Es gelang mir nach zahllosen Schwierigkeiten denn auch, meine Höhle wieder zu erreichen. Als ich mich, aufs äußerste erschöpft, auf meine Matratze hinwarf, legte sich Tiger ausgestreckt an meiner Seite nieder und schien mich durch seine Liebkosungen auffordern zu wollen, meine Leiden mit Stärke zu ertragen.

Sein merkwürdiges Benehmen erregte meine Aufmerksamkeit. Nachdem er meine Hände ein paar Minuten lang ununterbrochen geleckt hatte, hörte er ganz plötzlich damit auf und stieß ein leises Heulen aus. Dies wiederholte sich mehrere Male. Wenn ich dann meine Hand nach ihm ausstreckte, fand ich ihn regelmäßig auf dem Rücken liegen, die Pfoten nach oben ausgestreckt. Dies regelmäßig wiederholte Betragen kam mir sonderbar vor, und ich konnte mir seinen Grund nicht erklären. Da der Hund sehr traurig zu sein schien, schloß ich, daß er irgendeine Verletzung erhalten haben müsse. Ich untersuchte seine Pfoten, eine nach der andern, konnte aber keine Verwundung entdecken. Nun fiel mir ein, er könne hungrig sein, und ich gab ihm ein großes Stück Schinken, das er allerdings mit Gier verzehrte – doch nahm er gleich darauf sein sonderbares Gebaren wieder auf. Ich glaubte nun, daß er ebenso wie ich von Durst gequält wurde, und wollte diesen Schluß schon als ganz richtig hinnehmen, als ich mich plötzlich entsann, daß ich nur seine Pfoten untersucht hatte, während er doch an irgendeinem Teil seines Rumpfes oder Kopfes verwundet worden sein konnte. Ich untersuchte ihn nochmals, fand jedoch weiter nichts. Aber als ich meine Hand seinen Rücken hinabgleiten ließ, bemerkte ich, daß sich die Haare an einer Stelle emporgesträubt hatten und zwar in gerader Linie um das ganze Tier herum. Ich fühlte mit meinem Finger genauer nach und entdeckte einen Bindfaden. Als ich ihm folgte, fand ich, daß er ganz um das Tier herumgeschlungen war. Bei näherem Nachspüren erfaßte ich einen Fetzen, der anscheinend Briefpapier und mittelst des Bindfadens so befestigt war, daß er sich direkt unter der linken Schulter des Tieres befand.

KAPITEL III

Der tolle Hund

Sofort kam mir der Gedanke, daß das Papier eine Nachricht von August enthalten müsse, daß diesem irgend etwas zugestoßen sei, daß er zu diesem Mittel gegriffen, mich von dem wahren Stand der Dinge zu unterrichten. Zitternd vor Erwartung begann ich nochmals, meine Phosphorstreichhölzer und Kerzen zu suchen. Ich erinnerte mich undeutlich, dieselben, kurz bevor ich in Schlaf fiel, sorgfältig verborgen zu haben, ja, kurz vor meiner letzten Fahrt nach der Falltür wußte ich noch genau, wo ich sie hingelegt hatte. Doch jetzt bemühte ich mich vergebens, mich zu entsinnen, und brachte wohl eine ganze Stunde mit angstvollem Suchen zu. Endlich, als ich nahe an der Öffnung meiner Kiste herumtappte, entdeckte ich außerhalb derselben, in der Richtung auf das Zwischendeck zu, einen schwachen Lichtschimmer.

Höchst überrascht bemühte ich mich, zu demselben zu gelangen, da er sich nur ein paar Schritte von mir fort zu befinden schien. Kaum hatte ich jedoch in dieser Absicht eine Bewegung gemacht, so verlor ich den Schein vollständig aus den Augen und mußte mich in die Kiste zu meiner ursprünglichen Stellung zurücktasten. Nun bewegte ich meinen Kopf vorsichtig hin und her und fand, daß ich, wenn ich langsam und sehr vorsichtig in entgegengesetzter Richtung vorschritt, das Licht stets im Auge behalten und mich ihm nähern konnte. Endlich gelangte ich durch unzählige enge Windungen bis dicht zu ihm hin und entdeckte, daß es von ein paar Überbleibseln meiner Phosphorstreichhölzer ausging, die in einem leeren, auf die Seite gefallenen Fäßchen lagen. Während ich mich noch verwunderte, wie sie dahin gekommen sein mochten, fiel meine Hand auf zwei oder drei Stückchen Kerzenwachs, welche der Hund offenbar aufgefressen hatte. Ich mußte nun wohl annehmen, daß er meinen Vorrat an Kerzen verzehrt habe, und die Hoffnung aufgeben, die Nachricht meines Freundes jemals lesen zu können. Die kleinen Überbleibsel Wachs waren so mit anderem Unrat in dem Fäßchen vermischt, daß ich mich ihrer nicht mehr bedienen konnte. So ließ ich sie, wo sie waren. Die winzigen Phosphorstückchen, die herumlagen, raffte ich, so gut es gehen wollte, zusammen und kehrte mit ihnen unter vielen Mühsalen in die Kiste zurück, wo Tiger zurückgeblieben war.

Ich wußte nicht, was tun! Der Raum war so finster, daß ich meine Hand, auch wenn ich sie dicht vor die Augen hielt, nicht sah. Der weiße Streifen Papier war kaum zu unterscheiden, und nur dann, wenn ich nicht direkt auf ihn hinblickte. Nur wenn ich ihm die äußeren Teile der Retina zuwandte, das heißt flüchtig von der Seite auf ihn hinsah, wurde er einigermaßen sichtbar. Eine solche Dunkelheit herrschte also in meinem Gefängnis, und der Brief meines Freundes, wenn es einer war, schien nur dazu angetan, mich noch mehr zu quälen, indem er meinen schon geschwächten Geist zwecklos von neuem beunruhigte. Vergebens dachte ich mir tausend absurde Mittel aus, Licht zu schaffen – Mittel, die wohl nur noch dem Opiumesser in seinem unruhigen Schlafe hätten einfallen können, von denen jedes einzelne ihm bald als das vernünftigste, bald als das verkehrteste erscheint, je nachdem der Verstand oder die Phantasie gerade die Oberhand in seinen Träumen hat. Plötzlich kam mir jedoch eine Idee, die ich für so vernünftig halten mußte, daß ich mich nur wunderte, nicht schon längst auf sie verfallen zu sein. Ich legte den Streifen Papier auf den Rücken eines Buches, nahm die Stückchen Phosphor, die ich im Fäßchen gesammelt hatte, und verteilte sie auf das Papier. Dann rieb ich mit der Handfläche schnell, doch beständig über das Ganze hin. Bald bedeckte ein heller Schimmer die ganze Fläche des Papiers, so daß ich, falls auf demselben Worte gestanden, mit Leichtigkeit hätte lesen können. Ich sah jedoch nicht eine Silbe – nichts als trauriges, leeres Weiß, die Helle erblich in wenigen Sekunden, und auch die Hoffnung erblich in mir, da jene verschwand.

Ich habe schon erwähnt, daß eine kurze Zeit vorher mein Verstand bis fast zur Blödsinnigkeit schwach geworden war. Dann traten allerdings Zwischenzeiten ein, in denen er wieder vollständig gesund, ja, stark und energisch arbeitete, doch waren sie sehr selten. Man muß sich erinnern, daß ich seit gewiß sieben Tagen die verpestete Atmosphäre in einem kleinen Loch im Kielraume eines Walfischfängers einatmete und während der ganzen Zeit nur sehr knappe Rationen Wasser zu mir genommen hatte. Seit den letzten vierzehn oder fünfzehn Stunden litt ich brennenden Durst – und hatte nicht mehr geschlafen. Eingesalzene Konserven waren meine hauptsächliche, ja, seit dem Verlust des Hammelfleisches meine einzige Nahrung gewesen. Zwar hatte ich noch die Biskuits, doch diese waren vollständig nutzlos für mich, da ich sie mit meiner geschwollenen, ausgetrockneten Kehle nicht schlucken konnte. Augenblicklich hatte ich hohes Fieber und befand mich äußerst schlecht. Dies alles wird den Umstand erklären, daß viele elende Stunden voll Verzweiflung dahingingen, ehe ich mich erinnerte, daß ich nur eine Seite des Papiers nachgelesen hatte. Es war vergebens, meinen Zorn (ich glaube, ich war mehr wütend, als sonst etwas) zu beschreiben, als mir einfiel, welcher unglaublichen Vergeßlichkeit ich mich schuldig gemacht. Und doch wäre dies nur ganz unwichtig gewesen, wenn mir nicht meine eigene Torheit und Unüberlegtheit einen bösen Streich gespielt hätte —: in meiner Enttäuschung, das Blatt unbeschrieben zu finden, hatte ich es in kindischer Wut in Stücke gerissen und dieselben, wer weiß wohin, zerstreut.

Doch erlöste mich die Klugheit Tigers. Als ich nach langem Suchen ein Stückchen von dem Briefpapier wiedergefunden, rieb ich es dem Hund einfach an die Nase und machte ihm klar, daß er das Übrige suchen müsse. Trotzdem ich ihn früher keins der Kunststücke gelehrt hatte, wegen deren die Hunde seiner Rasse berühmt sind, schien er mich doch vollständig zu verstehen, strich ein paar Augenblicke lang herum, und fand bald ein anderes Stück. Er brachte es mir, hielt stille und rieb seine Nase an meiner Hand, als warte er auf ein Zeichen der Erkenntlichkeit für seine Dienste. Ich tätschelte ihn auf den Kopf und er schob wieder davon. Es dauerte jetzt einige Minuten, ehe er zurückkam, doch brachte er dann ein sehr großes Stück. Ich schien nun alles beisammen zu haben — da ich das Ganze anscheinend nur in drei Stücke zerrissen. Glücklicherweise machte es mir keine Mühe, die Phosphorstückchen zu finden, da noch ein undeutliches Glühen von ihnen ausging. Die Erfahrung hatte mich gelehrt, vorsichtig zu Werke zu gehen, und ich nahm mir Zeit, um nachzudenken, was ich zuerst zu tun habe. Höchstwahrscheinlich, sagte ich mir, standen auf der Seite, die ich nicht gesehen, Worte geschrieben — doch welche Seite war das? Wenn ich die Papierstücke zusammensetzte, gab mir dieses noch keine Auskunft, obwohl ich wußte, daß die Worte, wenn überhaupt welche da waren, alle auf einer Seite standen. Doch mußte ich versuchen, die Frage vorher sicher zu beantworten, da der Phosphor nur für *einen* Versuch genügte; wenn dieser nicht gelang, war es mir unmöglich geworden, die Nachricht zu lesen. Ich legte das Papier wie vorhin auf ein Buch und dachte einige Minuten lang nach. Es war möglich, daß die beschriebene Seite irgendwelche Unebenheiten an ihrer Oberfläche aufwies, die ein gut ausgebildeter Tastsinn vielleicht entdecken konnte. Ich beschloß, das Experiment zu machen, und strich mit meinem Finger sorgfältig über die nach oben liegende Seite — doch konnte ich nicht das geringste bemerken und wandte deshalb das Blatt auf dem Buche um. Nun strich ich mit meinem Zeigefinger wieder vorsichtig auf und ab und entdeckte, daß sein Streichen ein außerordentlich schwaches, doch deutlich wahrnehmbares Licht hervorrief. Dies konnte nur von ganz kleinen Phosphorresten herrühren, die von meinem ersten Versuche auf dem Papier zurückgeblieben. Die andere, untere Seite des Papiers also war es, die ich noch nicht gesehen und auf welcher die Nachricht, vorausgesetzt, daß sie überhaupt da war, enthalten sein mußte. Ich wandte das Blatt daher wieder um und ging wie beim erstenmal zu Werke. Als ich die Phosphorstückchen auf dem Papier zerrieben hatte, schimmerte dieses auf — und ich erblickte große, mit roter Tinte geschriebene Schriftzüge. Der Schimmer war hell genug, doch erlosch er sehr bald wieder. Immerhin hätte er genügt, mich die drei Sätze — ich hatte gleich gesehen, daß es drei waren — lesen zu lassen, wenn ich mich nicht in so maßloser Aufregung befunden hätte. In meiner Angst, nur ja alles zu lesen, erkannte ich jedoch nur die neun Schlußworte, welche folgendermaßen lauteten: ›— Blut — bleibe ruhig liegen, dein Leben hängt davon ab —‹.

Hätte ich den ganzen Inhalt des Briefes lesen, die ganze Warnung meines Freundes verstehen können, sie würde mich, und hätte sie mir auch das unaussprechlichste Unheil erzählt, doch nicht mit jenem grenzenlosen Entsetzen erfüllt haben, das sich beim Lesen des Bruchstückes meiner Seele bemächtigte. Denn das Wort ›Blut‹, dieses fürchterlichste aller Worte, das stets mit düsteren Geheimnissen, Leiden und Schrecken im Bunde ist — wie dreifach unheilvoll fiel sein Klang, losgelöst von vorhergehenden Worten, die mir seine Bedeutung an dieser Stelle erklärt hätten, in die tiefe Angst meiner Seele!

August hatte ohne Zweifel ernste Gründe, mich verborgen zu halten, und ich stellte tausend Vermutungen an, welcher Art sie wohl sein möchten. Doch kam ich zu keiner befriedigenden Lösung des Geheimnisses.

Kurz nach meiner erfolglosen Fahrt zur Falltür, ehe Tigers sonderbares Benehmen meine Aufmerksamkeit auf sich gezogen, war ich zu dem Entschluß gekommen, mich den Leuten an Bord auf alle Fälle bemerkbar zu machen oder, falls dieses nicht gelingen sollte, mir einen Ausgang durch das Mitteldeck zu verschaffen. Die halbe Gewißheit, daß mir einer der beiden Pläne im Notfall gewiß gelingen werde, hatte mir Mut gegeben, die Schrecken meiner Lage zu ertragen. Die wenigen Worte jedoch, die ich gelesen, schnitten mir diese letzten Auswege ab, und ich fühlte nun eigentlich zum erstenmal alle Bitternisse meines Schicksals ganz.

Verzweifelt warf ich mich wieder auf die Matratze, wo ich, vielleicht einen Tag und eine Nacht lang, in einem Zustande von Betäubung lag, den nur sehr selten kurze Momente, in denen ich klar denken konnte, unterbrachen.

Endlich erhob ich mich wieder und dachte nach über die Schrekken, die mich umgaben. Es war kaum möglich, daß ich noch weitere vierundzwanzig Stunden ohne Wasser leben konnte — nein, länger ging es ganz gewiß nicht. Während der ersten Zeit meiner Gefangenschaft hatte ich von den Likören, die mir August mitgegeben, reichlich Gebrauch gemacht, doch dienten sie jetzt bloß dazu, mein Fieber zu erhöhen, ohne meinen Durst im geringsten zu löschen. Ich hatte übrigens auch nur noch eine viertel Pinte Schnaps übrig, einen starken Pfirsichlikör, der mir schon widerstand. Die Würste waren vollständig verzehrt, vom Schinken war nur noch die äußere Schale übrig, und die Biskuits hatte Tiger bis auf ein paar klägliche Reste verzehrt. Ich bemerkte mit Entsetzen, daß mein Kopfweh mit jedem Augenblick zunahm, ebenso jenes eigentümliche Delirium, welches mich, seit ich zum erstenmal in Schlaf versunken, befallen. Vor einigen Stunden konnte ich noch, wenn auch nur mit Mühe, atmen, jetzt wurde jeder Versuch, Luft zu schöpfen, von den schmerzhaftesten Krampfempfindungen in der Brust begleitet.

Und zu all dem kam noch ein neues Entsetzen ... dieses war's auch, was mich aus meiner Betäubung auf der Matratze emporgerüttelt hatte: Das Benehmen des Hundes flößte mir die größten Befürchtungen ein.

Ich bemerkte sein verändertes Betragen zuerst, als ich bei meinem letzten Versuch, das Papier zu lesen, den Phosphor zerrieb. Er stieß seine Nase gegen meine Hand und knurrte dabei, was mir jedoch in meiner Aufregung nicht weiter auffiel. Bald darauf sank ich, wie man sich entsinnen wird, wie betäubt auf meine Matratze. Dann wurde ich mir plötzlich eines eigentümlich zischenden Tones bewußt, der in der Nähe meines Ohres erklang, und entdeckte, daß er von Tiger ausging, der in größter Erregung schnaufte und keuchte und seine glühenden Pupillen durch den dunklen Raum flackern ließ. Ich rief ihn an, er antwortete mit leisem Knurren und blieb liegen. Dann verfiel ich wieder in Lethargie, aus der ich in derselben Weise wie zuvor aufgerüttelt wurde. Dies wiederholte sich noch drei- oder viermal, bis ich in solche Angst geriet, daß sie mich ganz wach machte. Tiger lag jetzt nahe an der Tür des Kastens und knurrte beängstigend, wenn auch halb unterdrückt. Dabei zeigte er die Zähne, als durchschüttele ihn ein Krampf. Ich zweifelte nicht länger, daß ihn der Wassermangel und die schlechte Luft des Kastens toll gemacht hatten, und wußte nicht, was ich mit ihm beginnen solle. Den Gedanken, ihn zu töten, konnte ich nicht ertragen, und doch schien es im Interesse meiner Sicherheit nötig zu sein. Ich sah deutlich, daß seine glühenden Augen mit dem Ausdruck der tödlichsten Feindschaft auf mir hafteten, und erwartete jeden Augenblick, er werde mich angreifen. Schließlich konnte ich meine gefahrvolle Lage nicht länger mehr ertragen und beschloß, auf jeden Fall aus der Kiste herauszugehen, und wenn er mir Widerstand entgegensetzte, mich seiner zu entledigen. Wollte ich jedoch heraus, so mußte ich über ihn wegschreiten. Er schien meine Absicht schon zu ahnen, denn, wie ich aus der veränderten Lage seiner Augen schloß, erhob er sich auf die Vorderfüße und fletschte sein weißes Gebiß, das selbst durch die Dunkelheit leuchtete. Ich nahm die Überbleibsel des Schinkens, sowie die Likörflasche an mich, ergriff das Vorschneidemesser, das mir August hinterlassen hatte, wickelte mich so vollständig, wie es eben anging, in meinen Mantel und schritt auf den Ausgang der Kiste zu. Kaum hatte ich einen Schritt gemacht, so sprang mir das wütende Tier an die Kehle. Das ganze Gewicht seines Körpers drückte auf meine rechte Schulter, ich fiel heftig auf die linke, der Hund selbst sprang über mich weg. Ich war auf meine Knie gefallen, mein Kopf lag unter der Bettdecke begraben. Dieser Umstand rettete mich vor einem zweiten Angriff, ich fühlte, wie sich die scharfen Zähne des Tieres in die wollenen Umhüllungen, die meinen Hals schützten, vergruben, glücklicherweise jedoch ohne sie durchbeißen oder abreißen zu können. Ich lag vollständig unter dem Hunde und mußte in wenigen Minuten in seiner Gewalt sein. Doch die Verzweiflung gab mir Kraft: mit einem gewaltsamen Ruck schüttelte ich ihn ab, ergriff die Decken, die auf der Matratze lagen, warf sie alle über ihn und gelangte, ehe er sich ihnen ganz entwinden konnte, zur Tür der Kiste hinaus, die ich fest hinter mir verschloß. Im Kampfe jedoch mußte ich den Schinkenüberrest fallen lassen, so daß mein ganzer Vorrat an Lebensmitteln nun in einer viertel Pinte Pfirsichschnaps bestand.

Als ich mir dessen bewußt wurde, ergriff mich einer jener Anfälle von Bösartigkeit, die man von einem verwöhnten Kinde erwartet haben sollte — ich führte die Flasche an meine Lippen, leerte sie bis auf den letzten Tropfen und warf sie dann wütend zur Erde.

Kaum war das Echo des Geklirrs verschollen, so hörte ich, daß eine leise, eifrige Stimme von der Richtung des Zwischendecks her meinen Namen rief. Der Ton kam so unerwartet und versetzte mich in so ungeheure Erregung, daß ich vergeblich zu antworten versuchte. Die Kraft der Stimme versagte vollständig, und in der Todesangst, mein Freund möchte mich für tot halten und ohne weitere Nachforschungen wieder nach oben zurückkehren, stand ich zwischen dem Gerümpel nahe an der Tür der Kiste und keuchte und kämpfte um ein Wort. Und hätte das Leben von tausend Welten von dem Tone abgehangen — ich konnte ihn nicht hervorbringen. Ich vernahm noch eine leichte Bewegung im Gerümpel in der Richtung auf mich zu. Dann wurde der Ton undeutlicher — und noch undeutlicher — und starb ganz hin. Die Gefühle, die mich in diesem Augenblick erfüllten, werde ich nie vergessen können. Er ging — mein Freund, mein Kamerad —, von dem ich das Recht hatte, Rettung zu erwarten; er verließ mich; schon war er fort! Er überließ mich dem qualvollsten Tode in einem öden, widerwärtigen Gefängnisse — und ein Wort, eine Silbe konnte mich retten, und dieses Wort, dieser eine Ton versagte mir! Ich fühlte tausend Tode. Mein Gehirn wirbelte umher, ich fiel halb ohnmächtig am Ausgang der Kiste nieder.

Als ich hinsank, fiel auch das Vorlegemesser, das ich in meinen Gürtel gesteckt, klappernd zu Boden. Die süßeste Melodie, die ich je gehört, tat meinem Ohr nicht so wohl als dieser harte Laut. Mit heftigster Angst lauschte ich, ob der Ton noch von August gehört worden sei, denn ich wußte, nur er konnte mich gerufen haben. Ein paar Sekunden lang blieb alles still. Aber richtig, dann hörte ich, wie er meinen Namen »Gordon« leise und zögernd wiederholte. Die Hoffnung löste den Bann von meiner Zunge, und so laut ich nur konnte rief ich: »August! August!« – »Still! Um Gottes willen, still!« erwiderte er mit vor Erregung zitternder Stimme, »ich bin sofort bei dir, sobald ich nur meinen Weg durch das Gerümpel finde!« Lange Zeit hörte ich ihn nun herumtappen, und jeder Augenblick kam mir vor wie ein Menschenalter. Endlich fühlte ich seine Hand auf meiner Schulter, und im gleichen Augenblick führte er auch schon eine Flasche Wasser an meine Lippen. Nur die, die einmal plötzlich dem Grabe wieder entrissen wurden und die so die unleidlichen Qualen des Durstes unter ähnlich grauenvollen Umständen wie ich kennengelernt, können sich eine Vorstellung von dem unaussprechlichen Entzücken machen, mit dem ich den ersten, langen Trunk der köstlichen Labung genoß.

Als ich meinen Durst einigermaßen gestillt, zog August drei oder vier kalte gekochte Kartoffeln aus der Tasche, die ich mit Heißhunger verschlang. Er hatte in einer Blendlaterne ein Licht mitgebracht, und die freundlichen Strahlen gewährten mir kaum weniger Kräftigung als die Nahrung und das Wasser. Ich verlangte danach, den Grund von allem zu erfahren – und so erzählte er mir denn, was sich an Bord seit meiner freiwilligen Einkerkerung zugetragen.

KAPITEL IV

Die Meuterei

Die Brigg war, wie ich vermutet, richtig eine Stunde, nachdem August mir seine Uhr gegeben, in See gestochen. Es war der 26. Juni. Man wird sich erinnern, daß ich mich damals schon seit drei Tagen im Schiffsraum befand. Während der ganzen Zeit herrschte ein solcher Trubel an Bord, besonders in der Kajüte lief man so eifrig hin und her, daß August mich nicht besuchen konnte, ohne fürchten zu müssen, das Geheimnis der Falltür zu verraten. Als er dann endlich gekommen, hatte ich ihm versichert, es gehe mir so gut wie nur möglich. Die beiden folgenden Tage hatte er sich meinethalben also durchaus nicht zu beunruhigen brauchen — obwohl er auf jede Gelegenheit lauerte, mich besuchen zu können. Erst am vierten Tage bot sich ihm eine dar. Mehreremal hatte er schon den Entschluß gefaßt, seinem Vater unseren Streich mitzuteilen, doch befanden wir uns noch immer in der Nähe von Nantucket, und aus einigen Bemerkungen des Kapitäns war anzunehmen, daß er wahrscheinlich direkt zurückgekehrt sein würde, hätte er mich an Bord entdeckt. Überdies, so meinte August, hatte ich keine dringenden Bedürfnisse, so lange ich mich nicht an der Falltür bemerkbar machen würde. Er beschloß also, mich ruhig unten zu lassen, bis er eine Gelegenheit finden werde, mich ohne Gefahr zu besuchen. Dies geschah, wie ich schon sagte, erst am vierten Tage, nachdem er mir die Uhr gebracht, also am siebenten Tage, den ich in meinem Gefängnisse zubrachte. Er kam damals ohne Wasser und Vorräte zu mir herab, da er mich bitten wollte, mit ihm an die Falltür zu kommen, wo er mir beides aus der Kajüte herabreichen wollte. Als er zu diesem Zweck hinunterstieg, muß ich wohl geschlafen haben, denn er hörte mich laut schnarchen. Nach meinen Berechnungen war dies der Schlaf, in den ich gefallen, als ich mit der Uhr von der Falltür zurückgekehrt war, und der folglich länger als drei ganze Tage und drei Nächte gedauert haben mußte. Späterhin hatte ich noch oft Gelegenheit, am eigenen Leibe sowohl wie auch aus den Erzählungen anderer die einschläfernden Wirkungen des Geruches alten Fischöls in einem geschlossenen Raume zu erfahren, und wenn ich an den Zustand des Schiffsraumes denke, in dem ich eingekerkert war, und an die lange Zeit, während welcher die Brigg schon als Walfischfänger benutzt wurde, muß ich mich wahrhaftig noch mehr darüber wundern, daß ich überhaupt wieder wach wurde, als daß der Schlaf so lange dauerte.

August hatte mich zuerst mit leiser Stimme gerufen, ohne die Falltür zu schließen — doch öffnete ich ihm nicht. Er schloß darauf die Tür und rief mich lauter an, dann noch lauter — ich antwortete jedoch nicht, sondern schnarchte ruhig weiter. Er wußte jetzt nicht, was er tun sollte. Wenn er sich einen Weg zu mir bahnte, brauchte er eine längere Zeit, während welcher ihn Kapitän Barnard vermissen konnte, denn er rief ihn alle Augenblicke zu schriftlichen Plänen und Entwürfen an seinen Schreibtisch. Deshalb beschloß er, wieder heraufzusteigen und eine bessere Gelegenheit, mich zu besuchen, abzuwarten. Er verließ mich also leichten Herzens wieder, denn mein Schlaf schien ein äußerst ruhiger, gesunder zu sein, und er konnte ja nicht ahnen, daß mir meine Gefangenschaft eine Qual sein werde. Während er so überlegte, wurde seine Aufmerksamkeit durch ein eigentümliches Geräusch gefesselt, das aus der Kajüte, die vor der seinigen lag, zu kommen schien. Er sprang so schnell wie möglich durch die Falltür in die Höhe, schloß sie und öffnete die Tür seiner Kajüte. Kaum hatte er seinen Fuß über die Schwelle gesetzt, so blitzte eine Pistole vor ihm auf, und er wurde durch einen mächtigen Schlag zu Boden geworfen.

Eine starke Hand hielt ihn am Boden fest und umklammerte seine Kehle, doch konnte er sehen, was um ihn herum vor sich ging. Sein Vater lag, an Händen und Füßen gebunden, auf der Kajütentreppe, mit dem Kopfe nach unten. Aus einer tiefen Stirnwunde floß unaufhörlich ein breiter Blutstrom. Er sprach kein Wort und rang offenbar mit dem Tode. Etwas über ihm kniete der Erste Steuermann, der ihn mit einem Ausdruck teuflischen Hohnes ansah und gelassen seine Taschen untersuchte, aus denen er schon eine Uhr und eine Brieftasche genommen hatte. Sieben Leute der Mannschaft, unter ihnen der Koch — ein Neger —, suchten in den Kajüten an Backbord nach Waffen und rüsteten sich mit Flinten und Schießvorrat aus. Außer August und Kapitän Barnard befanden sich im ganzen neun Mann in der Kajüte, und zwar waren es die wildesten und rohesten aus der Bemannung. Die Schurken begaben sich nun auf das Deck und nahmen meinen Freund, dem sie die Arme auf den Rücken gebunden, mit sich. Sie begaben sich geradewegs auf das Vorderkastell, auf dem zwei der Meuterer, mit Äxten bewaffnet, Wache hielten; und auch am Haupteingang zu den Kajüten waren zwei Männer mit Äxten aufgestellt. In diesen hinein rief nun der Steuermann mit lauter Stimme: »Hört ihr da unten? — herauf mit euch, einer nach dem anderen! — verstanden? Und nicht gemuckst!«

Es dauerte ein paar Minuten lang, ehe jemand erschien — endlich kam ein junger Engländer herauf. Er weinte bitterlich und bat den Steuermann demütigst, doch sein Leben zu schonen. Die einzige Antwort war ein Schlag mit der Axt vor die Stirn. Der arme Bursche sank lautlos zu Boden, der schwarze Koch hob ihn auf, als sei er ein Kind, und warf ihn ins Wasser. Als sie den Schlag und das Aufschlagen des Körpers im Wasser hörten, waren die noch in den Kajüten befindlichen Männer weder durch Versprechungen noch Drohungen zu bewegen, heraufzukommen, bis einer den Vorschlag machte, sie auszuräuchern. Nun erfolgte ein allgemeiner Sturm nach oben und es schien einen Augenblick lang möglich, den Meuterern die Herrschaft über die Brigg wieder abzunehmen. Es gelang diesen jedoch, das Vorderkastell abzuschließen, ehe mehr als sechs der Gegner heraufkamen. Diese sechs mußten sich, da sie sich waffenlos einer bewaffneten Überzahl gegenübersahen, nach kurzem Kampfe ergeben. Der Steuermann gab ihnen gute Worte, ohne Zweifel, um die noch unten befindlichen zu bewegen, sich zu überliefern, denn sie konnten jedes Wort verstehen. Glänzender Erfolg krönte seine Klugheit und teuflische Schurkerei. Die übrige Mannschaft drückte ihre Absicht aus, sich zu ergeben, einer nach dem andern kam herauf und wurde, wie zuvor die ersten, stets geknebelt und auf den Rücken geworfen. Es waren im ganzen siebenundzwanzig — die gesamte Bemannung außer den Verschwörern und dem getöteten Engländer.

Nun folgte eine Szene scheußlichster Abschlachterei. Die gefesselten Seeleute wurden zur Fallreeptreppe geschleppt. Hier stand der schwarze Koch mit einer Axt und erschlug jedes Opfer, das die anderen bewaffneten Meuterer ihm zuführten. Auf diese Weise kamen zweiundzwanzig um, August selbst gab sich längst verloren und erwartete jeden Augenblick, daß die Reihe nun an ihn kommen werde. Doch die Schufte waren entweder müde oder von ihrer blutigen Arbeit selbst angeekelt, denn man gab meinem Freunde, sowie den vier übrigen Gefangenen Aufschub, der Steuermann ließ Rum holen, und die ganze Mörderbande hielt ein Trinkgelage ab, das bis zum Sonnenuntergang dauerte. Nun erhob sich ein Streit, was sie mit den übrigen Gefangenen, die ein paar Schritt von ihnen entfernt lagen und jedes Wort verstehen konnten, anfangen sollten. Auf manche der Mörder schien der Schnapsgenuß eine besänftigende Wirkung ausgeübt zu haben, denn einige von ihnen schlugen vor, die Gefangenen unter der Bedingung, daß sie sich den Aufrührern anschließen sollten, zu befreien und an den Früchten der Meuterei teilnehmen zu lassen. Der schwarze Koch jedoch, der ein wahrer Teufel war, und einen ebenso großen, wenn nicht größeren Einfluß als der Steuermann auszuüben schien, wollte auf keinen derartigen Vorschlag hören und erhob sich verschiedene Male, um seine Tätigkeit an der Fallreeptreppe wieder aufzunehmen. Glücklicherweise war er jedoch schon so betrunken, daß er von den weniger Blutdürstigen der Bande mit Leichtigkeit an der Ausführung seines Vorhabens verhindert werden konnte. Unter diesen befand sich ein Aufseher namens Dirk Peters. Er war der Sohn einer Indianerin vom Stamme der Upsarokas, die in den Black Hills an der Quelle des Missouri leben. Sein Vater war, wenn ich mich nicht irre, ein Pelzhändler, jedenfalls stand er in irgendeiner Weise mit der indianischen Handelsstation am Lewis-Flusse in Verbindung. Peters selbst war einer der fürchterlichst aussehenden Menschen, die ich je gesehen: Von kleiner Gestalt, nicht mehr als vier Fuß acht Zoll hoch, doch muskulös wie ein Herkules. Besonders seine Hände waren so dick und breit, daß sie kaum noch wie Menschenhände wirkten. Seine Arme und Beine, sonderbar gebogen, schienen an sich nicht die geringste Biegsamkeit zu besitzen, sein Kopf war ebenfalls mißgestaltet, von ungeheurer Größe und hatte oben eine

Kerbe – außerdem war er vollständig kahl. Um diesen letzten Mangel zu verdecken, der nicht im Alter seinen Ursprung hatte, trug er gewöhnlich eine Perücke aus haarähnlichem Material – abwechselnd gebrauchte er dazu das Fell eines spanischen Hundes oder des amerikanischen Grizzlybären. Augenblicklich trug er das Stück Bärenfell auf dem Kopfe, welches das wilde Aussehen seiner Züge noch steigerte. Sein Mund ging fast von einem Ohr zum anderen. Die Lippen waren dünn und schienen wie die anderen Teile seines Gesichtes ebenfalls jeder natürlichen Bewegung unfähig. Den Ausdruck seines Gesichtes kann man sich einigermaßen vorstellen, wenn man bedenkt, daß seine Zähne lang und vorstehend waren und nicht einen Augenblick lang auch nur teilweise von den Lippen bedeckt wurden. Wenn man den Menschen flüchtig betrachtete, mußte man glauben, er sei von einem Lachkrampf ergriffen; ein aufmerksamer Blick ließ schaudernd erkennen, daß, wenn dieser Ausdruck Heiterkeit bedeutete, diese Heiterkeit die eines Satans sein mußte. Die Seeleute von Nantukket erzählten sich viele Anekdoten von diesem sonderbaren Wesen, seltsame Geschichten von seiner ans Wunderbare grenzenden Kraft, die er stets zeige, wenn man ihn irgendwie reizte. Zur Zeit der Meuterei wurde er an Bord des ›Grampus‹ jedoch eher mit Spott angesehen. Ich habe die Person Dirk Peters' so ausführlich geschildert, weil ihm, trotz seines wilden Äußeren, mein Freund August seine Rettung vor allem zu verdanken hatte; und weil ich ihn auch im Laufe meiner Erzählung des öfteren erwähnen muß.

Nach langer Unentschiedenheit und heftigen Auseinandersetzungen wurde endlich bestimmt, daß alle Gefangenen, mit Ausnahme Augusts, den Dirk Peters scherzhafterweise als ›seinen Sekretär‹ für sich in Anspruch nahm, auf einem der kleinsten Boote den Wellen übergeben werden sollten. Der Steuermann stieg in die Kabine hinunter, um zu sehen, ob Kapitän Barnard noch lebe, denn, wie man sich erinnern wird, hatten ihn die Mörder, als sie sich auf Deck begaben, unten liegen lassen. Nach kurzer Zeit kamen beide zusammen zum Vorschein, der Kapitän war bleich wie der Tod, schien sich jedoch von seiner Wunde ein wenig erholt zu haben. Er sprach den Männern in kaum artikulierten Worten zu, bat sie, ihn nicht über Bord zu werfen, sondern sich wieder auf ihre Pflicht zu besinnen. Er versprach ihnen, sie ans Land zu setzen, sobald und wo sie nur wollten, und keinerlei Schritte gegen sie zu unternehmen. Er hätte ebensogut dem Winde zureden können. Zwei der Schufte ergriffen ihn ohne weiteres bei den Armen und stießen ihn über Bord in das Boot, welches man, während der Steuermann nach unten ging, schon herabgelassen hatte. Die Fesseln der vier Gefangenen an Bord wurden gelöst und sie selbst aufgefordert, dem Kapitän zu folgen, was sie, ohne

Widerstand zu versuchen, taten. August wurde in seiner qualvollen Lage gelassen, obwohl er sich losreißen wollte und um die Gnade bat, seinem Vater Lebewohl sagen zu dürfen. Dann ließ man noch eine Handvoll Schiffsbiskuits und einen Krug Wasser in das Boot hinab, das weder mit einem Mast, noch Ruder, noch Segeln, noch einem Kompaß ausgerüstet war. Die Meuterer hielten noch eine kurze Beratung ab und überließen das Boot hierauf den Wellen. Mittlerweile war es Nacht geworden — weder Mond noch Sterne schienen —, die See wogte kurz und unfreundlich, obgleich es nicht mehr windig war. Man verlor das Boot aus dem Gesicht, den Unglücklichen darinnen schien jede Hoffnung abgeschnitten. Wir befanden uns damals unter dem 35° 30′ nördlicher Breite und dem 61° 20′ westlicher Länge, folglich in nicht allzuweiter Entfernung von den Bermudas-Inseln. August versuchte sich deshalb mit der Möglichkeit zu trösten, das Boot werde entweder das Land erreichen oder doch so weit in dessen Nähe gelangen, daß es von abfahrenden Schiffen aufgefischt werden konnte.

Die Brigg entfaltete nun alle Segel und setzte ihre ursprüngliche Fahrt nach Südwesten fort. Die Meuterer wollten auf Raub ausgehen — soweit man ihre Reden verstehen konnte, hatten sie vor, ein Schiff, das sich auf dem Wege von den Kap Verdeschen Inseln nach Porto-Rico befand, aufzufangen. Meinem Freunde August schenkte man weiter keine Aufmerksamkeit, man löste seine Fesseln und ließ ihn frei umhergehen. Dirk Peters behandelte ihn mit einer gewissen Güte und rettete ihn einmal vor der Brutalität des schwarzen Kochs. Seine Lage war noch immer sehr gefährlich, denn die Leute waren stets betrunken, und auf ihren guten Willen ihm gegenüber konnte er sich deshalb nicht recht verlassen. Die Angst um mich quälte ihn jedoch, wie er sagte, mehr wie seine eigenen Leiden; ich habe auch nie an der Aufrichtigkeit seiner Freundschaft gezweifelt. Mehr als einmal hatte er erwogen, ob er die Meuterer von meiner Anwesenheit unterrichten sollte, doch die Erinnerung an die Scheußlichkeiten, die er gesehen, wie auch die Hoffnung, mir bald Erleichterung schaffen zu können, hielt ihn immer wieder davon ab. Er wartete angstvoll auf eine Gelegenheit, zu mir zu kommen, doch bot sie sich erst drei Tage, nachdem man das Boot mit den Unglücklichen den Wellen übergeben. Endlich, in der Nacht des dritten Tages, blies plötzlich ein heftiger Sturm aus Osten, und die Mannschaft war infolgedessen eifrig beschäftigt. Während des Tumultes begab sich August unbeachtet in die Kajüte. Mit großem Schrecken und Kummer entdeckte er, daß man dieselbe zu einem Aufbewahrungsort für Vorräte und Schiffsgerätschaften gemacht hatte und daß verschiedene Faden Kabeldrahtes, die früher unter der Kajütentreppe gelegen hatten, hervorgezogen worden waren, um Platz für eine Kiste zu machen, und nun gerade auf der Falltür lagen. Es war unmöglich, sie fortzubewegen, ohne sich der Gefahr einer Entdeckung auszusetzen, und er kehrte, so schnell wie's nur gehen wollte, auf Deck zurück. Als er hinaufkam, ergriff ihn der Steuermann an der Kehle, fragte ihn, was er in der Kajüte gemacht habe und wollte ihn über Backbord werfen. Dirk Peters rettete jedoch durch sein Dazwischentreten zum zweitenmal sein Leben. Indessen legte man jetzt meinem Freunde Handschellen an und band seine Füße fest zusammen. Er wurde auf das Zwischendeck gezerrt und in der Nähe des Vorderkastells in eine Schlafstelle geworfen. Er werde seinen Fuß nicht eher wieder auf Deck setzen, bis die Brigg keine Brigg mehr sei, rief ihm der Koch, der ihn dorthin geworfen, noch zu. Es war nicht recht klar, was er eigentlich mit dieser Drohung meinte. Die ganze Wendung der Dinge aber gab das entscheidende Mittel zu meiner Befreiung, wie man gleich sehen wird.

KAPITEL V

Der Brief

Als der Koch das Vorderkastell verlassen hatte, war August zunächst ganz verzweifelt, da er nicht hoffen durfte, sein enges Gefängnis jemals lebend wieder zu verlassen. Dann dachte er wieder an mich und faßte so halb und halb schon den Entschluß, dem ersten besten, der sich ihm näherte, von mir und meinem Versteck zu erzählen, denn er hielt es immerhin noch für besser, mich der nicht unmöglichen Gnade der Meuterer anheimzugeben, als dem Tode durch Verdursten zu überlassen. Ich war nun seit zehn Tagen eingekerkert, und der Krug, den er mir mitgegeben, enthielt kaum Wasser genug für vier. Als er noch darüber nachdachte, kam ihm ganz plötzlich der Gedanke, es könne wohl möglich sein, sich durch den Hauptkielraum hindurch mit mir zu verständigen. Unter allen anderen Umständen hätte ihn die Schwierigkeit und Unberechenbarkeit eines solchen Versuches wohl von demselben abgehalten. Augenblicklich hatte er jedoch nur wenig Aussicht, am Leben zu bleiben, hatte also so gut wie nichts zu verlieren und konzentrierte sein ganzes Sinnen auf die Ausführung des Planes.

Seine erste Sorge galt den Handschellen. Anfangs sah er keine Möglichkeit, sie zu entfernen. Nach aufmerksamerem Nachforschen entdeckte er jedoch, daß man sie, wenn er nur die Hände recht zusammenpreßte, ohne allzuviel Anstrengung abstreifen und wieder überziehen konnte. Die Fesseln waren nämlich nicht für so junge Personen berechnet, deren zartere Knochen einem festen Druck noch nachgaben. Er band nun auch seine Füße los, ließ den Strick jedoch so geschlungen, daß er, im Falle sich jemand näherte, ihn mit Leichtigkeit wieder um seine Glieder befestigen konnte, und begann den Boden unter sich, der ihn von dem Kielraum trennte, zu untersuchen. Er bestand aus weichen Fichtenholzbrettern von einem Zoll Dicke, durch welche man, wie er gleich sah, ohne sonderliche Mühe ein Loch bohren konnte. Doch vernahm er plötzlich eine Stimme vom Vorderkastell her und hatte gerade noch so viel Zeit, sich die rechte Handschelle wieder anzulegen – die linke hatte er noch nicht abgestreift, und den Strick um seine Knöchel zu befestigen, ehe Dirk Peters herunterkam, gefolgt von Tiger, der sofort in den Schlafraum sprang und sich zu Augusts Füßen niederlegte. Mein Freund hatte den Hund mit an Bord gebracht, weil er meine Zuneigung zu dem Tiere kannte und annahm, es werde mir Vergnügen bereiten, ihn während der ganzen Reise um mich zu haben. Kurz nachdem er mich in den Kielraum versteckt hatte, ging er noch einmal in mein väterliches Haus und holte ihn, vergaß jedoch, als er die Uhr brachte, mir dieses mitzuteilen. Seit der Meuterei hatte August ihn nicht mehr gesehen und glaubte, einer der Schufte aus der Gesellschaft des Steuermanns habe ihn über Bord geworfen. Später stellte es sich heraus, daß er in ein Loch unter ein Walfischboot gekrochen, das so klein war, daß er nicht allein wieder herauskonnte. Peters befreite ihn endlich und brachte ihn in einer Anwandlung von Gutmütigkeit August als Gefährten mit und außerdem zur Stärkung etwas Pökelfleisch, ein paar Kartoffeln und einen Krug mit Wasser. Dann begab er sich wieder auf Deck, nachdem er versprochen, am nächsten Tage mit mehr Lebensmitteln wiederzukommen.

Als er gegangen war, befreite August seine beiden Hände von den Handschellen und löste auch seine Füße wieder los. Dann hob er ein Ende der Matratze, auf welcher er lag, in die Höhe und begann mit dem Taschenmesser – man hatte es nicht für nötig befunden, ihn zu untersuchen – aus Leibeskräften an der Wandbekleidung, ganz nahe den Fußbodenbrettern, zu schnitzen. Sollte sich jemand nähern, so brauchte er bloß die Matratze herabfallen zu lassen, um jede Spur seiner Arbeit zu verstecken. Doch wurde er den ganzen Tag nicht mehr gestört, und als die Nacht kam, hatte er die Planke vollständig durchschnitten. Niemand von der Mannschaft schlief mehr auf dem Vorderkastell, die Kerle hielten sich seit der Meuterei nur noch in den Kajüten auf, tranken Wein, ließen sich's bei den Vorräten des Kapitäns Barnard wohl sein und kümmerten sich um die Führung des Schiffes nur so viel, wie durchaus nötig war. Dies alles kam meinem Freunde und mir sehr zustatten; hätte Ordnung auf dem Schiffe geherrscht, er würde mich unmöglich erreicht haben. So jedoch setzte er das Rettungswerk ungestört fort. Der Tag graute schon, als er auch die zweite Planke, etwa einen Fuß über der ersten, durchschnitten hatte. Die Öffnung war jetzt groß genug, um einen leichten Durchgang zum Hauptmitteldeck zu gestatten. Er kroch hindurch und bahnte sich ohne zu große Mühe den Weg zur unteren Hauptluke, obgleich er über aufgestapelte Ölfässer kriechen mußte, die sich so hoch an die Decke erhoben, daß kaum Raum genug für seinen Körper blieb. Als er die Luke erreichte, fand er, daß Tiger ihm gefolgt war und unter zwei Reihen von Fässern heulte. Doch es war jetzt zu spät, um vor Tagesgrauen zu mir zu gelangen, denn die Hauptschwierigkeit, das Hindurchwinden durch den vollgepackten unteren Schiffsraum, war noch zu bestehen. Er beschloß also, zurückzukehren und die nächste Nacht abzuwarten. Doch löste er die Luke schon ein wenig, um beim nächsten Kommen weniger Lärm auf einmal machen zu müssen. Kaum hatte er es getan, so sprang Tiger eifrig auf die kleine Öffnung zu, schnupperte an ihr herum, stieß ein langes Winseln aus und kratzte, als wolle er die Luke mit seinen Pfoten entfernen. Sein Benehmen bewies deutlich, daß er sich meiner Anwesenheit im Schiffsraum bewußt geworden, und August hielt es für möglich, daß Tiger, wenn er ihn hinunterließe, den Weg zu mir finden werde. Nun kam er auf den Gedanken, mir eine Benachrichtigung zukommen zu lassen, die mich verhindern sollte, mir selbst einen Weg nach oben zu bahnen, wenigstens augenblicklich schon. Der Brief war von doppelter Wichtigkeit, da er ja nicht bestimmt wußte, ob es ihm in der folgenden Nacht gelingen werde, mich zu erreichen. Die späteren Ereignisse bewiesen, wie glücklich dieser Gedanke war, denn hätte ich den Brief nicht erhalten, so würde ich irgendeinen, wenn auch ganz verzweifelten Versuch gemacht haben, die Mannschaft auf mich aufmerksam zu machen, und hätte unser beider Leben dadurch wohl mit Sicherheit verwirkt.

Als August beschlossen, an mich zu schreiben, versuchte er gleich, sich die nötigen Materialien zu verschaffen. Ein alter Zahnstocher war bald in eine Feder verwandelt, und zwar nur durch tastendes Zuspitzen und Feilen, denn auf den Zwischendecks war es stockfinster. Die Rückseite eines Briefes bot ihm Papier genug — nun fehlte bloß noch Tinte. Diese verschaffte er sich durch einen kleinen Einschnitt mit seinem Federmesser in die innere Seite eines Fingers ganz in der Nähe des Nagels. Wie gewöhnlich aus Wunden in dieser Nähe drang reichlich Blut hervor, und August schrieb, so gut es bei den Umständen und in der Dunkelheit gehen wollte, seinen Brief. Er teilte mir kurz mit, daß ich auf baldige Verproviantierung hoffen, jedoch kein Geräusch machen dürfe. Er schloß mit den Worten: ›Ich habe dies mit Blut geschrieben – bleibe ruhig liegen, dein Leben hängt davon ab.‹

Dieses Papier band er dem Hunde um und ließ ihn die Luke hinab; er selbst begab sich, so schnell es eben ging, auf das Vorderkastell zurück und konnte annehmen, daß niemand von der Mannschaft seine Abwesenheit bemerkt habe. Um das Loch in der Wand zu verdecken, trieb er sein Messer gerade über demselben hinein und hing ein Kamisol, das er auf dem Boden gefunden, daran auf. Dann aber streifte er seine Handschellen wieder an und befestigte auch den Strick wieder um seine Füße. Kaum war er damit fertig, so kam Dirk Peters zu ihm herunter. Er war vollständig betrunken, doch in ausgezeichneter Stimmung, und brachte meinem Freunde die ihm für den folgenden Tag gewährten Lebensmittel. Es waren ungefähr zwölf Stück großer gerösteter Kartoffeln und ein Krug mit Wasser. Er setzte sich auf eine Kiste neben der Schlafstätte Augusts und erzählte diesem von dem Steuermanne und den Schicksalen der Brigg. Sein Benehmen war äußerst sonderbar, ja, grotesk, und beunruhigte meinen Freund nicht wenig. Endlich begab er sich wieder auf Deck und murmelte dabei etwas von einem guten Mittagessen, das er seinem Gefangenen am folgenden Tage bringen wollte. Während des Tages kamen noch zwei von der Mannschaft, darunter der Koch, zu ihm – alle im letzten Stadium der Betrunkenheit. Sie sprachen ganz offen von ihren Plänen, schienen aber dabei sehr geteilter Meinung zu sein – nur in einem Punkte waren sie einig: das Schiff von den Kap Verdeschen Inseln, das sie jeden Augenblick erwarteten, zu überfallen und auszurauben. Allem Anschein nach war jedoch die Meuterei nicht bloß um der Beute willen in Szene gesetzt worden – ein unbegreiflicher Haß des Steuermanns gegen Kapitän Barnard hatte wohl den Hauptanstoß gegeben. Im allgemeinen schien sich die Mannschaft in zwei Parteien geteilt zu haben – die eine wurde von dem Steuermann, die andere von dem Koch angeführt. Die erste Partei war dafür, das nächste geeignete Schiff, das ihnen begegnen würde, zu überfallen und auf einer der Westindischen Inseln zum Raubschiff auszurüsten. Die zweite, stärkere Partei, zu der sich auch Dirk Peters bekannte, wollte die ursprüngliche Richtung der Brigg zum südlichen Stillen Ozean beibehalten, um dort entweder auf den Walfischfang zu gehen oder sonst irgend etwas anderes zu unternehmen, je nach den Umständen. Die Erzählungen des wilden Peters, der diese Gegenden oft besuchte, übten offenbar einen starken Eindruck auf die Meuterer aus, da sie zwischen Versprechungen von Beute und Vergnügen geschickt hin und her schwankten. Peters beschrieb nämlich ausführlich, wie viel Neues und Amüsantes man auf den zahllosen Inseln im Stillen Ozean zu sehen bekäme, wie sicher und frei sie sich dort bewegen könnten, wie köstlich das Klima sei, wie reichlich es die vorzüglichsten Lebensmittel hervorbringe, und wie über alle Beschreibung schön die Frauen seien, die dort lebten. Doch war man bis jetzt noch zu keinem entscheidenden Entschlusse gekommen, wenn auch die lockenden Bilder Dirk Peters' die leicht erregbare Phantasie der Seeleute stark beschäftigten und es wahrscheinlich machten, daß man seinen Vorschlägen bald allgemein Gehör schenken werde.

Die drei Männer gingen nach einer Stunde wieder hinauf, und den ganzen Tag betrat niemand mehr das Vorderkastell. August lag still, bis es fast Nacht geworden. Dann befreite er sich von seinen Fesseln und schickte sich zu seinem Besuche bei mir an. In einer der Schlafstätten fand er eine Flasche, diese füllte er mit Wasser aus dem Kruge, den ihm Peters gebracht, und steckte in seine Tasche einige der kalten Kartoffeln. Zu seiner größten Freude trieb er auch irgendwo eine Laterne auf, in der noch ein Stückchen Kerze steckte. Diese konnte er jeden Augenblick anzünden, da er eine Schachtel mit Streichhölzern bei sich hatte. Als es vollständig dunkel geworden, erhob er sich von seinem Lager, legte die Decken auf seinem Bette so wieder hin, daß sie den Eindruck erweckten, als bedeckten sie eine schlafende Person, zwängte sich durch das Loch in der Wand und hing das Kamisol wieder an dem Messer über dem Loche auf. Dies gelang ihm sehr leicht, da er die Planke, die er aus der Wand herausgenommen, nicht wieder einsetzte. Nun befand er sich auf dem Hauptmitteldeck und bahnte sich zwischen dem oberen Deck und den Ölfässern seinen Weg zu der Hauptluke. Als er sie erreicht hatte, steckte er die Kerze an und zwängte sich mit vieler Mühe durch das aufgestaute Gerümpel im Kielraum. Nach ein paar Augenblicken schon begann der unerträgliche Geruch und die dicke Atmosphäre ihn höchlichst zu beunruhigen. Er hielt es kaum noch für möglich, daß ich in solcher Luft am Leben geblieben sei. Wiederholt rief er meinen Namen, doch antwortete ich ihm nicht, und er glaubte seine Befürchtungen schon bestätigt zu sehen. Die Brigg schwankte heftig, und infolgedessen herrschte im Kielraum ein derartig starkes Geräusch, daß es ganz unmöglich war, ein schwächeres Geräusch, mein Atmen oder Schnarchen vielleicht, zu erlauschen. Er öffnete die Laterne und hielt sie, wo sich nur Raum bot, hoch in die Höhe, damit ich, wenn ich noch lebte und das Licht sah, mir sagen mußte, es nahe sich Hilfe. Aber er hörte noch immer nichts von mir, und die Überzeugung, ich sei tot, befestigte sich in ihm immer mehr und mehr. Doch beschloß er, wenn nur irgend möglich, sich einen Weg bis zur Kiste zu bahnen, um wenigstens den letzten Zweifel über mein Schicksal sich zu benehmen. In einem schrecklichen Zustande drang er weiter, bis er endlich den Weg ganz versperrt fand und keine Möglichkeit sah, vorwärts zu kommen. Traurig setzte er sich

zwischen dem Gerümpel hin und weinte wie ein Kind. In diesem Augenblick vernahm er das Klirren der Flasche, die ich zu Boden geschleudert hatte. Von diesem unbedeutenden, glücklichen Umstande hing mein Schicksal ab. Doch verging lange Zeit, ehe ich es erfuhr. Eine leicht begreifliche Scham über seine Schwäche und Unentschlossenheit verhinderte, daß August mir alles das gleich erzählte, was er mir später einmal in einer vertraulichen, glücklicheren Stunde enthüllte. Als er den Weg im Kielraume durch Hindernisse versperrt fand, die er unmöglich überschreiten konnte, hatte er beschlossen, das Suchen nach mir aufzugeben und sich zum Vorderkastell zurückzuschleichen. Ehe man ihn dafür verdammt, stelle man sich noch einmal die fürchterlichen Umstände vor, in denen er sich befand. Die Nacht schwand schon dahin, seine Abwesenheit vom Vorderkastell konnte leicht bemerkt werden und wurde es unbedingt, wenn es ihm nicht gelang, vor Tagesanbruch seine Schlafstätte wieder zu erreichen. Die Kerze war dem Verlöschen nahe, und sich im Dunkeln zu der Hauptluke zurückzutappen, war mit den allergrößten Schwierigkeiten verbunden. Außerdem hatte er Grund genug, mich für tot zu halten, und in diesem Falle konnte er mir doch keine Hilfe mehr bringen, während er selbst verderben mußte. Er hatte mich verschiedene Male gerufen, ohne Antwort zu erhalten. Seit elf Tagen und elf Nächten hatte ich kein anderes Wasser, als das in dem Kruge — und es war anzunehmen, daß ich dieses schon in den ersten Tagen vollständig aufgebraucht hatte, da ich doch vernünftigerweise auf baldige Befreiung hoffen durfte. Die Atmosphäre des Schiffsraumes schien ihm, der aus verhältnismäßig guter Luft kam, vollständig vergiftet zu sein und mußte ihm viel unerträglicher vorkommen, als mir zu der Zeit, in welcher ich mein Quartier in der Kiste aufgeschlagen, denn damals haben die Luken monatelang offen gestanden. Erinnert man sich noch dazu der Blut- und Schauerszenen, denen mein Freund vor kurzem beigewohnt, seiner Gefangenschaft, der Entbehrungen und Todesgefahren, in denen er selbst noch immer schwebte — all dieser Umstände, die nur zu sehr danach angetan waren, die Energie zu schwächen —, so wird man für diese Verleugnung der Freundespflichten, wie ich, kaum Kummer, aber sicherlich keinen Zorn empfinden können.

Obgleich August das Klirren der Flasche deutlich gehört hatte, war er doch nicht sicher, ob der Ton von dem Schiffsraume ausging. Dieser Zweifel genügte jedoch, um ihn zu bewegen, weiter nach mir zu forschen. Er kletterte sofort an den Kisten bis fast zum Mitteldeck empor, wartete einen Augenblick, bis das Geräusch ein wenig nachließ, und rief dann, so laut er konnte, meinen Namen. Einen Augenblick lang vergaß er vollständig, welcher Gefahr er sich aussetzte, wenn ihn jemand von der Mannschaft hörte. Man wird sich erinnern, daß ich seine Stimme jetzt vernahm, doch so heftig erregt wurde, daß ich nicht antworten konnte. Vollständig überzeugt, daß seine Befürchtungen begründet seien, stieg er herab und versuchte, ohne Zeitverlust das Vorderkastell wieder zu erreichen. In seiner Eile warf er ein paar kleine Kisten um — das Geräusch, das sie verursachten, hörte ich, wie man sich entsinnen wird. Er war schon ziemlich weit zurückgeklettert, als er den Fall des Messers vernahm und nochmals zögerte. Er kehrte wieder um, erklomm das Gerümpel an der alten Stelle zum zweitenmal und rief meinen Namen so laut wie vorhin. Diesmal fand ich die Kraft, zu antworten. Überfroh, mich noch am Leben zu finden, beschloß er nun, jeder Gefahr und Mühe zu trotzen und mich aufzusuchen. Nachdem er sich so rasch wie möglich dem Gerümpellabyrinth entwunden, kam er zuletzt an einen Gang, der besser zu sein schien, und erreichte endlich im Zustande äußerster Erschöpfung die Kiste, vor der ich am Boden lag.

KAPITEL VI

Eine Hoffnung

Diese gröbsten Einzelheiten teilte mir August mit, während wir vor der Kiste standen. Erst sehr viel später erfuhr ich auch die Nebenumstände. Er fürchtete jetzt zu sehr, vermißt zu werden, und ich brannte vor Ungeduld, mein widerwärtiges Gefängnis zu verlassen. Wir beschlossen also, uns sofort beide durch die Luke nach oben zu begeben: ich mußte einstweilen auf dem Mitteldeck in der Nähe des Loches, das August in die Wand gebohrt, bleiben, während er selbst auf seinem Lager Beobachtungen anstellen wollte. Den Gedanken jedoch, Tiger in der Kiste zu lassen, konnte keiner von uns ertragen, nur wußten wir nicht recht, wie wir uns seiner bemächtigen sollten. Er schien vollständig ruhig zu sein, wir konnten nicht einmal seine Atemzüge unterscheiden, als wir unser Ohr an die Kiste legten. Ich nahm mit Gewißheit an, daß er tot sei, öffnete die Tür und fand ihn betäubt, der Länge nach, doch offenbar noch lebendig, am Boden liegen. Wir hatten keine Zeit zu verlieren, doch konnte ich es nicht übers Herz bringen, das Tier, das zweimal *mein* Leben gerettet, zu verlassen, ohne etwas zu *seiner* Rettung zu unternehmen. Wir zogen ihn also mit großer Mühe hinter uns her, August war oft gezwungen, irgendwelche Hindernisse mit dem Tier im Arme zu überklettern und Kraftleistungen zu vollbringen, zu denen ich in meinem jämmerlichen Zustande vollständig unfähig war. Endlich erreichten wir das Loch, August kletterte hindurch und Tiger wurde nachgeschoben, während ich, wie abgemacht, in der Nähe des Loches blieb, durch das mir mein Freund mit Leichtigkeit einen Teil seiner Lebensmittel zukommen lassen und ich eine verhältnismäßig reine Luft einatmen konnte.

Da an Bord des ›Grampus‹ allenthalben schlecht gestaut worden war und auf dem Mitteldeck dasselbe wüste Durcheinander von Öltonnen und Schiffsgerätschaften herrschte, wie unten im Kielraum, fiel es mir nicht schwer, eine freie Stelle zu finden, auf der ich es mir leidlich bequem machen konnte.

Als mein Freund glücklich in seine Schlafstätte zurückgelangt war und sich seine Arm- und Beinfesseln wieder angelegt hatte, war es heller Tag geworden. Und kaum hatte er sich wieder ausgestreckt, da kamen auch schon der Steuermann, Dirk Peters und der Koch zu ihm herunter. Sie sprachen einige Zeitlang von dem Schiff, das sie vom Kap Verde mit Ungeduld erwarteten. Der Koch näherte sich der Schlafstätte meines Freundes und setzte sich am Kopfende derselben nieder. Ich konnte alles sehen und hören, denn August hatte das herausgeschnittene Bretterstück nicht wieder in die Wand eingefügt, und ich fürchtete mehr als einmal, daß der Neger gegen das Kamisol, das die Öffnung verdeckte, stoßen und alles entdecken werde. Aber wir hatten Glück; und da August das Kamisol an seinem unteren Ende ebenfalls gut befestigt hatte, konnte es nicht von selbst hin und her schwanken. Während der ganzen Zeit lag Tiger am Fuße der Schlafstelle und schien sich wieder zu erholen, denn ich sah, wie er von Zeit zu Zeit die Augen öffnete, und hörte ihn tief Atem schöpfen.

Nach einigen Minuten stiegen der Steuermann und der Koch wieder hinauf, nur Dirk Peters blieb unten und setzte sich, sobald sie gegangen, auf den Platz, den der Koch eben verlassen. Er begann sich sehr freundschaftlich mit August zu unterhalten, und ich bemerkte, daß die Betrunkenheit, die er in Gegenwart der beiden anderen zur Schau getragen, größtenteils erheuchelt war. Er antwortete auf alle Fragen, die ihm August stellte, schnell und deutlich und erzählte, es sei kein Zweifel, daß das Boot mit Kapitän Barnard und den anderen Unglücklichen aufgefangen worden sei, da man an dem fraglichen Tage kurz vor Sonnenuntergang nicht weniger als fünf Segel gesehen. Auch sonst begann er zu meiner großen Freude und Überraschung meinen Freund zu trösten, und plötzlich stieg mir der Gedanke auf, Peters könne uns helfen, die Brigg wieder zu gewinnen. Sobald sich Gelegenheit bot, teilte ich meinem Freunde meinen Plan mit. Auch er glaubte, es sei nicht unmöglich, der Mörderbande ihren Raub wieder abzujagen, machte mich jedoch darauf aufmerksam, wie notwendig es sei, mit der äußersten Vorsicht zu Werke zu gehen, da das liebenswürdige Benehmen des Mestizen ja bloß eine List sein konnte. Überdies mußte man zuweilen zweifeln, ob es mit seinem Verstande ganz in der Ordnung sei. Nach ungefähr einer Stunde begab sich Peters wieder auf Deck und kam erst zu Mittag mit einer tüchtigen Portion Pökelfleisch und Pudding wieder zurück. Sobald wir allein waren, nahm ich mit Freuden meinen Teil davon in Empfang. Als es Abend geworden, begab ich mich in die Schlafstätte zu August und schlief herrlich und gesund bis fast zum Tagesanbruch. Dann kroch ich in mein Loch zurück. Als es ganz hell geworden, sahen wir, daß Tiger sich vollständig erholt hatte. Er zeigte keine Spur von Wasserscheu, denn er trank das Wasser, das August ihm anbot, mit äußerster Gier. Während des Tages kehrten sein Appetit und seine Kräfte vollständig wieder zurück. Ohne Zweifel waren seine sonderbaren Wutanfälle die Folgen der giftigen Atmosphäre in dem Schiffsraume und nicht des Wassermangels und hatten keine Verwandtschaft mit der Tollwut der Hunde. Ich freute mich herzlich, ihn mit heraufgenommen zu haben. Wir schrieben den 30. Juni – es war der dreizehnte Tag, seit der ›Grampus‹ Nantucket verlassen.

Am 2. Juli kam der Steuermann nach unten. Er war betrunken, wie gewöhnlich, und in ausgezeichneter Laune. Er trat an Augusts Schlafstätte heran, gab ihm einen Puff in den Rücken, fragte, wie er sich benehmen werde, wenn man ihn jetzt freiließe, und ob er versprechen wolle, niemals mehr in die Kajüte zu gehen. Mein Freund versprach natürlich alles, worauf ihn der Steuermann von seinen Fesseln befreite und aus einer Rumflasche, die er in der Tasche bei sich führte, trinken ließ. Sie stiegen nun zusammen auf Deck hinauf, und ich sah August während der nächsten drei Stunden nicht wieder. Dann jedoch brachte er mir die frohe Botschaft, daß man ihm erlaubt habe, sich auf dem Schiffe vom Hauptmast vorwärts frei zu bewegen; schlafen müsse er nach wie vor auf dem Vorderkastell. Er brachte mir ein gutes Mittagessen und reichlich Trinkwasser. Die Brigg kreuzte noch immer umher, um das Schiff vom Kap Verde abzufangen. Da die Ereignisse der folgenden sieben Tage sehr unwichtige waren, will ich sie kurz in der Form eines Tagebuches mitteilen.

3. Juli. August brachte mir drei Decken, mit denen ich mir in meinem Versteck ein bequemes Bett herrichtete. Außer meinem Freunde kam den Tag über niemand herunter. Tiger ließ sich gerade vor dem Loch nieder und schlief schwer, als habe er sich von den Folgen seiner Krankheit doch noch nicht gänzlich erholt. Gegen Abend wurde die Brigg von einer plötzlichen Brise überrascht, ehe man die Segel einziehen konnte, und dadurch fast zum Um-

schlagen gebracht. Doch beruhigte sich das Wetter bald wieder, und wir erlitten weiter keinen Schaden, nur ein kleineres Segel riß mitten durch.

Dirk Peters behandelte August den ganzen Tag über mit großer Güte und erzählte ihm vieles über den Stillen Ozean und die Inseln in demselben, die er früher besucht. Er fragte ihn, ob er nicht Lust habe, mit der ganzen Mannschaft eine Vergnügungs- und Forschungsreise dahin zu unternehmen — leider seien die anderen doch mehr für die Absichten des Steuermanns. August hielt es für das beste, zu antworten, er würde sich glücklich schätzen, an der Expedition dahin teilnehmen zu dürfen, da man ja doch nichts Besseres tun könne und jedes andere Leben dem eines Piraten vorzuziehen sei.

4. Juli. August brachte den größten Teil der Zeit auf Deck zu, um sich über die Absichten der Aufrührer möglichst genau zu informieren. Sie hatten häufig heftigen Streit miteinander; infolge einer Zwistigkeit wurde ein Harpunierer namens Jim Bonner über Bord geworfen. Die Partei des Steuermanns gewann immer mehr Boden: Jim Bonner gehörte zu den Anhängern des Kochs, zu denen auch Peters zählte.

5. Juli. Gegen Tagesanbruch wehte eine steife Brise aus Westen, die sich gegen Mittag in einen Sturm verwandelte, so daß alle Segel bis auf das Focksegel eingezogen werden mußten. Simms, einer der Matrosen, der zur Bande des Kochs gehörte, fiel beim Einziehen des kleinen Marssegels über Bord, er war vollständig betrunken, und da niemand ihn zu retten versuchte, verschwand er bald in den Wellen. Wir waren nun im ganzen zu dreizehn an Bord, nämlich: Dirk Peters — Seymour, der schwarze Koch — Jones — Greely — Hartmann Rogers und William Allen, diese alle gehörten zur Partei des Kochs; dann der Steuermann, dessen Namen ich nicht erfahren habe — Absalon Hicks — Wilson — John Hunt und Richard Parker, die Anhänger des Steuermanns; außerdem noch August und ich.

6. Juli. Der Sturm hielt den ganzen Tag an, er brachte plötzliche, heftige Windstöße und Regen. Die Brigg schöpfte nicht wenig Wasser, die Pumpe war in beständiger Bewegung. August arbeitete wie jeder andere. In der Dämmerung kam ein großes Schiff nahe an uns vorbei; wir bemerkten es erst, als es auf Hörweite vorüber war. Man nahm an, daß es das Fahrzeug war, auf das man gelauert hatte. Der Steuermann rief es an, doch wurde die Antwort von dem Toben des Sturmes verschlungen. Gegen elf Uhr riß eine Sturzwelle einen großen Teil des Bollwerks an Backbord weg und fügte uns auch sonst Schaden zu. Gegen Morgen legte sich der Sturm, und um Sonnenaufgang wehte nur noch ein ganz leichter Wind.

7. Juli. Wir hatten während des ganzen Tages eine sehr unruhige See; die Brigg, die nur wenig geladen hatte, schwankte erschreckend stark. Im Schiffsraum fielen, wie ich von meinem Versteck aus deutlich hören konnte, mehrmals Gegenstände übereinander. Ich hatte sehr unter der Seekrankheit zu leiden. Peters unterhielt sich lange mit August und teilte ihm mit, daß zwei seiner Anhänger, Greely und Allen, zum Steuermann übergegangen seien und Piraten werden wollten. Er stellte auch mehrere sonderbare Fragen, die August jedoch nicht ganz verstand. Gegen Abend bemerkte man, daß das Schiff wieder viel Wasser geschöpft hatte, und konnte wenig tun, dem Übelstand abzuhelfen, da das Wasser durch die Zwischenräume zwischen der Schiffsverkleidung eindrang. Man umwickelte und verstopfte den Bug mit einem alten Segel, so daß wir nach und nach des Wassers Herr wurden.

8. Juli. Bei Sonnenaufgang sprang eine leichte Brise von Osten auf, der Steuermann steuerte erst nach Südwesten auf die Westindischen Inseln zu, um dort seine Absicht, zu rauben, auszuführen. Niemand — weder Dirk Peters noch der Koch — setzte ihm Widerstand entgegen. August wenigstens sah oder hörte nichts dergleichen. Von dem Vorhaben, das Schiff vom Kap Verde abzufangen, hatte man ganz abgesehen. Das Leck machte man unschädlich, indem man stündlich dreiviertel Stunden lang auspumpte. Das Segel wurde von dem Bug wieder entfernt.

9. Juli. Schönes Wetter. Alles war damit beschäftigt, das Bollwerk zu reparieren. Peters unterhielt sich wieder lange mit August und sprach unverblümter als bisher. Er sagte, nichts auf der Welt solle ihn zwingen, sich den Plänen des Steuermanns unterzuordnen, und spielte sogar auf seine Absicht an, ihm die Brigg streitig zu machen, und fragte, ob er sich in diesem Falle auf Augusts Beihilfe verlassen könne. August antwortete ohne Zögern mit einem Ja. Peters sagte, er wolle jetzt die Meinung seiner Parteigenossen über diesen Punkt zu erfahren suchen und ging weg. An diesem Tage hatte August keine Gelegenheit mehr, mit ihm allein zu reden.

KAPITEL VII

Pläne

Am zehnten Juli starb Hartmann Rogers. Am achten war er, nachdem er ein Glas Grog getrunken, in Krämpfe verfallen. Er gehörte zur Partei des Kochs, und Dirk Peters hatte ganz besonders auf ihn gerechnet. Er erzählte meinem Freunde, er glaube, der Steuermann habe ihn vergiftet, und wenn er nicht sehr auf seiner Hut sei, werde er wohl auch bald an die Reihe kommen. Zu seiner Partei gehörten nur noch er selbst, Jones und der Koch. Die Gegner waren zu sieben. Er hatte Jones von seinem Plane, dem Steuermann den Befehl über das Schiff abzunehmen, gesprochen. Da dieser jedoch seinen Vorschlag sehr kühl aufgenommen, hatte er sich gehütet, darauf zu bestehen oder dem Koch ein Wort davon zu sagen. Wie sich bald herausstellte, war es ein Glück, daß er so vorsichtig gewesen, denn nachmittags sagte der Koch, er sei mit den Plänen des Steuermanns vollständig einverstanden, und ging förmlich zu dessen Partei über. Jones nahm die erste beste Gelegenheit wahr, um mit Peters in Streit zu geraten, und drohte, seinen Plan dem Steuermanne mitzuteilen. Es war keine Zeit mehr zu verlieren: Peters beschloß, falls ihm August beistehen wolle, auf jeden Fall den Versuch zu machen, sich das Schiff anzueignen. Mein Freund versicherte ihm seine Bereitwilligkeit und machte ihm jetzt auch, da er die Gelegenheit für günstig hielt, die Mitteilung von meiner Anwesenheit an Bord. Der Mestize geriet in ein Erstaunen, das ebenso groß war wie seine Freude, denn auf Jones, der zur Partei des Steuermanns übergegangen war, konnte er sich nicht im geringsten verlassen. Sie kamen sofort herunter, August rief mich beim Namen und machte mich mit Dirk Peters bekannt. Wir kamen überein, die erste Gelegenheit zu ergreifen, uns des Schiffes zu bemächtigen und Jones nicht in unsere Pläne einzuweihen. Sollten wir Erfolg haben, so wollten wir in den ersten Hafen einlaufen und das Schiff der Obrigkeit übergeben. Peters mußte auf seinen Vorsatz, die Inseln im Stillen Ozean aufzusuchen, verzichten, denn dieser Plan ließ sich nur mit einer größeren Mannschaft verwirklichen. Er rechnete darauf, bei einer eventuellen Verhandlung freigesprochen zu werden, denn er schwur uns feierlich, nur seinem zeitweiligen Irrsinn könne man es zuschreiben, daß er überhaupt an der Meuterei teilgenommen, und hoffte, daß Augusts und mein Zeugnis ihn vor jeder Strafe sicherten. Unsere Unterredung wurde durch den Ruf unterbrochen: »Alle Mann auf Deck!« — und Peters und August stürzten hinauf.

Wie gewöhnlich war die Mannschaft vollständig betrunken, und ehe noch die Segel ordentlich eingezogen waren, warf ein heftiger Windstoß die Brigg auf die Seite. Sie erhob sich wieder, hatte jedoch sehr viel Wasser geschöpft. Kaum war der Schaden wieder gut gemacht worden, so erlitt die Brigg wieder einen Stoß und gleich darauf einen zweiten, jedoch ohne daß ein größerer Schaden entstand. Allem Anschein nach war ein Sturm im Anzug, und er brach auch wirklich bald von Norden und Westen mit großer Gewalt los. Man befestigte alles so gut wie möglich, und wir legten wie gewöhnlich unter eingerefftem Focksegel bei. Als der Abend kam, nahm der Sturm zu, und die See wurde außergewöhnlich unruhig. Peters stieg mit August wieder zum Vorderkastell hinab, und wir nahmen unsere Beratungen von neuem auf.

Wir kamen überein, daß keine Gelegenheit der Ausführung unseres Planes günstiger sein könne, als die augenblickliche, und daß man in diesem Momente am allerwenigsten auf einen Handstreich gefaßt sei. Da die Brigg vollständig beigelegt hatte, brauchte man ihr nicht eher Aufmerksamkeit zu schenken, als bis es wieder gutes Wetter wurde, und dann konnten wir — vorausgesetzt, daß wir Erfolg gehabt hatten — einen oder zwei der Gefangenen befreien und zwingen, uns zu helfen in einen Hafen einzulaufen. Die Hauptschwierigkeit lag in der Ungleichheit der Kräfte. Wir waren zu dreien und in der Kajüte waren sie zu neun. Außerdem hatten sie alle Waffen, die an Bord gewesen, in ihrem Besitz. Peters hatte nur zwei kleine Pistolen in seiner Kleidung verborgen und besaß außerdem noch ein großes Seemannsmesser, das er immer im Gürtel trug. Überdies wiesen einige Anzeichen darauf hin, daß der Steuermann schon Verdacht geschöpft, und nur auf eine Gelegenheit wartete, um sich Peters' zu entledigen. So lag zum Beispiel keine Axt, keine Hacke an ihrem gewöhnlichen Platz. Es war klar, daß wir unser Vorhaben nicht bald genug ausführen konnten. Doch waren unsere Kräfte, wie gesagt, zu ungleich, als daß nicht äußerste Vorsicht geboten gewesen wäre.

Peters wollte auf Deck steigen, dort mit der Wache — es war Allen — ein Gespräch anknüpfen und auf eine Gelegenheit warten, ihn ohne viel Geräusch über Bord zu werfen. Er glaubte, es werde ihm nicht schwerfallen. August und ich sollten dann hinaufstürzen, uns mit irgendwelchen Waffen, die wir an Deck fänden, versehen, dann wollten wir zusammen vorwärtsstürmen und uns die Kajütentreppe sichern, ehe die so Eingeschlossenen Widerstand versuchen konnten. Ich riet jedoch davon ab, weil ich nicht glauben konnte, daß der Steuermann, der ja ein sehr listiger Bursche war, sich so leicht fangen lassen würde. Die Tatsache, daß er überhaupt eine Wache auf Deck aufgestellt hatte, bewies zur Genüge, daß er nicht arglos war, denn es ist, außer vielleicht auf Schiffen, auf denen die Disziplin eine ganz strenge ist, nicht üblich, während eines Sturmes, wenn das Schiff vollständig beigelegt hat, eine Wache auf Deck aufzustellen. Doch mußte irgend etwas geschehen, und zwar so bald wie möglich, denn nachdem Peters einmal Verdacht erregt hatte, war zu befürchten, daß man ihn bei der ersten besten Gelegenheit umbringen werde.

Glücklicherweise kam mir plötzlich der Gedanke, uns den Aberglauben und das schlechte Gewissen des Steuermanns zunutze zu machen. Man wird sich erinnern, daß am Morgen des Tages einer von der Mannschaft, Hartmann Rogers, gestorben war, nachdem er vor zwei Tagen, nach dem Genuß eines Glases Grog, plötzlich von Krämpfen befallen worden. Peters hatte uns mitgeteilt, daß er glaube, der Steuermann habe den Mann vergiftet, und daß er Gründe für diesen Glauben habe. Rogers war ungefähr gegen elf Uhr vormittags gestorben; der Körper bot schon ein paar Minuten nach dem Tode den schaudervollsten Anblick dar, den man sich denken kann. Der Leib war fürchterlich aufgeschwollen, wie der eines Ertrunkenen, der mehrere Wochen im Wasser gelegen hat. Die Hände waren in gleichem Zustande, während das Gesicht zusammengeschrumpft, verrunzelt und kalkig-weiß aussah, zwei oder drei glühend rote Flecken, wie sie der Rotlauf zurückläßt, ausgenommen. Einer dieser Flecken zog sich schräg über das ganze Gesicht und bedeckte ein Auge des Toten wie ein rotes Sammetband. In diesem gräßlichen Zustande wurde der Leichnam gegen Mittag aus der Kajüte nach oben gebracht, um über Bord geworfen zu werden. Als der Steuermann ihn erblickte – er sah ihn zum erstenmal –, wurde er von Gewissensbissen oder vielleicht auch von einem bloßen Schauder über den fürchterlichen Anblick ergriffen, denn er befahl den Leuten, den Leichnam in eine Hängematte zu nähen und ihm das gewöhnliche Begräbnis der Seeleute zu geben. Darauf begab er sich sofort wieder hinunter, als fliehe er den Anblick seines Opfers. Während man mit der Ausführung seines Befehls beschäftigt war, erhob sich der Sturm, und man mußte einstweilen davon abstehen. Der Leichnam blieb sich selbst überlassen und schwamm in einer Ablaufrinne an Backbord.

Peters begab sich auf Deck und wurde, wie erwartet, gleich von Allen, der dort Wache stand, angeredet. Das Schicksal des Schurken war bald entschieden. Peters näherte sich ihm harmlos, faßte ihn dann schnell, ehe er einen Laut ausstoßen konnte, an der Kehle und warf ihn über Bord. Dann rief er uns, und wir gingen nach oben. Zuerst suchten wir nach irgendwelchen Waffen, mußten aber dabei sehr vorsichtig zu Werke gehen, da fortwährend Sturzwellen das Schiff überschwemmten. Außerdem mußten wir uns eilen, denn der Steuermann konnte jeden Augenblick erscheinen, um pumpen zu lassen, da die Brigg ziemlich viel Wasser

schöpfte. Trotzdem wir eine ganze Zeitlang gesucht hatten, fanden wir weiter nichts als zwei Pumpenschwengel, von denen August und ich Gebrauch machen sollten. Dann zogen wir dem Leichnam Rogers die Kleider ab und warfen ihn selbst über Bord. Peters und ich gingen hinunter, während August Allens Platz einnahm. Er stellte sich mit dem Rücken gegen die Kajütentreppe, so daß er, falls jemand von der Mannschaft nach oben kam, für den eben über Bord Geworfenen gelten konnte.

Sobald ich unten angekommen, begann ich mich, so gut es ging, in den Leichnam Rogers zu verkleiden. Das Hemd, welches wir dem Körper abgezogen hatten, kam mir dabei sehr zustatten, denn es war von besonderer Form und Machart und leicht wiederzuerkennen; mehr eine Art Bluse, die der Tote über seinen anderen Kleidungsstücken getragen. Sie war aus blauem, weißgestreiftem Trikot hergestellt. Als ich sie übergezogen, stopfte ich meinen Leib aus, um die fürchterliche Geschwulst zu imitieren. Mittels einiger Bettdecken gelang mir dies sehr leicht. Über meine Hände zog ich ein paar weißwollene Handschuhe, die ich mit allerlei Lumpen ausfüllte. Peters rieb dann mein Gesicht erst gut mit Kreide ein, schnitt sich in den Finger und bespritzte mich mit Blut. Der breite Streifen über dem Auge wurde nicht vergessen, und ich sah abscheuerregend genug aus.

KAPITEL VIII

Das Gespenst

Als ich in einem Stückchen Spiegelglas, bei dem trüben Schein einer Blendlaterne, mein Abbild erblickte, faßte mich ein unbestimmter Schreck; mein Äußeres, mehr noch die Erinnerung an den so entsetzlich entstellten Toten, den ich vorstellen sollte, mochte ihn mir einflößen. Ich zitterte heftig und konnte mich kaum mehr entschließen, meine Rolle durchzuführen. Es blieb jedoch keine Zeit zum Zögern, und so begab ich mich denn mit Peters auf Deck.

Wir hielten uns alle drei nahe an das Bollwerk und krochen lautlos bis zur Kajütentreppentür. Sie war nur halb geschlossen, und man konnte durch den Zwischenraum an den Angeln das ganze Innere der Kajüte übersehen. Wir erkannten sofort, welches Glück es gewesen, daß wir bei dem Plane, die Mannschaft zu überraschen, nicht geblieben waren: ganz offenbar war man da unten auf seiner Hut. Nur einer schlief — er lag mit einer Flinte im Arm am Fuße der Treppe. Die übrigen saßen auf den Matratzen, die sie aus ihren Schlafstätten geholt und auf den Boden geworfen hatten. Sie waren im ernsten Gespräch begriffen, und obgleich gezecht worden war, wie zwei leere Krüge und etliche herumstehende Becher bewiesen, doch nicht so betrunken wie gewöhnlich. Alle trugen ihre Messer, einige waren mit Pistolen bewaffnet, eine Menge Flinten lag zur Seite.

Wir hörten ihrem Gespräch eine Zeitlang zu, ehe wir uns irgendwie entschlossen. Sie redeten über ihre geplanten Raubzüge — sie wollten sich, wenn möglich, eines Schoners bemächtigen, und das sollte dann die Vorbereitung zu größeren Unternehmungen sein, von deren Einzelheiten wir jedoch nichts verstanden.

Einer der Männer sprach von Peters, der Steuermann antwortete mit so leiser Stimme, daß wir nicht hören konnten, was. Dann fügte er langsam hinzu: Er verstehe nicht, was Peters in einem fort mit dem Balg des Kapitäns im Vorderkastell zu besprechen habe; je eher die beiden über Bord wären, desto besser für sie alle. Niemand antwortete — doch schienen alle den versteckten Vorschlag des Steuermanns zu billigen. Ich wurde jeden Augenblick aufgeregter, besonders da ich sah, daß Peters und August sich noch zu keinem entscheidenden Schritt entschließen konnten. Auf jeden Fall, so beschloß ich bei mir, wollte ich mein Leben so teuer wie möglich verkaufen und mich von meinem Schrecken nicht beeinflussen lassen.

Das furchtbare Getöse, das der Sturm im Takelwerk und die Sturzwellen auf Deck vollführten, ließ uns nur hin und wieder in ruhigen Augenblicken ein paar Worte verstehen. In einer solchen Pause hörten wir deutlich, wie der Steuermann einem von seinen Leuten befahl, nach oben zu gehen und die verdammten Hunde herunter in die Kajüte zu holen, wo er ein Auge auf sie haben könne; er wolle an Bord der Brigg keine Geheimnistuerei. Glücklicherweise schwankte das Schiff in diesem Augenblicke wieder zu stark, als daß man seinen Befehl gleich hätte ausführen können. Dann erhob sich jedoch der Koch von seiner Matratze, um uns zu holen. In demselben Augenblick aber schleuderte ihn auch schon ein neuer, furchtbarer Stoß, der alle Masten abzureißen schien, der Länge nach gegen eine der Backbordkajütentüren, und zwar so stark, daß sie aufsprang. Von uns war niemand gestolpert, und wir hatten Zeit genug, uns auf das Vorderkastell zurückzuziehen und dort das weitere zu überlegen, ehe der Bote des Steuermanns endlich doch in der Kajütentür erschien. Alsbald steckte denn auch einer seinen Kopf heraus und rief Allen, den er nicht sehen konnte, aber natürlich noch auf der Wache stehen glaubte, laut den Befehl des Steuermanns zu. Peters verstellte seine Stimme und antwortete schnell und kurz mit: »Ja! ja!«, worauf der Betreffende gleich wieder verschwand, ohne den geringsten Argwohn geschöpft zu haben.

Nun begaben sich meine beiden Gefährten sofort wieder nach hinten und stiegen in die Kajüte hinab. Peters schloß die Tür wieder nur halb. Der Steuermann empfing sie mit gemachter Liebenswürdigkeit und sagte zu August, er dürfe sich jetzt, weil er sich in den letzten Tagen so wohl betragen, in der Kajüte einrichten und ganz als einen der ihren betrachten. Dann füllte er ein großes Glas halb mit Rum und bot es ihm dar. Ich sah und hörte dies alles, denn ich war meinen Freunden gefolgt und hatte, sobald sich die Kajütentür halb hinter ihnen geschlossen, unseren alten Posten, von dem aus ich alles beobachten konnte, wieder eingenommen. Die beiden Pumpenschwengel brachte ich mit und versteckte einen ganz in der Nähe der Treppe, um ihn im Notfall bei der Hand zu haben.

Ich stellte mich nun so, daß mir nichts von dem, was unten vorging, verloren gehen konnte, und raffte all meinen Mut zusammen, um bei dem Zeichen, das Peters mir verabredetermaßen machen wollte, hinabzusteigen. Er begann die Unterhaltung auf die verschiedenen blutigen Zwischenfälle der ganzen Meuterei zu bringen und brachte die Männer nach und nach dazu, verschiedene Gespenstergeschichten, die bei allen Seeleuten stark im Umlauf sind, anzuhören. Ich verstand nicht alles, was er sagte, doch erriet ich die Wirkung, die sie ausübten, aus den Gesichtern der Zuhörer. Der Steuermann wurde offenbar immer aufgeregter, und als gleich darauf einer von dem schauderhaften Anblick des toten Rogers sprach, glaubte ich, er werde vor Entsetzen in Ohnmacht fallen. Peters fragte ihn, ob er es nicht für besser hielte, den Leichnam über Bord zu werfen, denn es sei geradezu grausig, ihn in der Rinne am Backbord herumschwimmen zu sehen. Nun begann der Elende krampfhaft und hastig zu atmen, fragte stotternd, ob nicht einer dieses Geschäft übernehmen wolle. Doch rührte sich niemand, da alle durch Peters' Erzählungen im höchsten Grad aufgeregt und ängstlich geworden waren. In diesem Augenblick machte mir Peters ein Zeichen. Ich stieß sofort die Tür auf, stieg, ohne eine Silbe zu reden, hinunter und stand steif aufrecht mitten unter der Gesellschaft.

Über die entsetzliche Wirkung, welche die Erscheinung ausübte, wird sich niemand wundern, wenn er sich die begleitenden Umstände näher vorstellt. In ähnlichen Fällen kann sonst dem Zuschauer noch immer ein Zweifel an der Wirklichkeit der Erscheinung aufglimmen – eine schwache Hoffnung, daß er das Opfer irgendeines schlechten Streiches geworden –, daß das Gespenst kein wirkliches sei. Diese Meuterer konnten jedoch gar nicht anders als glauben, daß das, was sie sahen, wirklich der wiederauferstandene Rogers sei. Denn die Brigg schwamm einsam auf dem Meer und war während des Sturms von außen unerreichbar. Die ganze Mannschaft des Schiffes war in der Kajüte versammelt, das wußten sie alle, und niemand hätte die Anwesenheit einer anderen Person für möglich gehalten; nur Allen, der Wache gestanden, fehlte, doch ließ seine wohlbekannte Riesengestalt — er war sechs Fuß sechs Zoll hoch — auch den flüchtigsten Verdacht, er stecke hinter der Erscheinung, gar nicht aufkommen. Erinnere man sich nun noch an den fürchterlichen Sturm und die aufregenden Geschichten, die Peters erzählt, an den Schreck, welchen der grausige Anblick des Leichnams morgens in den Gemütern der Männer erregt, an meine wohlgelungene Nachahmung und das trübe, flackernde Licht, in dem sie mich erblickten — die Kajütenlaterne schwankte heftig hin und her und warf nur schattenhafte Lichter auf meine Gestalt —, und man wird sich nicht wundern, daß unsere List eine noch viel stärkere Wirkung hatte, als wir zu hoffen gewagt: Der Steuermann schnellte von seiner Matratze auf und fiel der Länge nach gleich tot auf den Boden; von einem heftigen Stoß, den das Schiff gerade bekam, wurde er wie ein Scheit Holz in eine Ecke geschleudert. Und als wir die übrigen sieben nun anfielen, da steckte ihnen der Schreck und das Entsetzen so in den Gliedern, daß nur drei von ihnen, der Koch, John Hunt und Richard Parker sich zur Wehr setzten, jedoch auch bloß schwachen, unentschlossenen Widerstand leisteten. Peters schoß die beiden ersten einfach nieder, ich schlug Richard Parker mit meinem Pumpenschwengel zu Boden, August hatte inzwischen eine Flinte ergriffen und beförderte einen anderen — Wilson — hinüber. Nun blieben nur noch drei — doch hatten sie mittlerweile ihre lähmende Angst wenigstens etwas abgeschüttelt und ahnten vielleicht schon, daß sie einer Täuschung anheimgefallen waren; sie kämpften wenigstens mit wilder Entschlossenheit und wären unser wohl bald Herr geworden, wenn nicht Dirk Peters mit seinen erstaunlichen Körperkräften gewesen wäre. Diese drei waren Jones, Greely und Absalon Hicks. Jones hatte August auf den Fußboden geworfen, stach ihn mehrere Male durch den rechten Arm und hätte ihm wohl bald den Garaus gemacht — denn weder Peters noch ich konnten uns in dem Augenblick unserer Gegner entledigen —, wenn ihm nicht der Freund zu Hilfe gekommen wäre, auf dessen Beistand wir gar nicht gezählt hatten: Es war Tiger. Mit grimmigem Knurren sprang er in dem kritischen Moment in die Kajüte, stürzte sich auf Jones, zerrte ihn im Augenblick auf den Boden nieder und ließ seine Kehle nicht eher wieder los, bis er sie durchbissen hatte. Peters allein — August war zu verletzt, um helfen zu können, und mich hinderte meine Polsterkleidung – hätte die beiden Übrigbleibenden wohl viel eher beseitigt, wäre der Raum nicht so eng und das Schwanken des Schiffes nicht so überstark gewesen. Jetzt ergriff er, gerade in dem Augenblick, da Greely eine Flinte auf mich abfeuern wollte, einen schweren Stuhl und schlug ihm damit den Schädel ein. Dann packte er Hicks und erdrosselte ihn durch die bloße Kraft seiner Hände augenblicklich, so daß wir mit einem Male Herren der Brigg waren. Der einzige Gegner, der noch lebte, war Richard Parker. Ich hatte ihn, wie man sich erinnern wird, am Anfang des Kampfes mit meinem Pumpenschwengel zu Boden geschlagen. Er lag bewegungslos an der Kajütentür; als Peters ihn mit dem Fuße anstieß, redete er und bat um Gnade. Sein Kopf war verletzt, sonst hatte er keine Verwundung davongetragen, und der Schlag hatte ihn nur betäubt. Er erhob sich, und wir banden ihm die Hände auf den Rücken. Der Hund hielt Jones noch immer fest und knurrte dazu, wir untersuchten sein Opfer und fanden es vollständig tot; aus einer großen Wunde an der Kehle, die ihm die scharfen Zähne des Tieres zugefügt, rann ein Blutstrom.

Es war jetzt ungefähr ein Uhr morgens, der Sturm toste noch fürchterlich. Die Brigg ging offenbar sehr tief, und es mußte etwas geschehen, um sie zu erleichtern. Fast nach jedem Schuß vorwärts fing sie eine Sturzsee, die Wellen drangen oft bis in die Kajüte zu uns herab, da ich die Kajütentreppentür offengelassen hatte. Die ganze Schiffswand am Backbord war weggeschwemmt worden, ebenso die Schiffsküche und die Jolle. Das fortwährende Krachen und Schwanken des Hauptmastes ließ auch darauf schließen, daß er gesprungen sei. Um im unteren Schiffsraum mehr Platz für Waren zu schaffen, hatte man den Mast im Zwischendeck befestigt, wie es leider zuweilen von unfähigen Schiffsbauern geschieht, so daß große Gefahr vorhanden war, er werde sich entwurzeln. Und beim Einstellen der Pumpen fanden wir nicht weniger als sieben Fuß Wasser.

Wir ließen die Leichname zunächst in der Kajüte liegen und begannen zu pumpen. Parker wurde befreit und mußte helfen. Augusts Arm wurde verbunden; er selbst half, so gut er konnte, doch war es nicht viel. Immerhin glaubten wir, daß wir des Lecks Herr werden könnten, wenn eine Pumpe beständig in Betrieb blieb. Da wir nur zu vieren waren, hatten wir hart zu arbeiten. Doch hielten wir unsern Mut entschlossen aufrecht und erwarteten sehnsüchtig den Morgen, wo wir die Brigg durch Abschlagen des Hauptmastes zu erleichtern hofften.

Wir brachten die Nacht in schrecklicher Angst und von Müdigkeit gequält zu; als der Tag anbrach, hatte der Sturm noch nicht nachgelassen, und keinerlei Anzeichen ließen darauf schließen, daß dies bald geschehen werde. Wir schleppten die Toten herauf und warfen sie über Bord. Dann bemühten wir uns, den Hauptmast zu entfernen. Als wir die nötigen Vorbereitungen vollendet hatten, schlug Peters den Mast mit einer Axt ab, während wir an den Stags und Taljereepen standen. Als die Brigg eine furchtbare Sturzwelle schöpfte, wurde der Befehl gegeben, die Taljereepen abzuhauen. Es geschah. Die ganze Masse Holz und Takelwerk fiel ins Meer und erleichterte die Brigg sehr, ohne uns einen beachtenswerten Schaden zuzufügen. Wir fanden jetzt, daß das Schiff lange nicht mehr so tief ging wie vorher, doch war unsere Lage noch immer gefährlich genug. Augusts Hilfe war kaum in Anschlag zu bringen. Dazu warf eine heftige Welle die Brigg plötzlich zur Seite, der Ballast sank in Massen leewärts – die gestauten Waren flogen schon seit einiger Zeit nach Belieben umher –, und einige Minuten lang schien uns nichts vor dem Untergang retten zu können. Teilweise erhob sich das Fahrzeug jedoch wieder, aber wir lagen so stark auf der Seite, daß es nutzlos gewesen wäre, an den Pumpen zu arbeiten.

Gegen Parkers Rat begannen wir nun auch, den Fockmast abzuhauen, was uns nach vielen Schwierigkeiten gelang. Als er über Bord ging, riß er das Bugsprit mit, so daß uns nur noch der Rumpf des Schiffes blieb.

Aber als nun der Fockmast über Bord war, und damit selbstverständlich auch das Focksegel, das die Brigg hoch hielt, da schöpften wir jede Welle und in fünf Minuten war das Deck wie reingekehrt, das große Boot und die Schiffswand am Steuerbord weggeschwemmt und sogar das Ankerspill zerschlagen. Eine gefährlichere, elendere Lage als die unsrige war kaum noch denkbar.

Gegen Mittag schien der Sturm ein wenig nachzulassen, doch wurden wir bitter enttäuscht, denn er hatte bloß einige Minuten geruht, um mit verdoppelter Wut loszublasen. Gegen vier Uhr nachmittags war es vollständig unmöglich, irgend etwas gegen die Gewalt des Sturmes zu unternehmen. Und als die Nacht kam, blieb uns auch kein Hoffnungsschimmer, daß das Schiff den Morgen noch sehen werde.

Gegen Mitternacht hatten wir so viel Wasser geschöpft, daß es bis zum Mitteldeck stand. Kurze Zeit darauf wurde das Steuerruder weggeschwemmt; die Woge, die es verschuldete, hob den ganzen hinteren Teil des Schiffes über Wasser, und es fiel mit einem so ungeheuren Krach zurück, als sollte es auf der Stelle scheitern. Kaum hatten wir nach diesem fürchterlichen Stoß Atem geschöpft, so schoß eine der wütendsten Wellen, die ich je gesehen, gerade über uns her, riß die Kajütentreppentür weg, stieß die Luken ein und füllte das Schiff bis in die entferntesten Ecken und Winkel mit Wasser.

KAPITEL IX

Der Kampf um die Lebensmittel

Glücklicherweise hatten wir uns alle vier, ehe die Nacht gekommen, so fest wie möglich an die Trümmer des Ankerspills angebunden und lagen so flach, wie es gehen wollte, auf dem Deck. Diese Vorsichtsmaßregel rettete uns zweifellos. Sobald ich wieder Atem schöpfen konnte, nachdem die Wasserflut über uns hergerollt war, rief ich meine Gefährten laut mit Namen. Nur August antwortete und sagte leise: »Es ist vorbei mit uns.« Dann aber konnten auch die beiden anderen wieder reden, und sie ermahnten uns, Mut zu fassen, noch sei nicht alle Hoffnung verloren, die Brigg könne wegen ihrer Ladung unmöglich ganz untergehen, und verschiedene Anzeichen deuteten außerdem darauf hin, daß der Sturm am Morgen vorübergehen werde. Diese Worte gaben mir neue Lebenskraft, denn ich hatte noch gar nicht daran gedacht, daß ein mit leeren Tonnen geladenes Schiff ja unmöglich untergehen könne. Die Nacht war undurchdringlich finster und das wüste Getöse, das uns umgab, einfach nicht mit Worten zu beschreiben. Das Deck unseres Schiffes befand sich auf dem Niveau des Meeres und war von einem Schaumrande umgeben, von dem sich in kurzen Zwischenräumen Spritzwellen über uns ergossen. Unsere Köpfe waren von drei Sekunden nur eine über Wasser. Obgleich wir dicht einer neben dem andern lagen, konnten wir uns nicht sehen. Von Zeit zu Zeit riefen wir uns beim Namen, um unsere Hoffnung zu beleben und den, der es gerade am meisten nötig zu haben schien, zu trösten und zu ermutigen. Die große Schwäche Augusts beunruhigte uns sehr, und da sein verwundeter Arm es ihm unmöglich machte, sich so fest wie wir anderen anzubinden, fürchteten wir, ihn jeden Augenblick davongeschwemmt zu sehen – ihm Hilfe zu leisten, wäre ein Ding der Unmöglichkeit gewesen. Glücklicherweise war seine Lage eine sicherere als die der anderen, denn die obere Partie seines Körpers wurde durch ein überhängendes Stück des Ankerspills geschützt, so daß der Anprall der über ihn herstürzenden Wellen sehr gemildert wurde. Da die Brigg stark auf der Seite lag, waren wir überhaupt weniger in Gefahr, fortgeschwemmt zu werden, als wenn sie eine andere Lage gehabt hätte. Das Backbord hatte sich, wie ich schon bemerkte, sehr geneigt, so daß ein Teil des Decks vollständig unter Wasser war. Die Wellen, die also vom Steuerbord über uns herüberfielen, brachen sich zum großen Teil am Schiffsrand und erreichten uns nur teilweise, da wir flach hingestreckt auf dem Gesicht lagen, während die, die vom Backbord hinterrücks über uns fielen, uns nicht aus unserer Lage zu reißen vermochten.

Wir blieben in dieser qualvollen Situation bis zum Tagesanbruch, der uns die Schrecken, die uns umgaben, erst deutlich erkennen ließ. Die Brigg schien nur noch ein Holzgetrümmer, das jeder Welle preisgegeben war; und der Sturm nahm noch stetig zu. Während einiger Stunden schwiegen wir, schaudernd vor Angst, daß sich die Stricke, die uns auf dem Wrack hielten, lösen möchten, daß die Überbleibsel des Ankerspills über Bord gehen könnten oder daß eine der ungeheuren Wellen, die sich vor uns, neben uns und über uns hochtürmten, das Schiff einmal so lange unter Wasser begraben würde, daß wir ertrinken mußten, ehe wir den Kopf wieder außer Wasser bekamen. Plötzlich, gegen Mittag, blitzte ein Sonnenstrahl auf, und kurze Zeit darauf spürte ich, daß der Sturm merklich abnahm, aber erst gegen Abend beruhigte sich das Meer einigermaßen. Höchstens alle fünf Minuten schlug dann mit dem Wind eine Welle über den Schiffsrumpf. Seit mehreren Stunden hatte ich keinen von meinen Gefährten mehr sprechen gehört. Ich rief Augusts Namen. Er antwortete mir, doch so schwach, daß ich nicht verstand, was er sagte. Dann sprach ich zu Peters und Parker, doch keiner von ihnen schien mich zu hören.

Kurze Zeit darauf verfiel ich in eine Art von Bewußtlosigkeit, in der meine Sinne meiner Phantasie die lockendsten Bilder vorgaukelten. Ich sah Bäume in schwellendem Grün, prächtige Fluren, in denen reife Getreidefelder wogten, lange Züge junger Tänzerinnen, glänzende Reiterkavalkaden und andere Phantasmagorien. Wenn ich jetzt zurückdenke, erinnere ich mich, daß in allem, was meine Träume mir damals vorspiegelten, die *Bewegung* der herrschende Gedanke war. Ich träumte von keinem einzigen unbewegten Gegenstande, von einem Hause etwa oder einem Berge, aber in schier endloser Folge zogen Windmühlen, Schiffe, riesige Vögel, Reiter, rasend dahinjagende Wagen an mir vorüber. Als ich aus diesem sonderbaren Zustande erwachte, war, soweit ich schätzen konnte, die Sonne schon seit ungefähr einer Stunde aufgegangen. Nur mit Mühe erinnerte ich mich der Umstände, die mit meiner Lage zusammenhingen; eine Zeitlang glaubte ich, noch im Schiffsraum eingesperrt zu sein, und hielt den Körper Parkers für meinen Hund Tiger.

Als ich endlich wieder vollständig zu mir gekommen war, bemerkte ich, daß nur noch eine mäßige Brise wehte und das Meer verhältnismäßig ruhig war, so daß die Brigg nur noch seitlich Wellen schöpfte. Mein linker Arm hatte seine Fesseln zerrissen und war am Ellbogen ziemlich stark verletzt. Der rechte war vollständig taub geworden, die Hand und das Handgelenk durch den Druck der Fesseln, der von der Schulter bis ganz nach unten gewirkt hatte, furchtbar aufgeschwollen. Ein anderes, um den Leib gewundenes Tau hatte sich unerträglich eng zusammengezogen und peinigte mich fürchterlich. Ich blickte nach meinen Gefährten umher und fand, daß Peters noch lebte, obgleich sich ein Strick so fest um seine Lenden gepreßt hatte, daß es aussah, als wäre er wirklich entzweigeschnitten. Als ich mich bewegte, machte auch er eine schwache Bewegung und deutete auf den Strick. August gab kein Lebenszeichen von sich. Parker war dagegen bei vollem Bewußtsein und fragte, ob ich wohl die Kraft habe, ihn aus seiner Lage zu befreien. Er bat mich, all meine Energie zusammenzuraffen und ihn loszubinden — in diesem Falle könnten wir vielleicht gerettet werden, während uns so der Untergang gewiß sei.

Ich sprach ihm Mut zu und ging daran, ihn zu befreien. Ich suchte in meiner Tasche nach meinem Messer und öffnete es, dann durchschnitt ich mit der linken Hand die Fesseln der rechten und die anderen Taue, die mich festhielten. Aber als ich mich erheben wollte, fand ich, daß meine Beine mir den Dienst versagten und mein rechter Arm vollständig bewegungslos war. Parker riet mir, ein paar Minuten still zu liegen und mich mit der linken Hand am Ankerspill festzuhalten, damit das Blut im rechten Arm wieder zirkulieren könne. Ich tat es, und die Taubheit begann zu schwinden, so daß ich den rechten Arm in etwa wieder gebrauchen konnte. Ich schob mich vorsichtig auf Parker zu und schnitt die Stricke, die ihn banden, entzwei. Nachdem auch er den Gebrauch seiner Glieder wiedererlangt, beeilten wir beide uns, zunächst Peters zu befreien. Der Strick war durch ein wollenes Beinkleid und zwei wollene Hemden hindurchgedrungen und hatte einen tiefen Einschnitt in das Fleisch gemacht, so daß reichlich Blut floß, als wir ihn entfernten. Kaum war dies geschehen, so sprach er wieder und schien augenblicklich Erleichterung zu empfinden. Auch erlangte er schneller als Parker und ich den Gebrauch seiner Glieder wieder und verdankte dies wohl der durch die fließende Wunde hervorgerufenen schnelleren Bewegung seines Blutes.

August lag vollständig regungslos, und wir hatten wenig Hoffnung, ihn wieder zu sich zu bringen. Als wir uns ihm näherten, sahen wir jedoch, daß er nur infolge von Blutverlust ohnmächtig geworden, da die Wellen den Verband, den wir seinem verwundeten Arm angelegt, abgerissen hatten. Keins der Taue, die ihn an das Ankerspill banden, hatte sich so fest angezogen, daß es seinen Tod verursacht haben könnte. Als wir ihn losgebunden hatten, brachten wir ihn an einen trockenen Platz, legten ihn mit dem Kopf ein wenig nach unten und begannen alle drei, seine Glieder zu reiben. Nach ungefähr einer halben Stunde kam er zu sich, doch erst am folgenden Morgen schien er uns zu erkennen und fand die Kraft, ein paar Worte zu sprechen.

Als wir alle mit dem Losbinden fertig geworden, war die Nacht gekommen. Der Himmel bedeckte sich wieder, und wir fühlten uns von der folternden Angst gepeinigt, der Sturm möge wieder zunehmen. Erschöpft, wie wir waren, hätte niemand von uns eine zweite Schreckensnacht überleben können. Zum Glück hielt sich das Wetter, und das Meer beruhigte sich nach und nach ganz. Aus Nordwest blies eine leichte Brise, doch war es durchaus nicht kalt. August, der natürlich zu schwach war, um sich festzuhalten, wurde sorgfältig an das Ankerspill festgebunden, damit ihn die Schwankungen des Wracks nicht über Bord würfen. Wir anderen hatten eine solche Vorsichtsmaßregel nicht nötig. Wir setzten uns nahe zusammen, stützten uns einer gegen den anderen und begannen zu überlegen, wie wir uns aus dieser fürchterlichen Lage befreien könnten. Auch entledigten wir uns unserer Kleider und wanden sie kräftig aus. Als wir sie wieder anzogen, schienen sie uns eigentümlich warm zu sein und dienten nicht wenig dazu, unsere Kräfte neu zu beleben. Wir zogen nun auch August aus und erwiesen ihm denselben Dienst, und auch er fühlte sich bald ein wenig wohler.

Hunger und Durst quälten uns jetzt am heftigsten, und als wir vergeblich auf Mittel sannen, diesen Leiden abzuhelfen, sank uns wieder aller Mut. Doch versuchten wir uns mit der Hoffnung zu trösten, daß uns bald ein Schiff aufnehmen werde, und ermutigten uns, alles, was auch kommen möge, mit Festigkeit zu ertragen.

Als der nächste Morgen dämmerte, war das Wetter noch klar und schön, eine beständige, doch leichte Brise wehte nach wie vor aus Nordwest. Die See war glatt, und aus irgendeinem Grunde lag die Brigg nicht mehr auf der Seite. Das Deck war verhältnismäßig trocken, und wir konnten auf demselben hin und her gehen. Seit drei Tagen hatten wir nun nichts mehr genossen, und es wurde dringend notwendig, wenigstens den Versuch zu machen, uns irgend etwas von unten zu verschaffen. Da die Brigg jedoch voll Wasser stand, gingen wir ziemlich mutlos und ohne Hoffnung, etwas aufzufischen, ans Werk. Wir stellten eine Art Angel her, indem wir einige Nägel, die wir aus den Überbleibseln der Kajütentreppentür zogen, in zwei Stücke Holz trieben. Diese befestigten wir nun kreuzweise übereinander, banden sie an ein Stück Tau, ließen es in die Kajüte hinab und zogen es hin und her, in der schwachen Hoffnung, irgend etwas Eßbares oder wenigstens etwas, das uns zur besseren Herbeischaffung von Nahrung dienen könne, heraufzubefördern. Wir brachten den größten Teil des Morgens mit dieser Beschäftigung zu, ohne etwas anderes zu fischen als ein paar Bettdecken, in die sich die Nägel leicht eingehakt hatten. Unser Werkzeug war so plump und unpraktisch, daß wir kaum auf besseren Erfolg hoffen durften.

Wir setzten unsere Versuche im Vorderkastell fort, ohne andere Resultate zu erzielen. Da kam Peters auf den Gedanken, sich ein Tau um den Leib legen zu lassen und in die Kajüte hinabzutauchen. Wir begrüßten diesen Vorschlag mit der Freude, die nur die wiederkehrende Lebenshoffnung geben kann. Er begann sofort sich seiner Kleider, die Beinkleider ausgenommen, zu entledigen. Ein starker Strick wurde sorgfältig so um seinen Leib und seine Schultern gewunden, daß er nicht ausgleiten konnte. Das Unternehmen war schwierig und gefahrvoll, denn da in der Kajüte, wenn sie überhaupt Lebensmittel enthielt, auf keinen Fall viel zu finden war, mußte der Taucher, wenn er unten angelangt war, sich nach rechts wenden und unter Wasser durch einen engen Gang ungefähr zehn oder zwölf Schritte bis zum Vorratsraum und wieder zurücktasten, ohne atmen zu können.

Als alles vorbereitet war, stieg Peters zur Kajüte hinab. Zuerst benutzte er die Treppe, bis ihm das Wasser zum Kinn ging, dann tauchte er kopfüber hinunter, indem er sich nach rechts wandte, und bemühte sich, den Weg zur Vorratskammer zu finden. Der erste Versuch mißlang. Nachdem er etwa eine halbe Minute verschwunden war, fühlten wir, daß heftig an dem Tau gerissen wurde. Dies war das verabredete Signal, daß er heraufgezogen zu werden wünsche. Wir taten es augenblicklich, jedoch so heftig, daß er sich an der Treppe ziemlich stark stieß und verletzte. Er brachte nichts mit herauf, denn er konnte nur ein sehr kleines Stück weit in den Gang hineindringen, weil er beständig harte Anstrengungen machen mußte, um am Boden zu bleiben und nicht zur Decke emporgehoben zu werden. Als er bei uns ankam, war er sehr erschöpft und mußte sich eine Viertelstunde ausruhen, ehe er sich zum zweiten Male hinunterwagte.

Der zweite Versuch hatte ein noch schlechteres Ergebnis. Peters blieb so lange unter Wasser, ohne ein Zeichen zu geben, daß wir unruhig wurden und ihn von selbst heraufzogen. Er war fast erstickt und hatte, wie er sagte, schon mehrere Male an dem Strick gezogen, ohne daß wir es gefühlt hatten. Schuld daran war wahrscheinlich der Umstand, daß sich ein Teil des Strickes in dem Geländer am Fuße der Treppe verfangen hatte. Das Geländer war überhaupt so sehr im Wege, daß wir beschlossen, es zu entfernen, ehe wir in unseren Versuchen fortfuhren. Da wir außer unseren Händen keine Werkzeuge hatten, um die Arbeit auszuführen, begaben wir uns alle, so tief es gehen wollte, auf die Treppe, stießen mit vereinten Kräften gegen das Geländer und zerstörten es wirklich so.

Der dritte Versuch war ebenso nutzlos wie die beiden ersten, und es wurde immer klarer, daß wir unser Ziel nicht erreichen würden, wenn wir nicht dem Tauchenden ein Gewicht mitgäben, das ihn unten am Boden hielt. Wir suchten lange Zeit nach einem geeigneten Gegenstande und entdeckten endlich einen der eisernen Tauhalter, den die Wellen so weit losgerissen hatten, daß wir ihn ohne Schwierigkeit ganz aus dem Boden des Decks zogen. Peters befestigte ihn an seinem Fuße und ließ sich zum vierten Male in die Kajüte hinunter. Diesmal gelang es ihm, bis zur Tür der Vorratskammer vorzudringen — aber er fand sie fest verschlossen und mußte unverrichteter Sache wieder zurückkehren. Unsere Lage war verzweifelt, und August und ich brachen in Tränen aus, als wir an die zahllosen Gefahren dachten, die uns bedrohten, und an die Unwahrscheinlichkeit unserer Rettung. Doch war das nur eine Schwäche, die bald vorüberging.

KAPITEL X

Das geheimnisvolle Schiff

Kurze Zeit hernach trat ein Ereignis ein, das mich mit höherer Freude und gleich darauf mit tieferem Schauder erfüllte, als irgendeine der schrecklichen Begebenheiten, die mir später im Laufe von neun Jahren zugestoßen sind — im Laufe von neun Jahren, die voll der überraschendsten, unerhörtesten, ja, voll unmöglich scheinender Abenteuer gewesen.

Wir hockten nahe bei der Kajütentreppe auf dem Deck und erwogen noch immer die Möglichkeit, bis zur Proviantkammer vorzudringen, als meine Blicke auf August fielen, der mir gegenüberlag. Er war plötzlich leichenblaß geworden, seine Lippen zitterten in unerklärlicher, sonderbarer Weise. Bestürzt redete ich ihn an, doch antwortete er mir nicht; und ich glaubte schon, er sei von einem plötzlichen Unwohlsein befallen worden, als mir der Ausdruck seiner Augen auffiel, die starr auf einen Gegenstand irgendwo hinter mir gerichtet waren. Ich wandte meinen Kopf um — und niemals wohl werde ich den schrillen Jubelruf vergessen, den ich ausstieß, als ich bemerkte, daß eine große Brigg auf uns zuzukommen schien und kaum noch zwei Meilen von uns entfernt war. Ich sprang auf und wies auf das Schiff — ein wirkliches Wort konnte ich nicht hervorbringen. Peters und Parker gerieten ebenfalls in ungeheure Aufregung, die sich jedoch bei ihnen ganz anders äußerte. Peters tanzte wie ein Toller auf dem Deck umher, sprach blödsinniges Zeug vor sich hin, schrie und heulte wie ein Indianer, während Parker in Tränen ausbrach und mehrere Minuten lang wie ein kleines Kind weinte.

Das Schiff in Sicht war ein Zweimaster nach holländischer Bauart, schwarz gestrichen, und trug einen glitzernden, vergoldeten Schiffsschnabel. Als wir sie zuerst erblickten, war die Brigg, wie gesagt, etwa zwei Meilen windwärts von uns entfernt und hielt auf uns zu. Es wehte eine sehr leichte Brise, und wir wunderten uns, daß die Brigg keine anderen Segel als das Hauptsegel aufgezogen hatte. Sie kam auch nur sehr langsam vorwärts. Unsere Ungeduld grenzte an Wahnsinn. Trotz unserer großen Erregung fiel uns allen auf, wie ungeschickt sie gesteuert wurde, sie schwankte ein paarmal so heftig, daß wir schon fürchteten, man habe unser Fahrzeug nicht bemerkt oder man lege um, da man niemanden an Bord gesehen. Dann schrien wir jedesmal aus voller Lungenkraft; das unbekannte Schiff schien darauf seine Absicht zu ändern und auf uns loszusteuern. Dieses sonderbare Manöver wiederholte sich zwei- oder dreimal, und wir konnten's schließlich nur damit erklären, daß wir annahmen, der Steuermann sei betrunken.

Wir bemerkten niemanden an Bord, bis das Fahrzeug uns auf eine Viertelmeile nahe gekommen war. Dann erkannten wir drei Männer, die wir ihrer Kleidung nach für Holländer halten mußten.

Zwei von ihnen lagen auf alten Segeln in der Nähe des Vorderkastells, der dritte, der uns neugierig zu betrachten schien, lehnte in der Mitte des Bugsprits über dem Steuerbord. Er war groß und kräftig und von schwarzer Gesichtsfarbe und schien uns zur Geduld ermahnen zu wollen, denn er nickte uns freundlich, doch seltsamerweise in einem fort zu und lächelte unaufhörlich, wobei er uns zwei Reihen glänzender Zähne zeigte. Als das Fahrzeug näher kam, sahen wir, wie seine rote Wollmütze vom Kopf ins Wasser wehte; doch schien ihn das weiter gar nicht zu bekümmern, denn er hörte nicht einen Augenblick auf, in seiner bizarren Weise zu uns herüber zu grinsen und zu nicken. Ich muß erwähnen, daß ich alle diese Dinge und Umstände genau so erzähle, wie sie mir damals erschienen.

Die Brigg kam langsamer und sicherer als früher auf uns zu, und — noch jetzt kann ich nicht ruhig bleiben, wenn ich von dieser Begebenheit rede — unsere Herzen schlugen zum Zerspringen, und unsere ganze Seele strömte über von Dank über diese unerwartete, so nahe und sichere Rettung. Da — plötzlich wehte von dem seltsamen Schiff, dem wir nun ganz nahe gekommen, über den Ozean ein Wind zu uns her und brachte einen Geruch mit — einen Gestank, für den man keine Worte finden kann, so über alle Maßen ekelhaft, erstickend, unerträglich war er! Ich rang nach Atem und sah, als ich mich umwandte, daß meine Gefährten

totenbleich geworden waren. Doch hatten wir keine Zeit, um Fragen und Vermutungen aufzustellen — die Brigg war uns auf fünfzig Schritt nahe gekommen und schien gerade auf uns zuzuhalten, um uns aufnehmen zu können, ohne ein Boot herunterzulassen. Wir stürzten nach vorn, als eine starke Welle die Brigg zur Seite drehte, so daß wir, als sie in einer Entfernung von ungefähr zwanzig Fuß vor uns vorüberglitt, ihr Deck überschauen konnten. Niemals werde ich diesen entsetzlichen Anblick vergessen! Fünfundzwanzig oder dreißig männliche und weibliche Leichname lagen in dem grausigsten Zustand der Verwesung auf dem Boden umher! Wir sahen, daß auf diesem fluchbeladenen Schiff nicht eine einzige lebende Seele mehr war. Und doch riefen wir in unserer Verzweiflung die Toten um Hilfe an — baten in wüster, hoffnungsloser Angst diese schweigenden Larven, den Lauf ihres Schiffes aufzuhalten, damit wir nicht würden wie sie, und uns in ihre scheußliche Gesellschaft aufzunehmen. Entsetzen und Verzweiflung hatten uns zu Verrückten gemacht.

Als wir unseren ersten lauten Schreckensschrei ausstießen, antwortete etwas vom Bugsprit des fremden Schiffes her, und der Ton glich so vollkommen einer menschlichen Stimme, daß sich auch das feinste Ohr getäuscht haben würde. In demselben Augenblick wandte uns eine plötzliche Welle das Vorderkastell des Schiffes zu, und wir erblickten zugleich den, der das Geräusch hervorgebracht. Wir sahen den großen, robusten Mann noch immer über die Schiffswand gelehnt und mit dem Kopf nickend, doch hatte er das Gesicht jetzt so gewendet, daß wir es nicht sehen konnten. Seine Arme waren über das Barkholz ausgestreckt. Die Hände hingen nach außen herunter, seine Füße ruhten auf einem dicken Tau, das, straff angezogen, vom Fuße des Bugsprits bis zu einem der Kranbalken ging. Auf seinem Rücken, an dem ein Stück des Hemdes herausgerissen war, saß eine große Seemöwe, die sich an dem schauderhaften Fleisch gütlich tat. Ihr Schnabel und ihre Klauen waren tief in dem Körper vergraben und ihr weißes Gefieder über und über mit Blut besudelt. Als die Brigg noch weiter um uns herumglitt, zog der Vogel mit vieler Mühe seinen Kopf hervor, sah uns einen Augenblick wie verblüfft an, verließ dann schwerfällig den Leichnam, an dem er geschmaust hatte, und flog über unser Deck, flog wieder zurück, hin und her, ein blutig fauliges Stück Fleisch immer in seinem Schnabel. Plötzlich fiel der gräßliche Bissen aufklatschend gerade vor Parkers Füßen nieder. Möge Gott mir vergeben — im ersten Augenblick durchzuckte mich ein Gedanke, ein Gedanke, den ich nicht niederschreiben kann: ich fühlte, wie ich mechanisch einen Schritt auf das blutüberronnene Stück zumachte, ich erhob die Augen und sah Augusts Blicke mit so mahnendem, festem Ausdruck auf mich gerichtet, daß ich sofort wieder zu mir kam; ich stürzte vor und warf den entsetzlichen Fund ins Meer. Der Körper, von dem er stammte, ruhte, wie ich sagte, auf dem Tau und hatte unter den Schnabelhieben des gefräßigen Vogels so auf und ab geschwankt, daß wir ihn wohl für lebend halten konnten. Als die Möwe davonflog, schwankte er wieder und fiel teilweise nach vorn, so daß wir das Gesicht sahen. Ich glaube, niemals haben Menschenaugen etwas Gräßlicheres geschaut. Die Augen und das ganze Fleisch um den Mund waren ausgefressen, so daß die Zähne vollständig entblößt dalagen. Dies also war das Lächeln, das uns Hoffnung verheißen hatte, dies also war — doch — ich — schweige. Die Brigg glitt, wie ich schon sagte, leewärts am Hinterteil unseres Schiffes entlang. Mit ihr und ihrer fürchterlichen Mannschaft schwand unsere Hoffnung auf Rettung und Leben. Da sie eine Zeitlang dicht hinter uns her schwamm, hätten wir vielleicht ein Mittel finden können, auf sie hinauf zu gelangen. Aber die plötzliche Enttäuschung, unsere grausige Entdeckung machte uns zu stumpfsinnig, um nachzudenken, um überhaupt auf den Gedanken zu kommen. Wir konnten erst wieder denken und handeln, als es zu spät, als kaum der Rumpf des Schiffes noch zu sehen war; da erwogen wir eifrigst die Frage, ob es nicht durch Schwimmen zu erreichen sei!

Ich habe später oft versucht, mir das Rätsel, welches das schreckliche Schiff umgab, zu lösen. Seine Bauart und seine Ausstattung ließen, wie ich schon sagte, darauf schließen, daß es ein holländisches Handelsschiff gewesen. Auch die Kleidung dieser Mannschaft bestärkte mich in dieser Ansicht. Wir hätten leicht den Namen des Schiffes lesen und andere Beobachtungen, die uns aufgeklärt haben würden, machen können, doch hatte uns die Aufregung wie mit Blindheit geschlagen. Aus der safrangelben Farbe der Leichname, die noch nicht ganz verwest waren, schlossen wir, daß die ganze Mannschaft am gelben Fieber oder einer anderen hitzigen Krankheit gestorben sei. Wenn dies wirklich der Fall war, und ich wüßte nicht, welche Krankheit es sonst gewesen sein könnte, so mußte der Tod sie alle ganz plötzlich überrascht haben, und die Krankheit hitziger aufgetreten sein als irgendeine bis jetzt der Menschheit bekannte Seuche. Es ist ja möglich, daß irgendein zufällig in die Speisevorräte gelangtes Gift das Unheil herbeigeführt hat. Vielleicht hatten sie irgendeine unbekannte giftige Art Fisch, einen Seevogel oder irgendein anderes Seetier gegessen, was weiß ich? — es ist ja auch vollständig überflüssig, in einem Fall Vermutungen aufstellen zu wollen, der so ganz in entsetzliche und unergründliche Geheimnisse eingehüllt ist und es auch wohl immer bleiben wird.

KAPITEL XI

Die Flasche Portwein

Wir verbrachten den Rest des Tages in stumpfer Lethargie und blickten dem entgleitenden Schiff so lange nach, bis die Finsternis es unseren Blicken entzog und uns wieder uns selbst überließ. Die Qualen des Hungers und des Durstes stellten sich von neuem ein und verschlangen alle anderen Sorgen und Überlegungen. Doch konnten wir vor Tagesanbruch nichts beginnen. Wir befestigten uns so gut wie möglich und suchten ein wenig auszuruhen. Es gelang mir über Erwarten gut; ich schlief, bis meine Gefährten mich bei Tagesanbruch weckten und wir mit vereinten Kräften von neuem versuchten, Vorräte aus der Speisekammer heraufzuschaffen.

Über dem Wasser schwebte jetzt eine Totenstille. Die See lag so glatt da, wie man sie nicht oft sieht. Das Wetter war warm und freundlich. Die Brigg sahen wir nicht mehr.

Mit einiger Mühe lösten wir einen zweiten Tauhalter los und banden ihn mit dem anderen an Peters Füße. Er versuchte zum zweiten Male, die Tür der Vorratskammer zu erreichen, und hoffte, daß es ihm möglich sein werde, dieselbe aufzustoßen, wenn er nur früh genug an sie herangelangen könne. Da der Schiffsrumpf bedeutend gerader lag als gestern, glaubte er immerhin, heute mehr Glück zu haben.

Es gelang ihm auch sehr bald, die Tür zu erreichen. Er löste eins der Gewichte von seinen Füßen und bemühte sich, dieselbe einzuschlagen. Doch waren alle seine Anstrengungen vergebens, da sie fester gezimmert war, als er erwartete. Er war ganz erschöpft von dem langen Aufenthalt im Wasser, und es erwies sich nötig, daß einer von uns ihn ablöste. Parker bot sich sofort an, doch gelang es ihm nach dreimaligem Untertauchen nicht einmal, bis zur Tür vorzudringen. Augusts schlimme Verwundung am Arm schaltete jeden Versuch seinerseits von vornherein aus, denn hätte er auch die Speisekammer erreichen können, so wäre es ihm doch erst recht unmöglich gewesen, die Tür zu sprengen. So kam also an mich die Reihe, meine Kräfte unserem gemeinsamen Wohl zur Verfügung zu stellen.

Peters hatte einen der Tauhalter unten in dem schmalen Gange zurückgelassen; und da ich, gleich nachdem ich untergetaucht war, fühlte, daß ich nicht genügend belastet war, um mich mühelos unter Wasser halten zu können, beschloß ich, mich bei meinem ersten Versuch darauf zu beschränken, das verlorene Gewicht wiederzufinden. Als ich mit den Füßen am Boden suchend umherfühlte, stieß ich plötzlich an einen harten Gegenstand, den ich, ohne mich seiner Art und Form zu vergewissern, sofort ergriff, worauf ich mich emporziehen ließ. Man kann sich unsere Freude kaum vorstellen, als sich mein Fund als eine mit Portwein gefüllte Flasche herausstellte. Wir dankten Gott von ganzem Herzen für diese Hilfe, zogen mit einem Federmesser den Korken heraus, nahmen jeder einen kleinen Schluck und fühlten uns sofort ganz seltsam gestärkt und von Wärme und neuer Lebenskraft durchdrungen. Nun verkorkten wir die Flasche wieder sorgfältig, umwickelten sie mit einem Taschentuch und banden sie vorsichtig fest, damit sie nicht etwa durch ein Unglück abhanden komme oder zerschlagen werde.

Ich ruhte mich ein wenig aus, stieg sodann wieder hinab und fand den Tauhalter, mit dem ich nun von neuem ans Tageslicht kam. Als ich ihn fest um meinen Fuß gebunden hatte, tauchte ich zum drittenmal unter, mußte jedoch einsehen, daß es mir nie gelingen werde, die Tür zur Vorratskammer einzuschlagen. Verzweifelt stieg ich wieder nach oben.

Nun blieb uns — das wußte ich — auch nicht mehr der Schatten einer Hoffnung, und ich schloß aus den Mienen meiner Gefährten, daß auch sie jede Rettung für ausgeschlossen hielten. Der kleine Schluck Portwein hatte sie übrigens ganz und gar betrunken gemacht, mich hatte vielleicht das kalte Bad davor bewahrt. Sie sprachen lauter unzusammenhängendes Zeug, redeten von Dingen, die mit unserer Lage nicht das geringste zu tun hatten. Peters fragte mich nach allem möglichen, z. B. nach meiner Vaterstadt Nantukket; August kam mit ernster Miene auf mich zu und bat mich um meinen Taschenkamm, sein Haar stecke voller Fischschuppen, er wolle es auskämmen, ehe wir an Land gingen. Parker schien etwas ruhiger zu sein, er flehte mich an, noch einmal in die Kajüte hinunterzutauchen und den ersten besten Gegenstand, den ich nur erfassen könne, mit heraufzubringen. Ich willfahrte seiner Bitte und brachte, nachdem ich wohl eine ganze Minute unter Wasser gewesen, einen kleinen Lederkoffer herauf, der dem Kapitän Barnard zugehört hatte. Wir öffneten ihn sofort mit der schwachen Hoffnung, er könne vielleicht irgend etwas Eß- oder Trinkbares enthalten, fanden jedoch nichts als ein Etui mit Utensilien zum Rasieren und zwei leinene Hemden. Ich tauchte noch einmal unter und kam diesmal, ohne auch nur das geringste gefunden zu haben, wieder an die Oberfläche. In dem Augenblick, als ich den Kopf über das Wasser erhob, hörte ich auf Deck das Geräusch eines zerbrechenden Gegenstandes. Als ich genauer hinsehen konnte, bemerkte ich, daß meine Gefährten während meiner Abwesenheit den Rest des Weines ausgetrunken und die Flasche zerbrochen hatten, als sie dieselbe, um nicht von mir überrascht zu werden, eiligst an ihren Platz zurücklegen wollten. Ich warf ihnen die Herzlosigkeit vor, und August brach in Tränen aus. Die beiden anderen aber versuchten zu lachen und die Sache ins Scherzhafte zu ziehen; doch hoffe ich, in meinem Leben niemals mehr ein solches Lachen hören und sehen zu müssen. Ihre Züge erschienen so krampfhaft verzerrt, daß mich ein Schrecken durchfuhr. Offenbar war der Alkoholgenuß in ihren vollständig leeren Mägen von augenblicklichster Wirkung gewesen; und sie alle waren, wie gesagt, erschreckend betrunken. Nach längerem Zureden bewog ich sie, sich niederzulegen. Sie fielen sofort laut schnarchend in tiefen Schlaf.

Ich war jetzt also sozusagen allein auf der Brigg und saß da, von den hoffnungslosesten, düstersten Gedanken gepeinigt. Ich sah keinen anderen Ausweg, als qualvoll langsam Hungers zu sterben oder bestenfalls von dem nächsten Sturm dem schnelleren Tod des Ertrinkens überliefert zu werden; denn, erschöpft wie wir waren, hätten wir kein zweites Unwetter überstehen können.

Mein Hunger wurde immer unerträglicher und ich fühlte, daß ich das letzte unternehmen würde, ihn zu stillen. Ich schnitt ein kleines Stück aus dem Lederkoffer und versuchte es zu essen, doch konnte ich auch nicht ein Atom davon hinunterschlucken. Immerhin schien es mir, als verspüre ich einige Erleichterung meiner Hungersqual, wenn ich kleine Stückchen Leder kaute und wieder ausspie. Gegen Abend erwachten meine Leidensgenossen, befanden sich jedoch nach ihrem Rausch in einem über alle Beschreibung elenden Zustand. Sie zitterten wie im Fieber und schrien mit herzzerreißenden Klagetönen nach Wasser. Mitleid faßte mich, doch konnte ich nicht umhin, mir Glück zu wünschen, daß mich ein Zufall bewahrt hatte, die fürchterlichen Qualen des Nachdurstes erfahren zu müssen. Das Betragen der Armen beunruhigte mich im höchsten Maße, denn ich sah ein, daß sie mir in ihrem jetzigen Zustand auch nicht die geringste Hilfe zu einer Verbesserung unserer Lage leisten konnten. Ich hatte die *letzte* Hoffnung, irgend etwas Genießbares von unten heraufschaffen zu können, noch nicht aufgegeben, doch konnte ich nicht eher zu einem neuen Versuch schreiten, bis einer von ihnen wieder so weit zu sich gekommen war, daß er das Tau, an das ich angebunden werden sollte, festhalten konnte. Parker schien seiner Sinne ein wenig mehr mächtig zu sein als die anderen, und ich versuchte alle möglichen Mittel, ihn wieder ganz zu sich zu bringen. Da ich annahm, ein kaltes Bad werde die beste Wirkung ausüben, band ich ihm ein starkes Seil um den Körper und führte ihn an die Kajütentreppe. Er ließ wie im Schlaf alles mit sich geschehen, ich stieß ihn ins Wasser und zog ihn sogleich wieder heraus. Der Erfolg blieb nicht aus, er schien zu sich zu kommen und Kräfte zu gewinnen, denn er fragte mich in ganz vernünftigem Ton, weshalb ich ihn so behandle. Als ich ihm meine Absicht mitgeteilt hatte, dankte er mir für diesen Dienst und sagte, er fühle sich seit dem Bad bedeutend besser, und sprach dann auch ganz verständig und ruhig über unsere Lage. Wir beschlossen, unseren beiden Kameraden August und Peters dieselbe Behandlung angedeihen zu lassen. Und auch sie verspürten danach eine bemerkenswerte Erleichterung.

Als ich sah, daß sie so weit wiederhergestellt waren, um das Ende des Taues halten zu können, begab ich mich noch drei- oder viermal in die Kajüte hinab, obwohl es mittlerweile fast ganz dunkel geworden und sanfte, doch beständige Wellen aus Nord unser Wrack in ein stetes Schwanken versetzten. Ich brachte zwei große Tischmesser, einen Krug, der drei Gallonen enthielt, jedoch leer war, und eine Decke, aber nichts Eßbares herauf. Trotzdem setzte ich meine Versuche so lange fort, bis ich ganz erschöpft war, fand aber nichts, das unseren Hunger hätte stillen können. Während der ganzen Nacht wechselten sich Parker und Peters in neuen Versuchen ab, doch ebenfalls ohne irgend etwas heraufzufördern. Wir konnten uns nicht mehr verhehlen, daß wir uns ganz vergebens anstrengten, und ließen voll Verzweiflung von weiterem Tauchen ab.

Den Rest der Nacht verbrachten wir unter körperlichen und seelischen Qualen, die keine Feder schildern kann. Als der Morgen des nächsten Tages – nach meiner Berechnung war es der sechzehnte Juli – endlich heraufkam, spähten wir in Todesangst nach allen Himmelsrichtungen um Rettung, doch vergebens. Die See lag noch immer ruhig da, ein gleichmäßiger Strom trieb wie am Abend vorher von Norden. Wir hatten nun seit sechs Tagen nichts gegessen und außer der unseligen Flasche Portwein nichts getrunken, konnten daher, wenn wir nicht bald etwas fanden, nur noch sehr kurze Zeit leben. Ich habe niemals wieder zwei so abgemagerte Menschen wie August und Peters gesehen und hoffe, sie niemals wieder sehen zu müssen. Wenn ich sie unerwartet irgendwo getroffen hätte, ich würde nicht geglaubt haben, einen von ihnen schon einmal gekannt zu haben. Ihr Gesichtsausdruck hatte sich so vollständig verändert, daß ich kaum glauben konnte, sie seien dieselben Menschen, mit denen ich Nantucket verlassen. Parker war ebenfalls in bejammernswertem Zustande und so schwach, daß er kaum den Kopf von seiner Brust erheben konnte; doch schien es mit ihm nicht ganz so schlimm zu stehen wie mit den beiden anderen. Er litt mit großer Geduld, klagte nicht und versuchte uns auf jede nur mögliche Weise Mut einzuflößen. Ich selbst befand mich, trotzdem ich zu Beginn der Reise krank gewesen und stets schwächlich war, ein wenig besser als sie, ich war auch wohl weniger abgemagert und hatte meine geistigen Fähigkeiten in überraschendem Grad beibehalten, während die anderen vollständig kindisch geworden waren: sie schnitten wie Idioten mit albernem Lächeln Grimassen und redeten lauter Unsinn. Von Zeit zu Zeit jedoch schienen sie plötzlich wieder zu sich zu kommen, als gehe ihnen blitzartig eine Erkenntnis ihrer Lage auf. Sie sprangen dann in einer plötzlichen Anwandlung von Kraft auf ihre Füße, sprachen eine kurze Zeitlang ganz vernünftig, doch voll wilder Verzweiflung über unseren Zustand. Es ist jedoch auch möglich, daß meine Gefährten von mir denselben Eindruck hatten wie ich von ihnen, und daß ich, mir unbewußt, dieselben Torheiten beging wie sie; nur läßt sich dies nicht mehr feststellen.

Gegen Mittag behauptete Parker, er sehe von Backbord aus Land, und nur mit größter Mühe konnte ich ihn davon zurückhalten, sich ins Wasser zu stürzen, um die Küste schwimmend zu erreichen. Peters und August kümmerten sich nicht um das, was er sagte, und waren offenbar in trübe Apathie versunken. Als ich in der bezeichneten Richtung auslugte, konnte ich nichts erblicken, das auf Land hingewiesen hätte — ich wußte ja auch nur zu gut, daß wir zu weit von jeder Küste entfernt waren, um eine derartige Hoffnung teilen zu können. Und doch dauerte es lange Zeit, ehe ich Parker von seinem Irrtum überzeugt hatte. Er brach in einen Strom von Tränen aus, schluchzte und weinte wohl zwei oder drei Stunden lang laut wie ein Kind, bis er endlich ganz erschöpft in Schlaf verfiel.

Peters und August versuchten nun ebenfalls, kleine Lederstücke zu essen, doch gelang es auch ihnen nicht. Ich riet ihnen, es zu kauen und wieder auszuspeien, sie waren jedoch zu elend, um meinem Rat folgen zu können. Ich kaute hin und wieder ein Stück und fand noch immer für Minuten eine kleine Erleichterung. Dagegen quälte mich wütender Durst, und nur die Erinnerung an die schrecklichen Folgen, die der Genuß des Meerwassers in ähnlichen Fällen wie dem meinen gehabt hatte, hielt mich ab, einen kräftigen Schluck zu nehmen.

Der Tag begann schon zu schwinden, als ich plötzlich gegen Osten, in der Richtung des Backbords, ein Segel entdeckte. Es gehörte anscheinend zu einem großen Schiff, das quer auf uns zukam und noch zwölf oder fünfzehn Meilen entfernt sein mochte. Keiner meiner Gefährten hatte es bis jetzt bemerkt, und ich teilte ihnen meine Beobachtungen auch noch nicht mit, um nicht in die Gefahr zu kommen, ihnen eine unnütze Enttäuschung zu bereiten. Als das Schiff jedoch näherkam, sah ich ganz deutlich, daß es gerade auf uns zuhielt. Ich konnte mich nun nicht länger bezwingen und wies es meinen Leidensgenossen. Sie sprangen sofort auf ihre Füße, brachen in die tollsten Freudenausbrüche aus, lachten und weinten wie die Irrsinnigen, tanzten und stampften mit den Füßen, rauften ihr Haar, beteten und fluchten in einem Atem. Ihr Betragen, sowie die scheinbar sichere Hoffnung auf Befreiung regte mich derart auf, daß ich alle ihre Kapriolen mitmachte und meinen Freuden- und Dankbarkeitsausbrüchen freien Lauf ließ, indem ich mich auf das Deck hinwarf und herumrollen ließ, in die Hände klatschte, laut schrie und ähnlich zwecklose Sachen mehr vollführte, bis ich ganz plötzlich wieder zu mir kam und mich von neuem in Elend und Verzweiflung zurückversetzt fand. Ich bemerkte nämlich, daß das Schiff uns jetzt sein Hinterteil zuwandte und in gerade entgegengesetzter Richtung steuerte zu der, in der ich es zuerst herankommen gesehen.

Es dauerte eine ganze Zeitlang, ehe ich meine armen Kameraden davon überzeugen konnte, daß auch diese Hoffnung wieder entschwunden und wir von neuem der bittersten Verzweiflung anheimgegeben seien. Sie antworteten mir auf alle meine Versicherungen mit einem starren Blick und mit Gesten, die mir bedeuteten, daß sie sich durch derlei nicht zum besten halten ließen. Das Betragen Augusts schnitt mir ganz besonders in die Seele. Trotz allem, was ich sagte und tat, blieb er dabei, das Schiff nähere sich ja mit großer Schnelligkeit, und machte sich fertig, an Bord zu gehen. Er wies auf ein paar Seepflanzen in der Nähe und behauptete, das sei das Boot, welches das Schiff ausgesandt habe. Er wollte hineinspringen und schrie und heulte in herzzerreißenden Tönen, als ich ihn mit Gewalt abhielt, sich ins Wasser zu stürzen.

Nachdem ich ihn ein wenig beruhigt hatte, starrten wir dem Schiff nach. Der Himmel hatte sich bedeckt, und eine leichte Brise war aufgesprungen. Wir verloren das Segel bald aus den Augen. Als es verschwunden war, wandte sich Parker plötzlich mit einer jähen Bewegung zu mir – und der Ausdruck seines Gesichts machte mich schaudern. Über seinen Zügen lag eine gewisse Ruhe und Entschlossenheit, die ich bis jetzt noch nicht an ihm bemerkt hatte, und noch ehe er den Mund öffnete, flüsterte mir mein Herz zu, was er uns zu sagen habe. Mit ein paar kurzen, harten Worten sprach er's aus: einer von uns müsse zur Erhaltung der anderen geopfert werden.

KAPITEL XII

Das kleinste Holz

Schon seit einiger Zeit hatte ich über die Möglichkeit, einer meiner Kameraden könne dies letzte, gräßliche Hilfsmittel vorschlagen, nachgedacht und im geheimen den festen Entschluß gefaßt, lieber den Tod in *jeder* Gestalt zu erleiden, als zu diesem Ausweg meine Zuflucht zu nehmen. Und der fürchterliche Hunger, der mich quälte, hatte meinen Vorsatz nicht abzuschwächen vermocht. Weder Peters noch August schienen Parkers Worte verstanden zu haben. Ich nahm ihn deshalb beiseite und redete lange auf ihn ein, bat ihn bei allem, was ihm heilig sei, seinen Wunsch nicht noch einmal auszusprechen, und bestürmte ihn mit der ganzen Beredsamkeit, die mir die Angst, der Schauder, der Abscheu eingaben.

Er hörte allem, was ich sagte, still und ohne Widerrede zu. Ich hoffte schon, ihn überzeugt zu haben. Als ich jedoch geendet hatte, sagte er mir, er wisse wohl, daß alles, was ich da gesprochen, richtig, daß ein solches Mittel wohl die gräßlichste Zuflucht sei, auf deren Möglichkeitsgedanken ein denkendes Wesen überhaupt nur verfallen könne. Er habe jedoch so viel gelitten, daß seine Natur nicht länger mehr standhalte. Es sei doch unnütz, daß *alle* stürben, da sich eine Möglichkeit, ja, eine Wahrscheinlichkeit böte, daß durch den Tod eines einzigen von uns die anderen gerettet werden könnten. Ich solle mir nur die Mühe sparen, ihn von seinem Vorhaben abbringen zu wollen.

Als ich sah, daß ich nichts über ihn vermochte, bat ich ihn, wenigstens bis zum folgenden Tage zu warten: wie leicht könne bis dahin noch ein Schiff zu unserer Hilfe kommen! Und wieder bot ich alles auf, diese letzte Hoffnung so wahrscheinlich wie möglich erscheinen zu lassen und Parkers rauhe Natur zu erweichen. Er antwortete mir, er habe selbst bis zum letzten, allerletzten Augenblick gewartet, er könne ohne irgendwelche Speise nicht länger mehr leben, morgen sei es zu spät — für ihn wenigstens!

Da ich mich überzeugt hatte, daß kein gütiges Zureden Eindruck auf ihn machte, schlug ich einen anderen Ton an und sagte ihm, daß ich verhältnismäßig am wenigsten von uns allen gelitten habe, daß ich augenblicklich viel besser bei Kräften sei als er und August und Peters zusammen, und daß ich deshalb, wenn ich wollte, *meinen* Willen mit Gewalt durchsetzen könne, daß ich ihn, sobald er den anderen seinen blutigen, kannibalischen Vorschlag machen werde, rücksichtslos in die See werfen würde. Hierauf packte er mich an die Kehle, zog sein Messer und versuchte mich zu erstechen; nur seine große Schwäche hinderte ihn, die Gewalttat wirklich zu begehen. Mein Zorn stieg aufs höchste, und ich stieß ihn bis zum Rand des Schiffes, in der festen Absicht, ihn ins Wasser zu schleudern. Peters sprang herzu, riß uns auseinander und fragte nach der Ursache des Streites. Parker teilte sie ihm mit, noch ehe ich ihn daran hindern konnte.

Die Wirkung seiner Worte war eine weit schrecklichere, als ich erwartet. August und Peters, die, wie es schien, im geheimen schon lange den gleichen fürchterlichen Gedanken gehabt hatten, den Parker nur zuerst ausgesprochen, stimmten diesem zu und verlangten, daß man ihn unverzüglich ausführe. Ich hatte gehofft, daß wenigstens einer von beiden noch so viel sittliches Bewußtsein behalten habe, daß er mir helfen werde, die Ausführung des gräßlichen Planes zu vereiteln. Da ich mich in dieser Hoffnung getäuscht sah, blieb mir nichts anderes übrig, als an meine eigene Sicherheit zu denken, denn jeder weitere Widerstand konnte ihnen in ihrer sinnlosen Verzweiflung Grund genug sein, mir eine freiwillig übernommene Rolle in der Tragödie, die sich gleich abspielen mußte, zu versagen.

Ich erklärte ihnen also, daß ich auf ihren Vorschlag eingehe, und bat nur um einen Aufschub von einer Stunde, bis sich der Nebel, der uns einhüllte, ein wenig gelichtet habe, und das Schiff, das wir vorhin gesehen, vielleicht wieder zu sehen sei. Mit vieler Mühe gelang es mir, diese Frist zu erhalten. Wie ich erwartet, trug eine lebhafte Brise den Nebel, noch ehe die Stunde verging, mit sich fort – doch war kein Schiff in Sicht; und wir machten uns daran, zu losen.

Nur mit dem größten Abscheu kann ich die Szene, die jetzt folgte, erzählen:

Das einzige Mittel, die grausige Lotterie spielen zu können, boten uns ein paar Hölzchen. Wir kamen überein, daß ich sie halten solle. Ich begab mich an das eine Ende des Decks, während meine Kameraden sich am anderen den Rücken mir zugewandt, aufstellten. Den bittersten Schmerz empfand ich in dem Augenblick, da ich die Lose ordnete. Nur sehr, sehr selten kann der Mensch in eine Lage geraten, in der ihm nichts mehr daran liegt, sein Leben zu erhalten. Der Wunsch zu leben wächst meist mit der Unwahrscheinlichkeit, vor dem Tod bewahrt zu bleiben. Das schweigende, entscheidende, harte Werk, das ich jetzt verrichtete, so verschieden von den wilden Gefahren des Sturms und den langsamen, stets sich steigernden Qualen des Verhungerns, brachte mir in den Sinn, wie wenig Hoffnung ich hatte, dem schauderhaftesten Tode zu entgehen – einem Tode, der dem allergräßlichsten Zwecke dienen sollte —, und auch der kleinste Schatten flatterte fort von dem Lebensmut, der mich bis jetzt aufrecht gehalten, fort wie Federn im Winde, und ließ mich als hilflosesten, verächtlichsten Jämmerling zurück. Ich fand anfangs nicht Kraft genug, die Splitter zu zerreißen und zu ordnen; meine Finger versagten mir den Dienst, meine Knie schlotterten gegeneinander. Mit rasender Schnelligkeit glitten tausend unmögliche Pläne, diese Lotterie zu vereiteln, durch meinen Kopf. Ich dachte daran, meinen Gefährten zu Füßen zu fallen und sie zu bitten, mich von ihrem furchtbaren Spiel auszuschließen; mich plötzlich auf sie zu stürzen, einen von ihnen totzuschlagen und dadurch die ganze Lotterie überflüssig zu machen; kurz, ich dachte an alles, nur nicht an das, was man mir zu tun aufgetragen. Plötzlich brachte mich Parkers Stimme wieder zu mir. Er drängte mich, sie von der fürchterlichen Ungewißheit, unter der sie litten, zu befreien. Und auch dann konnte ich die Splitter noch nicht ordnen, sondern dachte über irgendeinen Trick nach, der das kürzeste Stück Holz einem meiner Gefährten in die Hand spielen sollte; denn wir waren übereingekommen, daß der, welcher den kürzesten Splitter zog, für die anderen geopfert werden sollte. Wer mich für diese Schändlichkeit verdammen will, denke sich nur einmal genau in meine damalige Lage hinein!

Schließlich konnte ich nicht länger mehr zögern, und mit brechendem Herzen stürzte ich zum Vorderkastell zurück, wo meine Leidensgenossen mich erwarteten. Ich streckte meine Hand mit den Splittern aus. Und Peters zog als der erste. Er war frei — sein Splitter, das sah ich gleich, war nicht der kürzeste; und ich hatte wieder eine Möglichkeit weniger, mein Leben erhalten zu sehen. Ich nahm all meine Kraft zusammen und hielt August die Lose hin. Er zog sofort, und auch er war frei. Und nun waren die Chancen über Leben und Sterben für mich die gleichen. In dem Augenblick erwachte in mir die Wildheit eines Raubtieres, und ich empfand gegen meinen Mitmenschen, den armen Parker, einen wüsten, teuflischen Haß. Doch dauerte dieses Gefühl nicht lange; mit krampfhaftem Schauder und geschlossenen Augen hielt ich ihm meine Hand mit den übriggebliebenen Splittern hin. Es dauerte wohl volle fünf Minuten, ehe er sich entschließen konnte, zu ziehen, und während dieser qualvollen Frist öffnete ich kein einzigesmal die Augen. Plötzlich fühlte ich, wie mir eins der beiden Lose schnell aus der Hand gezogen wurde. Das Schicksal hatte also entschieden, doch wußte ich nicht, ob für oder wider mich. Niemand sprach, und ich wagte nicht, den Splitter in meiner Hand zu betrachten. Peters ergriff mich endlich bei der Hand, und ich riß gewaltsam meine Augen auf. Ein Blick auf die Züge Parkers überzeugte mich, daß *ich* gerettet, daß er dem Tode geweiht sei. Ich rang nach Atem und fiel bewußtlos nieder.

Ich erwachte früh genug wieder aus meiner Ohnmacht, um den Schluß der Tragödie mit dem Tode dessen, der sie hauptsächlich verursacht und nun ihr Opfer wurde, beiwohnen zu müssen. Er leistete nicht den geringsten Widerstand und fiel, als Peters ihn in den Rücken gestochen hatte, sofort tot zu Boden. Die grauenvolle Mahlzeit, die nun folgte, will ich nicht beschreiben. Worte haben nicht die Kraft, ihre unerhörte Abscheulichkeit darzustellen. Es mag genügen, wenn ich sage, daß wir, nachdem wir an dem Blut des Opfers unseren brennenden Durst gestillt hatten, übereinkamen, die Hände, die Füße und den Kopf abzuschneiden und samt den Eingeweiden in die See zu werfen, und daß wir dann den Körper Stück für Stück während der vier auf immer in mein schauderndes Gedächtnis eingegrabenen Tage, dem 17., 18., 19. und 20. Juli verzehrten.

Am 19. ging ein starker Regenguß nieder, der wohl fünfzehn bis zwanzig Minuten dauerte. Wir beschlossen, etwas Wasser in einem der aufgefischten Tücher, das wir aufspannten, aufzufangen. Wir erlangten nicht mehr als eine halbe Gallone, und doch erfüllte uns dieser kümmerliche Vorrat mit verhältnismäßiger Kraft und neuer Hoffnung.

Am 21. befanden wir uns wieder in äußerster Not. Das Wetter war warm und heiter und brachte gelegentlich Nebel und leichte Brisen vom Norden nach Westen.

Als wir am 22. alle drei, einer gegen den anderen gelehnt, schweigend nebeneinander saßen und über unseren bejammernswerten Zustand nachgrübelten, blitzte in mir plötzlich ein Gedanke auf, der mir ein heller Hoffnungsstrahl zu sein schien. Es fiel mir ein, daß mir Peters, nachdem der Fockmast abgehauen worden, eine Axt gegeben, damit ich sie an einem sicheren Platz aufbewahren solle. Diese Axt hatte ich, vielleicht fünf Minuten ehe sich die Brigg mit Wasser füllte und sank, aufs Vorderkastell gebracht und in eine der Schlafstellen am Backbord verborgen. Wenn ich diese Axt fand, konnte es möglich sein, daß wir das Deck über der Vorratskammer einschlugen und so hineingelangten.

Als ich meinen Gefährten meinen Gedanken mitteilte, stießen sie einen schwachen Freudenschrei aus und folgten mir auf das Vorderkastell. Die Schwierigkeit, hier hinunterzusteigen, war jedoch bei weitem größer als an der Kajütentreppe, da die Öffnung viel kleiner war. Ich zögerte jedoch nicht, den Versuch zu machen, und tauchte, sobald man mir ein Tau um den Leib befestigt hatte, mit den Füßen voran nach unten, tappte mich so schnell wie nur möglich zur Schlafstelle und brachte die Axt mit herauf. Ich wurde mit Triumphgeschrei empfangen, und die Leichtigkeit, mit der ich die Axt erlangt, galt uns allen als gutes Vorzeichen unserer Rettung.

Wir begannen nun mit aller Energie und neuer Hoffnung das Deck aufzureißen; Peters und ich gebrauchten abwechselnd die Axt. August konnte uns wegen seines verwundeten Armes keine Hilfe leisten. Da wir so schwach waren, daß wir uns kaum ohne Stütze aufrecht halten und nur eine oder zwei Minuten hintereinander arbeiten konnten, sahen wir ein, daß viele Stunden zur Vollendung unseres Werkes nötig seien, das heißt, ehe die Öffnung groß genug wäre, um uns Eingang in den Vorratsraum zu gewähren. Doch entmutigte uns diese Aussicht nicht; wir arbeiteten die ganze Nacht beim Licht des Mondes und hatten bei Tagesanbruch, am Morgen des 23., eine genügend große Öffnung hergestellt.

Peters erbot sich, hinunterzusteigen, tauchte, nachdem wir die üblichen Vorbereitungen gemacht, hinab und kam bald mit einem kleinen Krug zurück, der zu unserer größten Freude mit Oliven gefüllt war. Wir teilten sie untereinander und verzehrten sie mit großer Gier. Darauf ließen wir Peters zum zweitenmal hinab, und er kam mit einem Fund zurück, der alle unsere Erwartungen überstieg — er brachte einen großen Schinken und eine Flasche Madeira mit herauf. Von dem Wein nahmen wir jeder nur einen ganz kleinen Schluck, denn wir erinnerten uns nur zu deutlich an die fürchterliche Wirkung, die der Portwein gehabt hatte. Der Schinken war bis auf vielleicht zwei Pfund in der Nähe des Knochens durch das Salzwasser ganz verdorben worden und nicht zu essen; das brauchbare Stück teilten wir untereinander. Peters und August konnten ihren Hunger nicht bezähmen und aßen ihre ganze Portion auf einmal auf. Ich war jedoch vorsichtiger und genoß nur ein kleines Stück, denn ich fürchtete, daß das salzige Fleisch unsern Durst steigern werde. Dann ruhten wir eine kurze Zeit von der Arbeit aus, die im Verhältnis zu unseren Kräften eine allzuschwere gewesen.

Als wir uns gegen Mittag ein wenig erfrischt und gestärkt fühlten, erneuerten wir unsere Versuche, zu den Vorräten zu gelangen. Peters und ich tauchten abwechselnd mit mehr oder weniger Erfolg hinab. Gegen Sonnenuntergang hatten wir vier weitere Krüge mit Oliven, noch einen Schinken, einen Ballon mit vielleicht drei Gallonen ausgezeichneten Madeiras und, was uns am meisten erfreute, eine kleine Schildkröte nach oben geschafft. Als der ›Grampus‹ den Hafen verlassen, hatte Kapitän Barnard einige dieser Tiere von einem Schoner, der gerade von der Jagd auf Seetiere im Stillen Ozean zurückkam, übernommen, da sie ein ausgezeichnetes Nahrungsmittel sind. Das Tier, das wir aus der Vorratskammer heraufbrachten, war nicht sehr groß und wog vielleicht fünfundsechzig bis siebzig Pfund. Es war ein Weibchen und außerordentlich fett. In ihrem Beutel fanden wir mehr als eine Viertelgallone klaren, süßen Wassers; wir füllten es sorgfältig in den Krug, den wir zuallererst, wie man sich entsinnen wird, aus der Kajüte heraufgebracht hatten. Nachdem wir das getan, brachen wir den Hals einer Flasche ab, so daß er mit dem Korken als Boden ein Trinkglas bildete, das nicht ganz eine Viertelpinte hielt. Dann tranken wir jeder ein solches Glas voll aus, und beschlossen, uns mit dieser Ration für den Tag, solange der Vorrat reichte, zu begnügen.

Da während der letzten zwei oder drei Tage das Wetter sehr warm gewesen, war das Bettzeug, das wir aus der Kajüte heraufgebracht, vollständig trocken geworden, so daß wir diese Nacht in verhältnismäßig gutem Zustande, nachdem wir Oliven und Schinken und einen Trunk Wein zum Abendbrot genossen, zubringen konnten. Da wir fürchten mußten, im Falle eines starken Windes etwas von unseren Vorräten zu verlieren, banden wir dieselben, so gut es nur gehen wollte, mit Seilen an die Trümmer des Ankerspills an. Unsere Schildkröte, die wir so lange wie möglich lebendig erhalten wollten, legten wir auf den Rücken und banden sie noch obendrein mehrfach fest.

KAPITEL XIII

Endlich!

Ich will wieder die Tagebuchform wählen.

24. Juli. Wir erwachten gekräftigt und mit neuem Mute. Trotz der gefahrvollen Lage, in der wir uns noch immer befanden, ließen uns die endlosen Leiden, denen wir gerade entronnen waren, unsere jetzige Situation als ein immerhin erträgliches Übel erscheinen — so sehr sind Leiden und Freuden eben nur relative Begriffe.

Kurz nach Sonnenaufgang erneuerten wir unsere Versuche, Lebensmittel aus der Vorratskammer heraufzuschaffen. Da jedoch bald ein kräftiger Regenguß niederging, standen wir einstweilen davon ab und bemühten uns, mittels des Tuches, das uns schon einmal zu diesem Zweck gedient hatte, Wasser aufzufangen. Wir hielten es aufgespannt, nachdem wir eins der Eisenstücke, die uns beim Tauchen in die Vorratskammer als Gewichte gedient, in seine Mitte gelegt hatten. Es bildete dort eine Vertiefung, in der sich Wasser sammelte, das durch das Tuch in den darunterstehenden Krug tropfte. Er war fast gefüllt, als ein heftiger Wind aus Norden uns zwang, die Arbeit aufzugeben, denn das Deck schwankte so, daß wir uns nicht mehr auf den Füßen halten konnten. Wir begaben uns wieder nach vorne, banden uns, wie vorher schon oft, an das Ankerspill fest und erwarteten die Ereignisse, die kommen sollten, mit mehr Ruhe, als wir es wohl selbst unter solchen Umständen für möglich gehalten hätten. Gegen Mittag frischte sich der Wind noch mehr auf, und der Abend brachte einen heftigen, von wildem Wogengang begleiteten Sturm. Da die Erfahrung uns jedoch schon gelehrt hatte, wie wir uns, ohne uns erheblichen Schaden zuzufügen, möglichst fest anbinden konnten, verbrachten wir die Nacht in verhältnismäßiger Sicherheit, obwohl wir jeden Augenblick fürchten mußten, von den Sturzwellen, die uns fast ununterbrochen bis auf die Haut durchnäßten, doch noch über Bord gerissen zu werden. Glücklicherweise hatte das Wasser bei dem warmen Wetter eine fast angenehme Temperatur.

25. Juli. Heute morgen hatte sich der Sturm gelegt, es blies nur noch eine leichte Brise, und der Wogengang beruhigte sich allmählich. Zu unserem großen Schmerz bemerkten wir jedoch, daß zwei Kübel mit Oliven und der ganze Schinken, trotz der Vorsicht, mit welcher wir beides angebunden hatten, über Bord gegangen waren. Wir beschlossen, die Schildkröte noch nicht zu töten, sondern begnügten uns zum Frühstück mit ein paar Oliven und einer Ration Wasser, die wir halb mit Wein mischten. Dies leichte Getränk stärkte und erquickte uns sehr. Das Meer war noch immer zu bewegt, als daß wir unsere Nachforschungen in der Vorratskammer hätten fortsetzen können. Während des Tages bemerkten wir, daß der Schiffsrumpf sich mehr als je auf die Seite legte, so daß wir, ohne uns festzuhalten, nicht mehr aufrecht stehen konnten. Wir verbrachten so einen trüben, unbequemen Tag. Zu Mittag stand die Sonne fast gerade über unseren Häuptern, und wir zweifelten nicht, daß uns die fast ununterbrochenen Winde aus Nord und Nordwest in die Nähe des Äquators getrieben hatten. Gegen Abend sahen wir einige Haifische und wurden durch die gierige Art, mit der sich einer der größten uns näherte, nicht wenig beunruhigt. Einmal begrub eine Welle das Deck ziemlich tief unter Wasser, und das Ungeheuer schwamm über uns dahin. Ungefähr über der Kajütentreppe hielt es ein paar Augenblicke still, wobei es Peters ziemlich heftig mit seinem Schwanze anstieß. Schließlich wurde es von einer mächtigen Welle hinweggetragen. Bei ruhigem Wetter hätten wir uns seiner bald bemächtigen können.

26. Juli. Gegen Morgen hatte sich der Wind fast ganz gelegt, die See war ziemlich ruhig, und wir setzten unsere Nachforschungen in der Vorratskammer fort. Nachdem wir den ganzen Tag hart gearbeitet hatten, mußten wir einsehen, daß von hier aus nichts mehr zu erreichen war. Die Scheidewände waren während der

Nacht zusammengebrochen, und der Inhalt an Lebensmitteln schwamm nun wahrscheinlich im Schiffsraum umher.

27. Juli. Die See liegt wieder fast glatt, ein leichter Wind weht aus Nord und West. Am Nachmittag brannte die Sonne heiß, und wir beschäftigten uns damit, unsere Kleider zum Trocknen aufzuhängen. Wir erquickten uns ein wenig durch ein Seebad, doch mußten wir dabei sehr vorsichtig sein, weil wir während des Tages wieder mehrere Haie in der Nähe der Brigg gesehen hatten.

28. Juli. Wir haben noch immer gutes Wetter. Die Brigg neigte sich so auf die Seite, daß wir fürchten mußten, sie werde ganz umschlagen. Wir banden die Schildkröte, den Wasserkrug und die zwei Olivenkrüge windwärts an der Außenseite des Rumpfes an. Die See blieb den ganzen Tag sehr glatt und ruhig.

29. Juli. Augusts verwundeter Arm zeigt Symptome, die auf Brand hinweisen. Er klagte über Schwäche und großen Durst, schien jedoch keine ausgesprochenen Schmerzen zu empfinden. Wir konnten nichts weiter für ihn tun, als seine Wunden mit ein wenig Öl, das wir von den Oliven nahmen, einzureiben. Es gewährte ihm jedoch keine Erleichterung. Wir verschafften ihm, soweit es in unserer Macht stand, alle Bequemlichkeiten und verdreifachten seine Ration Wasser.

30. Juli. Ein außerordentlich heißer, windstiller Tag. Ein riesiger Haifisch schwamm den ganzen Vormittag mit unserem Wrack dahin. Wir machten verschiedene vergebliche Versuche, ihn durch eine Schlinge zu fangen. August fühlt sich viel schlechter und wird sowohl aus Mangel an geeigneter Nahrung, wie infolge seiner Wunde immer schwächer. Heute abend verzehrten wir auch unsere letzten Oliven. Das Wasser im Kruge war so faulig geworden, daß wir es ohne einen Zusatz von Wein überhaupt nicht zu genießen vermochten. So wurde denn beschlossen, morgen früh die Schildkröte zu schlachten.

31. Juli. Nach einer Nacht, die wir der Lage des Wracks wegen in Angst und Unbequemlichkeit verbrachten, machten wir uns daran, die Schildkröte zu schlachten und zu zerschneiden. Sie war bedeutend kleiner, als wir zuerst vermutet hatten; das eßbare Fleisch betrug höchstens zehn Pfund. In der Absicht, einen Teil desselben so lange wie möglich aufzubewahren, schnitten wir denselben in ganz kleine Stücke, füllten diese in die drei leeren Olivenkrüge und die Weinflasche und gossen das Öl von den Oliven darüber. Auf diese Weise setzten wir ungefähr drei Pfund beiseite und versprachen uns, nicht eher daran zu rühren, als bis das übrige verzehrt sei. Dann beschränkten wir unsere Rationen auf vier Unzen pro Tag, so daß der ganze Fleischvorrat dreizehn Tage ausreichen konnte. In der Dämmerung ging unter Donner und Blitz ein heftiger Regen nieder, doch währte er so kurze Zeit, daß wir

nicht mehr als eine halbe Pinte Wasser aufsammeln konnten. Wir bestimmten sie für August, mit dem es immer schlechter ging. Er trank das Wasser gleich aus dem Tuche, das wir so über ihn hielten, daß die Tropfen ihm in den Mund träufelten. Wir hatten nämlich kein leeres Gefäß mehr.

Dem Kranken schien der Trunk gar keine Erleichterung zu verschaffen. Sein Arm ist vom Handgelenk bis zur Schulter ganz schwarz, und die Füße sind kalt und starr wie Eis. Wir müssen jeden Augenblick seinen Tod erwarten. Er ist erschreckend abgemagert; als wir Nantucket verließen, wog er, wie ich mich erinnere, hundertsiebenundzwanzig Pfund; jetzt kann er nur noch vierzig, allerhöchstens fünfzig Pfund schwer sein. Seine Augen liegen tief in ihren Höhlen und sind kaum sichtbar, und die Haut seiner Wangen hängt so schlaff und lang herab, daß er nur mit Mühe kauen und selbst Flüssigkeiten nur mit Anstrengung schlucken kann.

1. August. Das Wetter ist fortgesetzt ruhig, die Sonne brennt heiß. Wir litten quälenden Durst, denn das Wasser im Kruge war nun ganz in Fäulnis übergegangen und wimmelte von Maden. Dennoch schluckten wir ein paar Tropfen, die wir mit Wein vermischten, ohne daß wir unseren Durst stillen konnten. Etwas mehr Erleichterung gewährte uns das Baden in der See, doch konnten wir uns dasselbe nur in langen Zwischenräumen und mit großer Vorsicht gestatten, da beständig Haie in der Nähe waren.

Gegen Mittag verschied August unter heftigen Zuckungen, nachdem er schon seit Stunden kein Wort mehr gesprochen hatte. Sein Tod erfüllte uns mit den traurigsten Ahnungen, und wir waren so niedergeschlagen, daß wir den ganzen Tag über schweigend neben dem Leichnam sitzen blieben. Erst nach Anbruch der Nacht hatten wir den Mut, uns zu erheben und die Leiche über Bord zu werfen. Sie war in einem entsetzlichen Zustand und schon so weit in Fäulnis übergegangen, daß Peters, als er versuchte, sie aufzuheben, ein ganzes Bein in der Hand behielt. Als die zerfallende Masse an der Wand des Schiffes entlang in das Meer glitt, bemerkten wir bei dem phosphoreszierenden Schein, der von ihr ausging, sieben oder acht Haifische, deren Zähne, als sie die Beute untereinander teilten, ein unheimliches Knirschen hören ließen, das weithin vernehmbar war. Entsetzen durchfuhr uns bei diesem schaurigen Geräusch.

2. August. Gleiches Wetter; schreckhafte Stille; glühende Hitze. Der Morgen fand uns in bedauernswerter Niedergeschlagenheit und völliger physischer Erschöpfung. Das Wasser in dem Kruge war nur noch eine dicke, schleimige Masse, ein ekelhaftes Gemisch von Würmern und Schlamm. Wir schütteten es aus, und nachdem wir den Krug sorgfältig im Meere gereinigt hatten, leg-

ten wir die Reste der Schildkröte hinein. Unser Durst war inzwischen unerträglich geworden, und wir versuchten vergebens, ihn mit dem Wein zu löschen. Er berauschte uns nur. Wir wollten darauf unsere Qualen durch eine Mischung von Wein und Meerwasser lindern, der Genuß hatte aber derartige Übelkeiten im Gefolge, daß wir ihn nicht wiederholten. Den ganzen Tag über erwarteten wir mit Sehnsucht den Augenblick, in dem wir ein Bad nehmen konnten — doch vergebens. Unser Fahrzeug war rundherum von Haifischen buchstäblich belagert; es waren wohl dieselben Ungeheuer, welche unseren armen Kameraden am vergangenen Abend verschlungen hatten und nun jeden Augenblick ein neues, gleiches Mahl erwarteten. Bitterer Schmerz und beängstigende Ahnungen erfüllten uns bei ihrem Anblick. Das Bad hatte uns so unvergleichliche Erleichterung verschafft, daß der Gedanke, dieses kleinen Trostes auf so entsetzliche Art beraubt zu sein, unerträglich schien. Dabei schwebten wir beständig in Todesangst. Eine leichte Schwankung des Wracks konnte uns in den Bereich dieser gierigen Fische bringen. Weder Schreien noch Bewegungen unsererseits schienen sie abzuschrecken. Einer der größten, der von Peters einen Hieb mit der Axt erhalten hatte, ließ sich selbst dadurch nicht vertreiben, sondern verfolgte uns weiter. Eine Wolke zog am Horizont auf, ging aber zu unserer größten Enttäuschung vorüber, ohne sich zu entladen. Man kann sich einfach keine Vorstellung davon machen, welche Qualen uns der Durst verursachte; diese Martern und die Furcht vor den Haifischen ließen uns die ganze Nacht nicht schlafen.

3. August. Noch immer keine Aussicht auf Besserung! Wir beschäftigten uns damit, unseren Wein und die Überreste der Schildkröte in Sicherheit zu bringen, um sie nicht zu verlieren, falls das Wrack, das sich immer mehr auf die Seite legte, umschlug. Zwei starke Nägel trieben wir nicht weit vom Kiel in den Schiffsrumpf und befestigten daran den Proviant, der uns dort sicherer zu sein schien als an dem Ort, an dem wir ihn vorher untergebracht hatten. Im übrigen fortgesetzt quälender Durst. Keine Gelegenheit, uns zu baden, da uns die Haifische nicht einen Augenblick verlassen. Schlaf unmöglich.

4. August. Kurz vor Tagesanbruch bemerkten wir, daß das Fahrzeug den Kiel ganz nach oben drehte, und wir mußten sehr vorsichtig sein, um nicht durch die Bewegung fortgeschleudert zu werden. Zuerst ging die Umwälzung nur langsam, so daß wir ohne Mühe in die Höhe klettern konnten, besonders da wir den guten Gedanken gehabt hatten, Tauenden an den beiden Nägeln, die unsere Vorräte festhielten, hängen zu lassen. Aber wir hatten die Steigerung der Gewalt nicht berechnet; die Bewegung wurde zu heftig, und bevor wir noch Zeit hatten, herumzuklettern, fühlten

wir uns mit Ungestüm in das Meer geschleudert, wo wir ein paar Klafter tief untersanken, während der riesige Kiel gerade über uns stand.

Als ich ins Wasser tauchte, hatte ich mein Seil fahren lassen müssen. Ich befand mich vollständig unter dem Fahrzeug, und da meine Kräfte gänzlich erschöpft waren, machte ich kaum einen Versuch, mein Leben zu retten, und ergab mich schon in mein Schicksal. Aber ich hatte nicht an den natürlichen Gegenstoß der aufsteigenden Wasserwirbel gedacht, der durch die Umdrehung des Schiffes verursacht wurde; er riß mich noch schneller wieder in die Höhe, als ich hinuntergeschleudert worden war. Als ich wieder an die Oberfläche des Wassers kam, befand ich mich ungefähr zwanzig Ellen vom Wrack entfernt. Das Fahrzeug lag mit dem Kiel nach oben, schwankte wild hin und her, und das Meer rundherum war sehr bewegt und voll heftiger Strudel. Von Peters keine Spur. Ein Fäßchen mit Öl schwamm ein paar Schritte von mir entfernt, und verschiedene andere Gegenstände aus der Brigg lagen rings auf dem Wasser umher.

Am meisten ängstigten mich die Haifische, die, wie ich wußte, sich in meiner Nähe befanden. Um sie, wenn möglich, fernzuhalten, schlug ich heftig mit Händen und Füßen um mich, während ich mich dem Schiffskiel näherte, und hüllte mich dadurch in eine dichte Schaumwolke. Ich zweifle nicht, daß ich diesem einfachen Hilfsmittel allein meine Rettung verdanke; denn kurz bevor die Brigg umschlug, wimmelte das Meer rings derartig von diesen Ungeheuern, daß ich, während ich mich im Wasser befand, unbedingt mit ihnen in Berührung gekommen sein muß. Durch einen glücklichen Zufall erreichte ich also das Schiff, ohne Schaden zu nehmen; aber ich war durch die heftigen Anstrengungen so erschöpft, daß ich niemals hätte hinaufklimmen können, hätte mir Peters nicht willkommene Hilfe geboten. Er war von der anderen Seite bereits hinaufgeklettert und warf mir nun eines der Seile zu, die wir am Nagel befestigt hatten.

Kaum waren wir dieser Gefahr entronnen, als unsere Aufmerksamkeit auf eine neue, nicht weniger entsetzliche gelenkt wurde: wir mußten Hungers sterben. Alle unsere Vorräte waren fort, waren weggefegt trotz der Sorgfalt, mit der wir sie in Sicherheit gebracht hatten. Schlimm war auch, daß die Tücher und Decken verschwunden waren, mit denen wir bisher immer das Regenwasser aufgefangen hatten. Aber als wir uns nun ordentlich umsahen, fanden wir den ganzen unteren Teil des Schiffes mit einer dichten Lage großer Austern bedeckt, die uns eine vorzügliche, kräftige, reichliche Nahrung boten. So hatte sich also das Unglück doch noch zu unserem Besten gewandt. Wir hatten einen Vorrat entdeckt, der für länger als einen Monat ausreichte.

Doch ließ die Schwierigkeit, Wasser zu verschaffen, uns vorläufig diese Wohltat übersehen, die uns aus der Veränderung unserer Lage erwachsen war. Um den ersten kommenden Regen so gut wie möglich auszunutzen, zogen wir unsere Hemden aus, um uns ihrer wieder als Tücher zu bedienen, aber wir durften natürlich nicht erwarten, auf diese Weise im günstigsten Falle mehr als ein Achtel Maß auf einmal zu erhalten. Doch keine Wolke zeigte sich tagsüber am Himmel, und der Durst wurde immer quälender. Nachts schlief Peters eine Stunde lang sehr unruhig; mir selbst erlaubte die Heftigkeit meiner Qualen nicht, die Augen nur einen Augenblick lang zu schließen.

5. August. An diesem Tag erhob sich morgens eine angenehme Brise und trieb uns durch eine Menge Algen, zwischen denen wir glücklicherweise kleine Krabben entdeckten, die für mehrere köstliche Mahlzeiten ausreichten. Da die Schalen noch sehr zart waren, aßen wir sie ganz und bemerkten, daß sie unseren Durst viel weniger reizten als die Austern. Da wir keine Haifische mehr entdeckten, wagten wir es auch, uns zu baden, und blieben vier oder fünf Stunden im Wasser, während welcher Zeit wir eine bemerkenswerte Verminderung unseres Durstes verspürten. Nachdem wir uns so gestärkt hatten, konnten wir beide ein wenig schlafen und verbrachten die Nacht viel angenehmer als die vergangene.

6. August. Heute wurden wir von einem anhaltenden Regen erfreut, der von Mittag bis gegen Abend dauerte. Da beklagten wir bitter den Verlust des Kruges und der Korbflasche, denn, trotz der Unzulänglichkeit unserer gegenwärtigen Mittel, hätten wir doch mit Leichtigkeit eins von ihnen, wenn nicht beide, füllen können. Doch konnten wir wenigstens unseren Durst stillen, indem wir unsere Hemden vollständig naß werden ließen und dann die Flüssigkeit in unseren Mund ausspreßten. Der ganze Tag verging unter dieser Beschäftigung.

7. August. Gerade bei Anbruch des Tages bemerkten wir beide im selben Augenblick ein Segel im Osten, das direkt auf uns zuhielt. Wir begrüßten die Erscheinung mit einem ekstatischen Schrei und begannen sogleich alle nur möglichen Signale zu geben, winkten mit unseren Hemden, sprangen so hoch, wie es unsere Schwäche zuließ, und schrien mit der ganzen Kraft unserer Lungen, obwohl das Fahrzeug mindestens noch fünfzehn Meilen entfernt war. Doch näherte es sich uns immer mehr, und wir waren überzeugt, daß es, wenn es die Richtung beibehielt, uns unfehlbar bemerken müsse. Eine Stunde nachdem wir es entdeckt hatten, konnten wir mit Leichtigkeit die Menschen auf Deck erkennen. Es war ein langer, niedriger Schoner mit stark nach hinten geneigtem Mastwerk und schien eine zahlreiche Mannschaft mit sich zu führen. Wir standen Todesängste aus, denn wenn wir auch nicht

annehmen konnten, daß sie uns nicht bemerkten, so fürchteten wir doch, daß sie uns unserem Schicksal überlassen würden – was ja, so barbarisch roh es ist, auf dem Meere zuweilen vorkommt. Doch erbarmte man sich unser. Wir bemerkten plötzlich eine Bewegung auf dem fremden Fahrzeug; man zog die englische Flagge auf und steuerte direkt auf uns zu. Eine halbe Stunde später waren wir wohlbehalten in der Kajüte des Schoners ›Jane Guy‹ aus Liverpool, der Robben und anderes Seetier jagen und in dem Südmeer und dem Stillen Ozean Tauschhandel treiben wollte.

KAPITEL XIV

Auf der ›Jane Guy‹

Der Schoner war ein schönes Schiff von hundertachtzig Tonnen und einer Bemannung von fünfunddreißig Köpfen. Guy, der Kapitän und zugleich Miteigentümer, war ein Mann von guten Manieren und mit den Handelslinien des Südmeeres, auf dem er den größten Teil seines Lebens verbracht, genau bekannt.

Der Schoner war am 10. Juli aus Liverpool abgefahren, hatte am 29. Kap Verde erreicht und war dann gen Südwesten gesegelt. Am Tag, da man uns aufnahm, befand man sich in der Höhe des Kap St. Roque auf dem 31. westlichen Längengrade, so daß wir also ungefähr 25 Grade von Norden nach Süden getrieben worden waren.

An Bord wurden wir übrigens mit all der Freundlichkeit und dem Mitleid behandelt, das unser beklagenswerter Zustand erwecken mußte. Im Laufe von vierzehn Tagen, während wir bei günstigem Winde und dem schönsten Wetter noch immer in südwestlicher Richtung steuerten, erholten wir uns vollständig von den Entbehrungen und schrecklichen Leiden; und bald erschien uns die ganze Vergangenheit nur wie ein entsetzlicher Traum, aus dem uns das Erwachen glücklich wieder herausgerissen. Ich habe seitdem oft Gelegenheit gehabt, zu beobachten, daß diese Art Vergessen stets durch eine *plötzliche* Umwandlung der Freude in Leid oder des Leides in Freude herbeigeführt wird – daß die Kraft und Schnelligkeit des Vergessens zu der Größe des Kontrastes immer im Verhältnis steht. So war es mir oft ganz unmöglich, mir all das Elend noch einmal vorzustellen, das ich in den letzten Tagen auf unserem Schiff erduldet hatte. Man erinnert sich der einzelnen

Vorfälle wohl noch ganz deutlich, aber man hat nicht mehr dieselben Empfindungen, die jene Ereignisse damals in uns hervorriefen. Alles, was ich noch weiß, ist, daß ich während der ganzen Zeit, da jene Ereignisse vor sich gingen, immer überzeugt war, eine noch größere Qual könne die menschliche Natur nicht ertragen.

Während einiger Wochen setzten wir unsere Reise ohne einen wichtigeren Zwischenfall fort; wir trafen nur von Zeit zu Zeit Walfischfänger und sehr häufig schwarze Walfische.

Am 16. September, als wir in der Nähe des Kaps der Guten Hoffnung waren, hatte der Schoner den ersten heftigen Sturm seit seiner Abreise von Liverpool zu überstehen.

Am 13. Oktober bekamen wir unter dem 46° 53′ südlicher Breite und dem 37° 46′ östlicher Länge die Prinz Eduards-Inseln in Sicht. Und am 18. die Insel Kerguelen, genannt die ›Insel der Trostlosigkeit‹, im Südosten des Kaps der Guten Hoffnung, wo wir in Christmas-Harbour vor Anker gingen.

Noch am Morgen unserer Ankunft ließ der Steuermann die Boote klarmachen, um auf die Suche nach Robben zu gehen (obwohl die Jahreszeit noch nicht genügend vorgeschritten war). Den Kapitän und einen jungen Verwandten von ihm setzte man dann an einem Punkte der Küste ab, da die beiden im Innern der Insel etwas zu besorgen hatten. Sie nahmen eine Flasche mit sich, in der sich ein versiegelter Brief befand, und gingen in der Richtung des höchsten Berggipfels des Landes fort. Jedenfalls hatten sie die Absicht, einen Brief auf dieser Höhe für ein anderes Schiff niederzulegen, das nach ihnen an der Insel landen würde. Sobald wir sie aus den Augen verloren hatten (denn Peters und ich waren im Boote des Steuermanns) begannen wir die Küste entlang zu fahren. Wir brachten ungefähr drei Wochen damit zu, suchten mit sorgfältiger Genauigkeit jeden Winkel ab, nicht nur auf Kerguelen, sondern auch auf allen umliegenden Inselchen. Doch wurden unsere Bemühungen von keinem bemerkenswerten Erfolge gekrönt. Wir sahen viele Pelzrobben, aber sie waren außerordentlich mißtrauisch, und trotz aller Mühe, die wir uns gaben, konnten wir uns doch nicht mehr als dreihundertfünfzig Felle verschaffen. Die Trompeten-Robben, auch die See-Elefanten genannt, waren sehr zahlreich auf der östlichen Küste der Insel vertreten, aber wir töteten nur einige zwanzig und auch die nur mit größter Schwierigkeit. Auf den kleinen Inseln sahen wir eine große Menge Robben mit rauhen Borsten, aber wir ließen sie in Ruhe. Am 11. November kamen wir an Bord des Schoners zurück, wo wir den Kapitän Guy und seinen Neffen wiederfanden, die gar unerfreuliche Mitteilungen über das Innere des Landes machten und es als eine der unwirtlichsten, unfruchtbarsten Gegenden der Erde hinstellten.

Am 12. verließen wir Christmas-Harbour und nahmen unsere

westliche Route wieder auf. Wir kamen an den Prinz Eduards-Inseln vorbei, die wir links liegen ließen. Dann steuerten wir mehr nach Norden und erreichten in vierzehn Tagen die Tristan d'Acunha-Inseln, die auf dem 37° 8' südlicher Breite und dem 12° 8' westlicher Länge liegen. Wir konnten uns mit Leichtigkeit neu verproviantieren – denn es gab in der dortigen Kolonie Schafe, Schweine, Ochsen, Kaninchen, Geflügel, Ziegen, Getränke verschiedener Art und Gemüse in Hülle und Fülle. Ganz in der Nähe der größten Insel bei achtzehn Klafter Tiefe gingen wir vor Anker und brachten bequem alles, was wir brauchten, an Bord. Der Kapitän Guy kaufte auch fünfhundert Robbenfelle. Wir blieben ungefähr eine Woche lang, während welcher Zeit immer Nordwestwind wehte und das Wetter ziemlich nebelig war. Am 5. Dezember gingen wir weiter nach Süden.

Der Kapitän hatte ursprünglich die Absicht gehabt, die Meerenge von Magellan zu passieren und an der westlichen Küste von Patagonien entlang zu steuern. Aber eine Auskunft, die man ihm auf Tristan d'Acunha gegeben, bestimmte ihn dazu, die südliche Richtung einzuschlagen, in der Hoffnung, einige kleine Inseln zu entdecken, von denen man ihm gesagt hatte, daß sie auf dem 60° südlicher Breite und dem 40° 20' westlicher Länge liegen müßten. Falls er diese nicht auffinden sollte, beabsichtigte er, wenn die Witterung es eben erlaubte, nach dem Pol hin zu steuern. Wir befanden uns also am 12. Dezember in dieser Richtung. Am 18. hatten wir die Stelle erreicht, die man uns angegeben hatte, und kreuzten nun drei Tage in der Umgegend umher ohne eine Spur von den fraglichen Inseln zu finden. Am 21., als das Wetter besonders schön war, wandten wir uns wieder nach Süden, in der Absicht, diesen Weg so weit wie möglich fortzusetzen. Man hatte damals schon viele Versuche gemacht, um zum Südpol vorzudringen. Immerhin blieben zu der Zeit, da die ›Jane Guy‹ ihre Fahrt antrat, noch ungefähr 300 Längengrade, auf denen man noch nicht über den Polarkreis hinausgekommen war. So öffnete sich vor uns also noch die mannigfachste Entdeckungsmöglichkeit. Und der Entschluß des Kapitäns Guy, kühn dem Süden entgegenzusteuern, erfüllte mich denn auch mit erwartungsseliger, brennender Neugier.

KAPITEL XV

Dem Südpol zu

Vier Tage lang segelten wir dem Süden zu, ohne auf Eisberge zu stoßen. Am 26. mittags hatten wir den 63° 23′ südlicher Breite bei 41° 25′ westlicher Länge erreicht, als wir einige Eisinseln und einen nicht allzu großen Eisberg bemerkten. Der Wind trieb fast immer nach Südosten, war aber ganz schwach. Hatten wir einmal Westwind, so war er stets von Regenschauern begleitet. Täglich mehr oder weniger Schnee. Das Thermometer zeigte am 27. 35 Grad Fahrenheit.

1. Januar 1828. An diesem Tag waren wir vollständig von Eis umgeben, und unsere Aussichten gestalteten sich gar trübe. Ein starker Sturm wehte aus Nordost den ganzen Morgen lang und trieb gegen das Steuer und den hinteren Teil des Schiffes dicke Eisschollen mit so großer Heftigkeit, daß wir alle für die Folgen fürchteten. Gegen Abend noch tobte der Sturm mit Wut; aber eine mächtige Eisscholle vor uns teilte sich plötzlich, und wir konnten endlich mit vollen Segeln durch die kleineren Schollen hindurchdringen, bis wir das freie Meer erreicht hatten. Als wir uns ihm näherten, ließen wir die Segel langsam nach, und als wir endlich die Gefahr im Rücken hatten, legten wir mit einem einzigen Segel bei.

2. Januar. Das Wetter war ziemlich günstig. Mittags befanden wir uns auf dem 69° 10′ südlicher Breite und dem 42° 20′ westlicher Länge, nachdem wir den Polarkreis schon überschritten hatten. Im Süden bemerkten wir nur wenig Eis, obwohl hinter uns weite Eisfelder lagen. Wir stellten uns eine Art Sonde aus einem eisernen Topf her, der zwanzig Gallonen hielt und an einer Meßschnur von zweihundert Klaftern Länge befestigt war. Wir fanden eine Strömung, die uns mit einer Geschwindigkeit von einer Viertelmeile in der Stunde nach Süden trieb. Die Temperatur der Luft betrug ungefähr 33°. Die Abweichung der Magnetnadel 14° 28′ nach Westen.

5. Januar. Wir sind noch immer weiter nach Süden vorgedrungen, ohne großen Schwierigkeiten zu begegnen. Heute morgen jedoch, als wir uns auf dem 73° 15′ südlicher Breite bei 42° 10′ westlicher Länge befanden, hatten wir einen neuen Aufenthalt durch ein ungeheures Eisfeld, das sich vor uns erstreckte. Nichtsdestoweniger sahen wir dahinter das offene Meer und zweifelten keinen Augenblick, daß wir es erreichen würden. Wir steuerten

nach Osten, fuhren an dem Eisfelde vorbei und fanden endlich einen Durchgang, der ungefähr eine Meile breit war, und durch den wir uns so gut wie möglich eine freie Bahn suchten. Das Meer, in das wir dann gelangten, war wohl reich an kleinen Eisinseln, hatte aber keine bedeutenden Eisberge – und so drangen wir mutig immer weiter vor. Die Kälte schien nicht zuzunehmen, obwohl wir häufig Schneefälle hatten und von Zeit zu Zeit Hagelschauer von größter Heftigkeit. Unabsehbare Albatrosschwärme flogen über uns von Südosten nach Nordwesten.

7. Januar. Das Meer ist noch immer fast frei und offen, so daß wir unsere Fahrt ungehindert fortsetzen können. Im Westen sahen wir einige Eisberge von riesiger Größe, und nachmittags kamen wir in die unmittelbare Nähe einer solchen Masse, deren Gipfel sich sicher vierhundert Klafter über dem Meeresspiegel erhob. Auf ihrer Basis hatte sie wohl dreiviertel Meile im Umfang, und aus einigen Spalten in der Seite flossen kleine Wasserbäche. Zwei Tage lang konnten wir diesen Koloß noch erblicken; dann verlor er sich im Nebel.

10. Januar. Am frühen Morgen hatten wir das Unglück, einen Mann zu verlieren. Er glitt mit einem Fuß aus, stürzte über Bord und fiel zwischen zwei Eisschollen, um nie mehr zum Vorschein zu kommen. Mittags befanden wir uns auf dem 78° 30′ südlicher Breite bei 40° 15′ westlicher Länge. Die Kälte war nun sehr empfindlich geworden, und fortwährend gingen Hagelschauer aus Nordosten nieder. In dieser Richtung bemerkten wir auch wieder einige mächtige Eisberge, und der ganze Horizont im Osten war durch eine Eisregion abgegrenzt, die amphitheatralisch aufstieg. Abends begegneten wir einigen Holzblöcken, welche im Wasser trieben und auf welchen sich ein Schwarm von Vögeln niedergelassen hatte. Die Schwankung der Magnetnadel war nun weniger beträchtlich als vorher, nachdem wir den Polarkreis überschritten hatten.

12. Januar. Unsere Fahrt nach Süden ist von neuem sehr zweifelhaft geworden; denn in der Richtung des Pols können wir nichts als eine Eisfläche entdecken, deren Grenzen, wie es scheint, unabsehbar sind, und die sich an ein ungeheures Eisgebirge schließt, dessen einzelne Gipfel zwischeneinander furchtbare Abgründe bergen. Wir sind bis zum 14. nach Westen gesteuert, in der Hoffnung, einen Durchgang zu finden.

14. Januar. Am Morgen des 14. erreichten wir das westliche Ende der Eisfläche, die uns den Weg abschnitt; und nachdem wir an ihren Küsten entlanggefahren waren, kamen wir wieder ins offene Meer, in dem sich kein Stück Eis mehr befand. Wir ließen wieder unsere Meßlinie ins Wasser und fanden einen Strom, der nach Süden mit einer Schnelligkeit von einer halben Meile in der

Stunde trieb. Die Temperatur der Luft betrug 47°, die des Wassers 34°. Wir segelten weiter nach Süden, ohne noch auf ein weiteres Hindernis zu stoßen, bis zum 16. Januar. Am Mittag dieses Tages hatten wir den 81° 21′ südlicher Breite bei 42° westlicher Länge erreicht. Noch einmal untersuchten wir mit der Meßlinie und fanden, daß die Strömung nun mit einer Schnelligkeit von dreiviertel Meile in der Stunde nach Süden trieb. Die Schwankung der Magnetnadel hatte sich noch immer verringert, und die Temperatur war mild und angenehm; das Thermometer war schon auf 51° gestiegen. Dabei entdeckten wir auch nicht eine einzige Eisscholle. Niemand an Bord bezweifelte noch, daß wir den Pol erreichen würden.

17. Januar. Dieser Tag war reich an Ereignissen. Unzählige Schwärme von Vögeln flogen über unsern Häuptern in südlicher Richtung dahin; wir schossen einige herunter. Einer von ihnen, eine Art Pelikan, gab eine vorzügliche Mahlzeit. Gegen Mittag des Tages meldete die Wache aus dem Mastkorb eine kleine Eisinsel in Sicht und auf derselben ein großes Tier. Da das Wetter ruhig und schön war, befahl der Kapitän Guy, zwei Boote zu nehmen und nachzusehen, was dies sein könnte. Dirk Peters und ich begleiteten den Steuermann auf dem größeren der beiden Boote. Als wir an der Eisscholle angelangt waren, sahen wir, daß ein so riesig großer Bär auf derselben lag, wie wir ihn noch nie gesehen hatten. Da wir gut bewaffnet waren, zögerten wir keinen Augenblick, ihn anzugreifen. Mehrere Schüsse wurden abgegeben, die das Tier denn auch am Kopf und Rumpf trafen. Doch schien dies den Bären weiter nicht zu berühren; er verließ nur seine Scholle und schwamm mit weitgeöffnetem Rachen auf das Boot zu, in dem Peters und ich sich befanden. In der Verwirrung, die sich unser bei dem plötzlichen Angriff des Bären bemächtigte, hatte niemand beim zweiten Schusse sicher gezielt, und es gelang dem Bären, seinen gewaltigen Körper halb über den Schiffsrand zu schieben und einen unserer Männer bei den Rippen zu packen, bevor man ihn zurückstieß. Aus dieser Gefahr wurden wir nur durch die Gewandtheit und Geistesgegenwart Peters befreit. Dieser sprang der gewaltigen Bestie auf den Rücken und stieß ihr sein Messer bis ans Heft in den Hals und traf gleich auf den ersten Stoß das Genick. Das Tier fiel tot zurück ins Meer, ohne noch die geringste Anstrengung zu machen, zog jedoch Peters mit sich in die Tiefe. Er kam bald wieder an die Oberfläche; man warf ihm ein Seil zu, und bevor er das Boot wieder bestieg, befestigte er auch den Körper des getöteten Tieres an demselben. Wir kehrten im Triumph zum Schoner zurück, während wir unsere Trophäe hinter uns herschleppten. Der Bär war fünfzehn Fuß lang; sein Fell war von tadelloser Weiße und dicht gelockt. Seine Augen waren blutrot

und größer als die der gewöhnlichen Eisbären, die Schnauze runder und fast der einer Bulldogge ähnlich. Das Fleisch war zart, aber sehr ranzig und roch nach Fisch; dennoch machte sich unsere Mannschaft gierig darüber her und erklärte es für eine ausgezeichnete Kost.

Kaum hatten wir unseren Fang an Bord untergebracht, als der Wächter den freudigen Ruf: Land! ertönen ließ. Alle Mann standen nun natürlich voll Erwartung, und da sich glücklicherweise ein Nordostwind erhoben hatte, erreichten wir bald die Küste. Es war ein flaches, felsiges Eiland von ungefähr einer Meile Umkreis, jeder Vegetation bar, einen kleinen Dornstrauch ausgenommen. Wir näherten uns von Norden und bemerkten einen eigentümlichen Felsen, der die Form eines verschnürten Baumwollballens hatte. An der westlichen Küste fanden wir eine kleine Bucht, in der wir landen konnten.

Wir bedurften keiner langen Zeit, um die Insel zu durchsuchen, und mit einer einzigen kleinen Ausnahme fanden wir nichts, was der Bemerkung wert wäre. Am südlichen Ende, ganz nahe am Ufer, entdeckten wir, in einem Haufen Steine halb vergraben, ein Stück Holz, das einem Schiff als Schnabel gedient zu haben schien. Es war anscheinend der Versuch einer Skulptur, und der Kapitän Guy glaubte einen Schildkrötenkopf darin erkennen zu können, aber ich muß gestehen, daß ich eine derartige Ähnlichkeit nur schwer herauszufinden vermochte. Außer diesem Schiffsschnabel fanden wir keine Anzeichen, die auf menschliche Wesen schließen ließen. In der Umgebung der Insel erblickten wir hie und da Eisschollen, aber nur in sehr geringer Anzahl. Die genaue Lage der Insel, der Kapitän Guy den Namen Bennets-Eiland gegeben hatte, zu Ehren des Miteigentümers seines Schoners, befand sich auf dem 82° 50′ südlicher Breite und dem 42° 20′ westlicher Länge.

Wir waren also um acht Grad weiter nach Süden vorgedrungen als alle früheren Seefahrer, und das Meer lag noch immer offen und vollkommen frei vor uns. Wir bemerkten auch, daß jegliche Veränderung des Wasserspiegels aufhörte, je weiter wir kamen, und daß die Temperatur der Luft und besonders die des Wassers immer milder wurde. Das Wetter war angenehm; es wehte ein sanfter, aber beständiger Wind aus Norden. Der Himmel war fast immer klar; von Zeit zu Zeit erschienen leichte, feuchte Nebel am südlichen Horizont; aber sie waren stets von kurzer Dauer. Nur zwei Schwierigkeiten waren zu überwinden: wir hatten wenig Proviant, und es zeigten sich schon einige Symptome von Skorbut bei verschiedenen Leuten der Mannschaft. Diese Umstände gaben Kapitän Guy sehr zu denken, und er sprach schon oft davon, umzukehren. Ich, meinerseits überzeugt, daß wir bald auf Land stoßen mußten, wenn wir den Weg fortsetzten, und daß wir dort nicht den unfruchtbaren Boden der Polargegenden finden würden, bestand eifrig ihm gegenüber auf der Notwendigkeit, wenigstens noch einige Tage in der Richtung, welche wir bisher verfolgt, auszuhalten. Eine so günstige Gelegenheit, das große Problem der Beschaffenheit der Polgegenden zu lösen, hatte sich bisher noch keinem Menschen geboten, und ich gestehe, daß ich wütend alle schüchternen, kleinen Bedenken und Einwände unseres Befehlshabers zu widerlegen suchte. Ich glaube bestimmt, daß meine eindringlichen Vorstellungen ihn denn auch dazu bewogen, doch noch weiter vorzudringen, ebenso wie ich die traurigen und blutigen Folgen bitter beklage, die mein Rat nach sich zog. Und doch kann ich mich beglückwünschen, bis zu einem gewissen Punkte Anlaß zu einer Entdeckung gegeben, gewissermaßen dazu beigetragen zu haben, daß der Wissenschaft die Augen geöffnet wurden über eine der interessantesten Fragen, welche je ihre Aufmerksamkeit fesselten.

KAPITEL XVI

Neue Menschen

18. Januar. An diesem Morgen* nahmen wir unsere Fahrt nach dem Süden bei ebenso schönem Wetter wie während der vergangenen Tage wieder auf. Das Meer war vollständig glatt, der Nordostwind ziemlich warm, und die Temperatur betrug 53°. Noch einmal maßen wir die Tiefe mit einer Leine von diesmal 150 Klaftern und fanden, daß die Strömung jetzt eine Schnelligkeit von einer Meile in der Stunde hatte. Die beständige Richtung des Windes und des Stromes nach Süden erregte doch Aufsehen und Nachdenken unter der Mannschaft des Schoners, und selbst Kapitän Guy wurde bedenklich. Aber glücklicherweise war er energisch und mutig, und es gelang mir schließlich, ihn von seiner Abneigung, weiter zu forschen, zu bekehren.

Im Laufe des Tages sahen wir einige Walfische, und unzählige

** Der Ausdrücke Morgen und Abend bediene ich mich nur, um in meine Erzählung Klarheit zu bringen, sie dürfen also nicht in ihrem gewöhnlichen Sinne genommen werden. Schon seit langem kannten wir keine Nacht mehr und hatten immer Tageslicht. Ebenso möchte ich hier auch noch bemerken, daß ich in meinem Berichte nicht allzuviel Sorgfalt auf die Genauigkeit der Daten oder der Breiten- und Längengrade gelegt habe. Ich fing erst lange nach der Zeit, die ich bis jetzt behandelt habe, an, ein regelmäßiges Tagebuch zu führen. In vielen Fällen habe ich mich infolgedessen nur auf mein Gedächtnis verlassen.* E. A. P.

Scharen von Albatrossen flogen wieder an uns vorbei. Wir fischten auch eine Art Strauch mit roten Beeren und den Leichnam eines Tieres, das anscheinend vom Festlande kam und gar sonderbar aussah. Es war drei Fuß lang bei nur sechs Zoll Höhe, mit vier sehr kurzen Beinen, deren Füße mit langen, leuchtend roten Krallen bewaffnet waren, die der Koralle sehr ähnelten. Der Körper war mit seidenweichem, glattem, ganz weißem Fell bedeckt. Der Schwanz war dünn wie der einer Ratte und fast anderthalb Fuß lang. Der Kopf glich dem der Katze sehr, hatte aber lange, hängende Ohren wie ein Hund. Die Zähne waren von demselben lebhaften Rot wie die Krallen.

19. Januar. Wir befanden uns an diesem Tage auf dem 83° 20′ südlicher Breite bei 43° 5′ westlicher Länge, als die Mastwache zum zweiten Male Land anzeigte, das sich bei genauerer Betrachtung als eine Gruppe großer Inseln herausstellte. Die Küste war abschüssig, und das Innere schien zu unserer Freude mit Wald wohl bestanden zu sein. Ungefähr vier Stunden später warfen wir bei zehn Faden Tiefe eine Meile von der Küste entfernt auf Sandboden Anker, da der starke, hin und wieder von Strudeln unterbrochene Wellenschaum eine weitere Annäherung gefährlich erscheinen ließ. Wir ließen die zwei größten Boote herab, und ein wohlbewaffneter Trupp, unter dem sich auch Peters und ich befanden, wurde bestimmt, in den Felsenriffen, welche die Insel wie ein Gürtel umgaben, eine Einfahrt zu suchen. Nach einiger Zeit entdeckten wir auch einen Durchgang und erblickten, als wir in ihn hineinfuhren, vier große, mit scharf bewaffneten Menschen besetzte Kähne, die gerade vom Lande abstießen. Wir ließen sie herankommen, und da sie sich mit großer Schnelligkeit vorwärtsbewegten, waren sie bald in Rufweite. Kapitän Guy steckte nun ein an einem Ruder befestiges weißes Taschentuch auf, worauf die Wilden mit ihren Kähnen plötzlich stille hielten, laut untereinander zu schwätzen begannen und gelegentlich laute Rufe ausstießen, unter denen wir die Worte Anamoo-moo! und Lama-Lama! zu verstehen glaubten. Dies dauerte ungefähr eine halbe Stunde lang, während der wir sie genau ins Auge fassen konnten.

In den vier Kähnen, die vielleicht fünfzig Fuß lang und fünf Fuß breit waren, befanden sich im ganzen etwa hundert Wilde. Sie hatten die gewöhnliche Größe der Europäer, doch waren sie im allgemeinen muskulöser und fleischiger, von gagatschwarzer Farbe und trugen langes schwarzes, wolliges Haar. Ihre Kleidung war aus dem zottigen, seidenweichen Fell eines uns unbekannten schwarzen Tieres mit einigem Geschick so verfertigt, daß es ziemlich dicht am Körper anlag, die Haare nach innen gekehrt, außer am Hals, an den Hand- und Fußgelenken, wo man sie als Verzierung nach außen gewandt. Ihre Waffen bestanden zum großen

Teil in Keulen aus schwarzem, anscheinend sehr schwerem Holze. Doch bemerkten wir auch einige Speere mit Spitzen aus Kiesel und ein paar Schlingen. Auf dem Boden der Kähne lagen schwarze, eigroße Steine.

Als sie mit ihrer Ansprache fertig waren (ohne Zweifel sollte ihr fürchterliches Geschwätz eine solche bedeuten), erhob sich einer von ihnen, anscheinend war es der Häuptling, und forderte uns durch Zeichen auf, mit unseren Booten heranzukommen. Wir taten jedoch, als verständen wir ihn nicht, denn da sie uns an Anzahl viermal überlegen waren, hielten wir es für besser, die Entfernung zwischen uns und ihnen bestehen zu lassen. Hierauf befahl der Häuptling dreien der Kähne zurückzubleiben und kam mit dem seinigen auf uns zu. Er sprang sofort in unser größtes Boot, setzte sich an der Seite des Kapitäns Guy nieder, wies auf unser Schiff und wiederholte dabei immer die Worte Anamoo-moo! und Lama-Lama! Wir ruderten zu unserem Schoner zurück, die vier Kähne folgten in einiger Entfernung.

Als wir an der Längsseite des Schiffes angekommen waren, äußerte der Häuptling eine ungeheure Überraschung und Freude, indem er in die Hände klatschte, sich abwechselnd auf die Schenkel und Brust klopfte und in ein schallendes Gelächter ausbrach. Sein Gefolge stimmte in seine Heiterkeit ein, und einige Minuten lang herrschte ein Gebrüll, daß uns das Trommelfell zu springen drohte. Als es endlich ein wenig ruhiger geworden war, befahl Kapitän Guy, der Vorsicht halber die Boote wieder aufzuziehen, und gab dem Häuptling (der, wie wir bald entdeckten, den Namen Too-wit führte) zu verstehen, daß höchstens zwanzig seiner Leute auf einmal an Deck kommen dürften. Too-wit schien mit diesem Arrangement wohlzufrieden, er machte seinen Kähnen ein Zeichen, worauf sich einer näherte und die drei anderen etwa fünfzig Ellen weit zurückblieben. Zwanzig der Wilden kamen also an Bord, spazierten überall herum, kletterten hier und da einmal im Tauwerk hinauf, benahmen sich vollständig, als seien sie zu Hause, und beguckten alle Gegenstände mit außerordentlicher Neugierde.

Augenscheinlich hatten sie noch nie einen Menschen von der weißen Rasse gesehen und empfanden vor unserer weißen Hautfarbe einen sonderbaren Abscheu. Die ›Jane Guy‹ hielten sie für ein lebendes Wesen, und um sie nicht zu verletzen, trugen sie die Spitzen ihrer Lanzen sorgfältig nach oben. Too-wits Betragen amüsierte die Mannschaft ganz besonders. Er kam nämlich dazu, wie der Koch in der Nähe der Küche Holz zerkleinerte und durch einen Zufall seine Axt tief in das Deck einhieb, so daß ein beträchtlicher Spalt entstand. Sofort lief er herzu, stieß den Koch ziemlich grob weg und seufzte, ja, schrie fast auf, um sein Mitleid mit den Schmerzen des Schiffes lebhaft zu äußern, dann streichelte und tätschelte er die Wunde und begann sie mit einem Eimer Wasser, der in der Nähe stand, auszuwaschen. Auf diesen Grad von Unwissenheit waren wir nicht vorbereitet, und unwillkürlich stieg mir ein Zweifel an ihrer Echtheit auf.

Als unsere Besucher das Tauwerk und das Deck genügend bestaunt hatten, wurden sie nach unten geführt, und hier überstieg ihre Verwunderung alle Grenzen. Sie schien zu groß zu sein, um sich in Worten Luft machen zu können, denn sie blickten stumm umher, nur hin und wieder unterbrach ein leiser Ausruf das Schweigen. Über unsere Waffen stellten sie zahllose Vermutungen auf, und es wurde ihnen gestattet, sie mit Muße zu betrachten. Ich glaube, sie hatten nicht die geringste Ahnung, welchem Zwecke sie eigentlich dienten, und hielten sie eher für Heiligtümer, da sie bemerkten, mit welcher Sorgfalt und Aufmerksamkeit wir sie während der Handhabung derselben beobachteten. Die großen Kanonen vergrößerten ihr Erstaunen noch. Sie näherten sich denselben mit allen Zeichen angstvoller Ehrfurcht und wollten sie nicht genauer betrachten. In der Kajüte befanden sich zwei große Spiegel, und vor diesen erreichte ihre Verwunderung den Höhepunkt. Too-wit war der erste, der sich ihnen näherte. Er war bis in die Mitte der Kajüte gekommen und hatte den einen gerade vor sich, den anderen gerade hinter sich, ehe er sie genauer bemerkte. Als er nun seine Augen erhob und sein Ich im Spiegel sah, dachte ich, er würde auf der Stelle wahnsinnig werden – als er sich dann jedoch pfeilgeschwind umdrehte, um zu entfliehen, und sich zum zweiten Male sich entgegenkommen sah, fürchtete ich, er würde im Augenblick vom Schlage gerührt. Nichts konnte ihn bewegen, sich die Sache genauer anzusehen, er warf sich auf den Boden nieder, verbarg sein Gesicht in den Händen und blieb so lange liegen, bis wir ihn auf Deck hinauftrugen.

So kamen nacheinander alle Wilden, immer je zwanzig, an Bord. Too-wit durfte die ganze Zeit über dableiben. Wir bemerkten keine Neigung zum Stehlen an ihnen und vermißten, nachdem sie uns verlassen, auch nicht das geringste. Sie hatten sich während der ganzen Zeit ihres Besuches sehr freundschaftlich benommen, doch konnten wir uns einige Züge ihres Betragens durchaus nicht erklären; so waren sie zum Beispiel nicht zu bewegen gewesen, sich verschiedenen harmlosen Gegenständen, wie den Segeln des Schiffes, einem Ei, einem offenen Buch, einer Mehltube, zu nähern. Wir versuchten, zu erforschen, ob sie vielleicht Gegenstände besäßen, die zum Tauschhandel geeignet wären, konnten uns jedoch nur schwer verständlich machen. Doch brachten wir zu unserem größten Erstaunen in Erfahrung, daß die große Galapagos-Schildkröte auf ihren Inseln reichlich vorkomme, und bemerkten auch eine im Kahne ihres Häuptlings Too-wit. Einer der Wilden hielt ein Stück von einer ›biche de mer‹ — Molluske der indischen Gewässer, im konservierten Zustande ein namentlich für China sehr gesuchter Handelsartikel — in Händen und verspeiste es im Naturzustande mit größtem Appetit.

Diese Anomalien (in Anbetracht des Breitengrades mußten wir solche Vorkommnisse wenigstens dafür halten) erregten in Kapitän Guy den Wunsch, eine Erforschung des Landes vorzunehmen, in der Hoffnung, vielleicht Gelegenheit zu nutzbringenden Spekulationen zu finden. So gern ich persönlich auch diese Inseln näher kennengelernt hätte, so sehr brannte ich darauf, unsere Reise ohne Aufschub weiter nach dem Süden fortzusetzen. Wir hatten augenblicklich schönes Wetter, doch wer konnte wissen, wie lange es anhielt; und da wir vollständig offene See vor uns hatten, ein Strom überdies stark nach Süden trieb und der Wind gut war, konnte ich den Vorschlag, länger hier zu verweilen, als zur Gesundheit der Mannschaft und zum Einnehmen neuer Feuerung und neuer Lebensmittel unbedingt nötig war, nicht ohne Ungeduld anhören. Ich schlug dem Kapitän vor, die Inseln erst bei unserer Rückkehr zu besuchen, und im Falle uns der Weg durchs Eis versperrt sei, auf ihnen zu überwintern. Er ging schließlich auf meinen Plan ein, denn durch irgendeinen, mir selbst unbekannten Umstand hatte ich einen großen Einfluß auf ihn gewonnen, und es wurde endlich beschlossen, selbst wenn wir die ›biche de mer‹ im Überfluß vorfänden, nur eine Woche zu verweilen, um dann, solange es möglich war, weiter nach Süden vorzudringen. Wir machten also die zum Landen nötigen Vorbereitungen und brachten unter der Leitung Too-wits die ›Jane Guy‹ durch die Riffe in Sicherheit, indem wir ungefähr eine Meile vom Ufer in einer auf allen Seiten von Land umgebenen Bucht an der südöstlichen Küste der Hauptinsel bei zehn Faden Tiefe auf einem tiefschwarzen Sandboden Anker warfen. Man bedeutete uns, daß am Ende der Bucht drei Quellen mit ausgezeichnetem Wasser sprudelten; Holz erblickten wir ringsum im Überfluß. Die vier Kähne folgten uns in die Bucht, hielten sich jedoch immer in respektvoller Entfernung. Too-wit selbst blieb an Bord und lud uns, nachdem wir Anker geworfen, ein, ihn ans Land zu begleiten und sein Dorf in Augenschein zu nehmen. Kapitän Guy willigte ein; zehn Wilde blieben als Geiseln an Bord zurück; eine Abordnung von zwölf Männern begleitete den Häuptling. Ohne Mißtrauen zu verraten, bewaffneten wir uns reichlich. Auf dem zurückbleibenden Schiffe wurden die Kanonen bereit gemacht, die Verschanzungen errichtet und jede Vorsichtsmaßregel, einer Überraschung vorzubeugen, angewandt; der Steuermann erhielt den Befehl, während unserer Abwesenheit niemanden an Bord aufzunehmen, und falls wir in zwölf Stunden nicht zurück seien, die Schaluppe mit dem großen Mörser auf die Suche nach uns zu schicken.

Bei jedem Schritt, den wir in das Land hinein machten, befestigte sich unsere Überzeugung, daß es von allen anderen Ländern, die je von zivilisierten Menschen besucht wurden, wesentlich verschieden sei. Wir sahen nichts, das uns schon bekannt gewesen wäre. Die Bäume hatten mit denen, welche die heiße, gemäßigte oder nördliche kalte Zone hervorbringt, keine Ähnlichkeit und glichen auch nicht denen, die wir in den schon passierten südlichen Breiten gefunden hatten. Selbst die Felsen waren neu in ihrer Masse, ihrer Farbe und ihrer Schichtung; und die Flüsse hatten so wenig mit denen anderer Klimate gemein, daß wir zögerten, aus ihnen zu trinken, und zweifelten, ob ihre Eigenschaften auch wirklich rein natürliche seien. An einem kleinen Bache, der unsern Weg kreuzte (es war der erste, den wir antrafen), stand Too-wit mit seinem Gefolge stille, um zu trinken. Wir weigerten uns wegen des sonderbaren Aussehens des Wassers ihrem Beispiel zu folgen, und fürchteten, es sei verdorben, und erst später kamen wir zu der Überzeugung, daß alles Wasser auf der Insel so beschaffen sei. Die Natur der Flüssigkeit zu beschreiben, bin ich fast außerstande und kann es jedenfalls nicht ohne viele Worte. Obgleich es schnell alle Abhänge herunterfloß wie jedes gewöhnliche Wasser, hatte es doch nur dann, wenn es irgendwo herabfiel, das Aussehen einer klaren Flüssigkeit. Trotzdem war es in der Tat ebenso klar wie irgendein anderes kaltblütiges Wasser; es sah nur nicht so aus. Beim ersten Anblick, und besonders an wenig abschüssigen Stellen, glich es, was seine Dichtigkeit anbetrifft, einer dichten Lösung von Gummi Arabikum in gewöhnlichem Wasser. Dies war jedoch noch das Unauffälligste an ihm. Am rätselhaftesten schien, daß es wiederum *nicht* farblos war, noch von irgendeiner einheitlichen Farbe, und daß es, wenn es dahinfloß, dem Auge alle möglichen purpurnen Reflexe bot, wie es changierende Seide tut. Und, um die Wahrheit zu gestehen, diese Veränderlichkeit der Schattierungen setzte uns in ein Erstaunen, das dem Too-wits beim Anblick unserer Spiegel fast nichts nachgab. Wir schöpften ein Gefäß voll, ließen es sich dort ruhig setzen und fanden, daß die ganze flüssige Masse aus vielen verschiedenfarbigen Adern bestand, daß diese Adern sich nicht vermischten, daß ihre Kohäsion bezüglich ihrer Moleküle eine vollständige, bezüglich der benachbarten Adern eine unvollständige war. Als ich die Spitze meines Messers quer durch die Adern führte, schloß sich das Wasser gleich wieder, und als ich es herauszog, waren die Spuren seines Weges sofort verlöscht. Senkte ich die Klinge jedoch genau zwischen zwei Adern, so fand eine vollständige Trennung statt, die die Kohäsionskraft nicht sofort wieder aufhob.

KAPITEL XVII

Das Dorf

Es dauerte fast drei Stunden, ehe wir das Dorf erreichten, da es ungefähr drei Meilen weit im Innern lag und der Weg durch bergiges, zerklüftetes Land führte. Unterwegs verstärkte sich das Gefolge Too-wits alle Augenblicke um kleine Abteilungen von sechs bis acht Mann, die sich uns wie zufällig an Straßenbiegungen anschlossen. Da es aber so systematisch geschah, stieg mir einiges Mißtrauen auf, und ich teilte dem Kapitän meine Befürchtungen mit. Es war jedoch zu spät, um einfach zurückzukehren, und wir mußten uns sagen, daß es das beste wäre, zu tun, als vertrauten wir dem guten Willen Too-wits. Wir gingen also weiter, beobachteten alle Bewegungen der Wilden und ließen nicht zu, daß sie sich zwischen uns drängten und uns trennten. Wir durchwanderten eine abschüssige Schlucht und erreichten endlich die, wie man uns bedeutet hatte, einzige Ansammlung von Wohnstätten auf der Insel. Als wir ihrer ansichtig wurden, stieß der Häuptling einen Ruf aus und wiederholte mehrere Male das Wort Klock-Klock. Wir vermuteten, es sei der Name des Dorfes oder auch der Gattungsname für Dorf.

Die Wohnungen waren elender, als man sie sich vorstellen kann, und nicht einmal nach ein und derselben Art gebaut, wie es doch sonst bei den niedrigsten Stämmen der Wilden der Fall ist. Einige von ihnen bestanden aus einem hohlen Baume, den man etwa vier Fuß über der Wurzel abgehauen und mit einem Fell, das in langen, zottigen Falten zur Erde niederhing, bedeckt hatte. In diesen hausten die Wampoos oder Yampoos, die Großen des Reiches. Einige waren aus dicken Baumästen gemacht, die noch ihr verwelktes Laub trugen und sich in einem Winkel von fünfundvierzig Grad gegen einen Erdhügel lehnten, den man ganz unregelmäßig zu der Höhe von fünf oder sechs Fuß aufgeschüttet hatte. Andere wieder waren nichts weiter als senkrecht in die Erde gegrabene Löcher, die der Bewohner, wenn er hineingeschlüpft war, mit Zweigen zudeckte. Noch andere waren in die gabelförmigen Äste der Bäume gebaut, deren obere Zweige man oft in der Hälfte durchgehauen hatte, so daß sie über die unteren hergingen und einen besseren Schutz gegen das Wetter gewährten. Die meisten jedoch waren kleine, flache Höhlen, die man in den Rand eines Felsens, der das Dorf an drei Seiten umgab, hineingegraben hatte. Vor der Tür jeder dieser primitiven Höhlen befand sich ein Felsstück, welches sein Bewohner, wenn er seine Behausung verließ, sorgfältig vor den Eingang schob. Zu welchem Zwecke dies geschah, wurde uns nicht klar, denn der Stein verschloß kaum ein Drittel der Öffnung.

Das Dorf, wenn dieses Wort hier überhaupt anwendbar ist, lag in einem ziemlich tiefen Tal und war nur von Süden her zugänglich, da der eben erwähnte abschüssige Felsen es von allen anderen Seiten abschloß. Durch die Mitte des Dorfes floß ein murmelnder Fluß mit demselben seltsamen Wasser, das ich schon zu beschreiben versucht habe. In der Nähe der Wohnungen erblickten wir verschiedene sonderbare Tiere, die alle zahm zu sein schienen. Das größte glich in seinem Körperbau und seinem Maule unserem gewöhnlichen Schwein, nur hatte es einen buschigen Schwanz und schlanke Beine wie die Antilope, mit denen es jedoch nur sehr plumpe, unentschiedene Bewegungen machte. Dann trieben sich scharenweise verschiedene Arten zahmen Geflügels umher, so daß wir annehmen konnten, sie bildeten die Hauptnahrung der Inselbewohner. Wilde Tiere sahen wir nur sehr wenige und kein bekanntes oder einigermaßen großes. Einmal kroch eine scheußliche, große Schlange über unseren Weg; da ihr die Wilden jedoch keine Beachtung schenkten, schlossen wir, daß sie nicht giftig sei.

Als wir mit Too-wit und seinen Gefährten das Dorf erreichten, stürzte eine große Volksmenge heraus und kam uns mit lautem Geschrei entgegen, durch das immer wieder die unausbleiblichen Worte Anamoo-moo! und Lama-Lama! hindurchtönten. Mit Erstaunen bemerkten wir, daß die Dorfbewohner alle vollständig nackt waren, nur die Männer aus den Kähnen trugen die schon erwähnte Fellbekleidung. Sämtliche Waffen des Landes schienen sich auch im Besitze dieser letzteren zu befinden, denn wir bemerkten bei den Dorfbewohnern nicht mehr das geringste Kriegs- oder Verteidigungsgerät. Eine große Anzahl Frauen und Kinder waren mit herausgekommen, und die ersteren zeichneten sich teilweise durch eine gewisse körperliche Schönheit aus. Sie waren gut gebaut, hoch und schlank gewachsen, und ihre Bewegungen waren von einer Anmut und Feinheit, wie man sie bei unkultivierten Völkern nicht findet. Ihre Lippen jedoch waren wie die der Männer dick und plump, so daß selbst beim Lachen die Zähne nie enthüllt wurden. Ihr Haar war feiner als das der Männer. Unter den Dorfbewohnern fanden sich schließlich doch noch vielleicht zehn oder zwölf, die wie Too-wit und sein Gefolge in Felle gekleidet und mit schweren Keulen und Lanzen bewaffnet waren. Diese schienen großen Einfluß auf die übrigen zu haben, waren es auch, die mit Wampoo angeredet wurden, und die die fellbedachten ›Paläste‹ bewohnten. Too-wits Residenz lag in der Mitte des Dorfes und war auch etwas besser ausgestattet als die seiner Untertanen. Der Baum, gegen den sie sich stützte, war etwa zwölf

Fuß über der Wurzel abgehauen worden, einige Zweige dicht oben hatte man stehen lassen, so daß sie die Bedachung verbreitern halfen. Als Dach hatte man vier große Felle mit Holzpflöcken aneinandergefügt und diese am Boden mit Pfählen befestigt. Eine dichte Streu trockener Blätter bedeckte als Teppich den Boden.

Mit vieler Feierlichkeit wurden wir in diese Hütte hineingeführt, gefolgt von soviel Eingeborenen, wie sie nur fassen mochte. Too-wit setzte sich auf die Blätter und wies uns durch Zeichen an, seinem Beispiel zu folgen. Wir taten es und befanden uns also plötzlich in einer nicht nur unbequemen, sondern geradezu kritischen Stellung. Wir saßen zu zwölf auf der Erde und vielleicht vierzig der Wilden, gewohnheitsmäßig und bequem auf ihren Knien hockend, so dicht um uns herum, daß wir im Falle eines Angriffs keinen Gebrauch von unseren Waffen machten konnten, ja, nicht einmal hätten aufstehen können. Nicht nur im Zelte herrschte das Gedränge, draußen stand wahrscheinlich das ganze Dorf ringsherum versammelt, und nur die unaufhörlichen Ermahnungen und Rufe Too-wits schützten uns davor, von den Füßen der Nachdrängenden zu Tode getreten zu werden. Einige Sicherheit verbürgte uns immerhin die Gegenwart Too-wits selbst, und wir beschlossen, ihn nicht aus unserer Mitte weichen zu lassen und bei der ersten feindlichen Kundgebung unserem Wohle zu opfern.

Mit vieler Mühe wurde eine gewisse Ruhe hergestellt, und der Häuptling hielt uns eine sehr lange Ansprache, welche derjenigen aus dem Kahne heraus ähnlich klang, nur mit dem Unterschiede, daß er jetzt seine Anamoo-moos! noch energischer betonte als die Lama-Lamas!

Wir hörten ihn schweigend bis zum Schlusse an, worauf Kapitän Guy den Häuptling seines Wohlwollens und seiner ewigen Freundschaft versicherte und seine Rede mit einem Geschenk von mehreren Ketten blauer Glasperlen und einem Messer krönte. Über die ersteren rümpfte der Monarch zu unserer großen Überraschung verächtlich die Nase, das Messer jedoch erfüllte ihn mit grenzenloser Zufriedenheit, und er befahl sofort, das Mittagsmahl aufzutragen. Es wurde über die Köpfe der Tafelgenossen hereingereicht und bestand aus den zuckenden Eingeweiden eines unbekannten Tieres, wahrscheinlich eines der schlankbeinigen Schweine, die wir in der Nähe des Dorfes wahrgenommen. Da Too-wit erkannte, daß wir nicht recht wußten, wie wir uns zu dieser Mahlzeit zu stellen hatten, ging er uns mit gutem Beispiel voran, und begann, die verlockende Nahrung ellenweise hineinzuschlingen, bis wir uns nicht länger bezwingen konnten und unser Magen die deutlichsten Symptome von Empörung von sich gab, was ›Seine Majestät‹ wiederum mit einer Verwunderung erfüllte, die nur noch von der durch die Spiegel verursachten übertroffen wurde. Wir lehnten es also ab, von den dargebotenen Lekkerbissen zu kosten, und bemühten uns, ihm verständlich zu machen, daß wir eben ein gutes Frühstück hinter uns und noch keinen Appetit hätten.

Als der Monarch seine Mahlzeit beendet hatte, unterwarfen wir ihn, soweit es möglich war, einem Kreuzverhör, in der Hoffnung, von ihm die Hauptprodukte des Landes zu erfahren. Als er endlich ungefähr verstanden hatte, was wir meinten, bot er sich an, uns zu einem Teil der Küste zu führen, an welchem die ›biche de mer‹ (er zeigte auf ein solches Tier) reichlich zu finden sei. Wir waren froh, auf diese Weise dem Gedränge zu entkommen, und bedeuteten, wir seien zum sofortigen Aufbruch bereit. Wir verließen das Zelt und folgten, von der ganzen Bevölkerung des Dorfes begleitet, dem Häuptling an das südöstliche Ende der Insel, das nicht weit von der Bucht, in der unser Schiff vor Anker lag, entfernt war. Hier warteten wir ungefähr eine Stunde, bis die vier Kähne an unseren Standort gebracht waren. Dann stiegen wir alle zusammen in einen derselben und wurden an dem Riff entlang zu einer Stelle gerudert, an der wir eine größere Menge von ›biche de mer‹ bemerkten, als die ältesten Seeleute unter uns jemals in den Inselgruppen der niederen Breiten, die wegen dieses Handelsartikels berühmt sind, wahrgenommen hatten. Wir hätten leicht zwanzig Schiffe mit diesen Tieren beladen können. Hierauf brachte man uns an unseren Schoner zurück und wir verabschiedeten uns von Too-wit, nachdem wir ihm das Versprechen abgenommen hatten, uns im Laufe der nächsten vierundzwanzig Stunden so viel Enten und Galapagos-Schildkröten an Bord zu bringen, als seine vier Kähne fassen konnten. Im Betragen der Eingeborenen lag nicht das geringste Verdächtige, abgesehen von der systematischen Art und Weise, mit welcher sie ihre Partei auf dem Wege vom Strand zum Dorfe verstärkt hatten.

KAPITEL XVIII

Der Erdrutsch

Der Häuptling hielt sein Wort und versorgte uns mit neuen Vorräten. Die Schildkröten gehörten mit zu den besten, die wir je gesehen, und die Enten übertrafen alles uns bekannte Geflügel durch ihr zartes, saftiges, wohlschmeckendes Fleisch. Außerdem brachten uns die Wilden, nachdem sie unsere Wünsche verstanden hatten, eine große Menge Sellerie und Löffelkraut, das ein Heilmittel für Skorbut ist, sowie eine Kahnladung frischer und getrockneter Fische. Der Sellerie war ein wahrer Leckerbissen, und das Löffelkraut konnte bei denen, die schon Neigung zum Skorbut gezeigt hatten, die besten Dienste tun. Als Dank boten wir den Wilden von unseren Tauschgegenständen: blaue Perlen, kupferne Schmuckgegenstände, Nägel, Messer, Stücke roten Stoffes; sie schienen mit dem Tausch vollständig zufrieden zu sein. Wir etablierten an der Küste, gerade unter den Kanonen des Schoners, einen regelrechten Markt, und der ganze Handel ging mit einem Vertrauen und einer Ordnung vor sich, die wir nach dem Betragen der Schwarzen in ihrem Dorfe gar nicht erwartet hatten.

So ging also alles mehrere Tage lang durchaus freundschaftlich zu; zuweilen war ein Trupp der Eingeborenen an Bord, zuweilen begab sich ein Teil der Mannschaft an die Küste und machte weite Ausflüge in das Innere, ohne daß sich jemals der geringste unangenehme Zwischenfall ereignet hätte. Als Kapitän Guy sah, wie schnell und leicht die Insulaner eine Schiffsladung ›biche de mer‹ gesammelt hatten, beschloß er, mit Too-wit geradezu in Handelsverbindungen zu treten, auf der Insel passende Häuser zu errichten, in denen der Artikel zum Versand fertig gemacht werden konnte, und die als Entgelt Too-wit und den Leuten, die sie sammelten, angehören sollten, während er selbst einstweilen das günstige Wetter benutzen und weiter nach Süden vordringen wollte. Als er dem Häuptling seinen Plan verständlich machte, schien dieser bereit, darauf einzugehen, und man schloß folgendes Übereinkommen ab, das beide Parteien befriedigte: Unsere ganze Mannschaft sollte bei den nötigen Vorbereitungen, den Ausschachtungen und dem Bau der Häuser beschäftigt werden, und wenn der Schoner seine Reise nach dem Süden fortsetzte, sollten drei von uns auf der Insel zurückbleiben, um das angefangene Werk zu vollenden und die Insulaner in dem Konservieren der ›biche de mer‹ zu unterrichten; der Entgelt für die Arbeit der Wilden sollte sich nach ihrem Fleiße während unserer Abwesenheit richten, für eine bestimmte Quantität der ›biche de mer‹ sollten sie eine bestimmte Menge blauer Perlen, Messer, roten Tuches usw. erhalten.

Als wir unsere Vereinbarungen mit Too-wit getroffen hatten, machten wir uns gleich daran, alle zum Grundlegen und zum Bauen nötigen Gegenstände an Land zu schaffen. Ein großer, flacher Raum in der Nähe der östlichen Seite der Bucht und in passender Entfernung von den Stellen, an denen die größten Scharen der ›biche de mer‹ zu finden waren, wurde für unsere Zwecke, da Wasser und Holz in der Nähe war, am tauglichsten befunden. Wir machten uns mit allen Kräften an die Arbeit und hatten bald, zum größten Erstaunen der Wilden, eine genügende Anzahl von Bäumen gefällt, aus denen wir das Holzwerk für die Häuser zurechtzimmerten, die nach zwei oder drei Tagen so weit gediehen waren, daß wir sie ruhig den drei Männern, die zurückgelassen werden sollten, übergeben konnten.

Gegen Ende des Monats waren alle Vorbereitungen zur Abreise beendet. Wir hatten jedoch beschlossen, von dem Dorfe einen förmlichen Abschied zu nehmen, und Too-wit bestand so hartnäckig auf der Erfüllung unseres Versprechens, daß wir es nicht für ratsam hielten, ihn durch eine Weigerung zu beleidigen. Ich glaube, niemand von uns zweifelte noch im geringsten an der Gutmütigkeit der Wilden. Sie hatten sich immer sehr rücksichtsvoll benommen, hatten uns eifrig bei unseren Arbeiten geholfen, uns ihre Waren oft umsonst angeboten, niemals das geringste gestohlen, obwohl sie stets eine unbändige Freude zeigten, wenn wir ihnen etwas schenkten, und die Geschenke selbst schienen sie für unberechenbar wertvoll zu halten. Auch die Frauen hatten sich sehr zuvorkommend gezeigt, und wir hätten die mißtrauischsten Menschen der Welt sein müssen, um von diesem Völkchen, das uns lange Zeit gut behandelt, jetzt noch eine Hinterlist zu befürchten. Doch sollten wir bald zu der Überzeugung kommen, daß ihre scheinbare Gutmütigkeit nur das Ergebnis eines schlau angelegten Planes war, der uns vernichten sollte, und daß die Insulaner, die uns eine wirkliche Achtung eingeflößt hatten, die barbarischsten, hinterlistigsten, grausamsten Schufte von der Welt waren.

Am ersten Februar gingen wir also an Land, um das Dorf zu besuchen. Obgleich wir nicht den geringsten Verdacht hatten, wurde doch keine Vorsichtsmaßregel vergessen. Sechs Männer wurden mit dem Befehl auf Deck zurückgelassen, keinem der Wilden zu gestatten, sich dem Schiffe während unserer Abreise zu nähern, und stets auf Deck zu bleiben. Alle Verschanzungen wurden aufgezogen, die Kanonen mit Kugeln und Kartätschen doppelt geladen und die Mörser zum Gebrauch fertig gemacht. Der Schoner lag eine Meile von der Küste so frei da, daß sich ihm kein Boot ungesehen nahen konnte.

Sechs Männer blieben also an Bord, und wir übrigen zweiunddreißig begaben uns an Land. Wir waren bis an die Zähne bewaffnet, hatten Flinten, Pistolen und Dolche bei uns, außerdem trug jeder von uns ein langes Seemannsmesser bei sich. Ungefähr hundert der schwarzfelligen Männer empfingen uns am Strande, um uns in das Dorf zu begleiten; sie waren vollständig unbewaffnet. Die Quelle und das Flüßchen, von dem ich schon gesprochen, hatten wir bald hinter uns und traten nun in die enge Schlucht, die sich zwischen der Bergeskette zu dem Dorfe hindurchwindet. Diese Schlucht war felsig und sehr uneben, so daß wir auf unserem ersten Wege nach Klock-Klock nur mit Mühe hindurchgelangt waren. Sie mochte vielleicht im ganzen anderthalb oder zwei Meilen lang sein und wand sich in allen möglichen Krümmungen durch die Berge, weshalb wir vermuteten, sie sei früher das Bett eines Flusses gewesen. An keiner Stelle lief sie mehr als zwanzig Ellen in gerader Linie fort, gewöhnlich folgte schon nach kürzerem Raum eine scharfe Wendung. Aus der Schlucht stiegen die Berge ganz senkrecht zu einer Höhe von wenigstens 70—80 Fuß empor, an manchen Stellen erhoben sie sich jedoch so viel höher, daß das Tageslicht den Boden nur noch sehr gedämpft erreichte. Sie mochte im allgemeinen wohl vierzig Fuß breit sein, verengte sich an manchen Stellen jedoch so, daß sie nur fünf oder sechs Personen nebeneinander Durchgang gewährte. Kurz, es konnte keinen geeigneteren Ort für einen hinterlistigen Überfall geben, und es war nur zu natürlich, daß wir uns beim Eintritt in die Schlucht nochmals unserer Waffen vergewisserten. Wenn ich jetzt an unsere ungeheure Torheit zurückdenke, wundere ich mich am meisten darüber, wie wir überhaupt wagen konnten, uns so in die Gewalt der unbekannten Wilden zu geben, daß wir sie in der Schlucht sowohl vor wie hinter uns gehen ließen. Und doch hatten wir uns blindlings dieser Ordnung gefügt, im törichten Vertrauen auf unsere Kraft, beruhigt durch Too-wits und seiner Gefährten Waffenlosigkeit, der Wirkung unserer Feuerwaffen, die den Eingeborenen noch ein Geheimnis war, sicher, und durch die Freundschaftsbeweise der Elenden arglos gemacht! Fünf oder sechs von ihnen gingen voran, als wollten sie uns den Weg weisen, und bemühten sich, mit unterstrichenem Diensteifer, Steine und andere Hindernisse aus dem Wege zu räumen. Dann kamen wir. Wir gingen dicht nebeneinander und hüteten uns wohl, voneinander getrennt zu werden. Hinter uns kamen die übrigen Wilden in ungewohnter Ordnung und Ruhe.

Dirk Peters, ein Mann namens Allan und ich gingen an der rechten Seite unserer Gefährten und betrachteten den ganzen Weg

lang die sonderbaren Schichtungen der Felsmauer über uns. Eine Spalte in dem Felsen zog ganz besonders unsere Aufmerksamkeit auf sich. Sie war so breit, daß eine Person, ohne sich zu quetschen, hineinkriechen konnte, drang wohl achtzehn oder zwanzig Fuß in den Felsen ein und wandte sich dann nach links. Sie befand sich dort, soweit wir sie mit den Blicken verfolgen konnten, in einer Höhe von ungefähr sechzig oder siebzig Fuß. Aus dem Spalt wuchsen ein oder zwei verkrüppelte Sträucher heraus, es schienen mir Haselnußstauden zu sein, und meine Neugierde trieb mich an, sie näher zu betrachten. Ich näherte mich ihnen schnell, riß mit einem Griff ein paar Nüsse ab und eilte zu meinen Gefährten zurück. Als ich mich umwandte, sah ich, daß Peters und Allan mir gefolgt waren, ich bat sie, zurückzugehen, weil auf dem Vorsprung nicht Raum für zwei zum Vorbeigehen sei, ich würde meine Nüsse mit ihnen teilen. Sie gingen denn auch zurück, und Allan war gerade am Ende des Spaltes angekommen, als ich plötzlich einen Stoß verspürte, der mich, wenn ich überhaupt noch etwas denken konnte, mit der unbestimmten Vorstellung erfüllte, es zerrissen die Grundfesten der Erde und der Jüngste Tag nahe.

Als meine betäubten Sinne wieder erwachten, fühlte ich mich dem Ersticken nahe und tappte in der Finsternis unter einer Masse lockerer Erde umher, die von jeder Seite her schwer auf mich herabfiel und mich zu begraben drohte. Entsetzt versuchte ich, mit Aufbietung aller Kräfte festen Fuß zu fassen. Es gelang mir, wenn auch unter schwerster Mühe. Darauf stand ich ein paar Augenblicke lang regungslos und versuchte, mir zu erklären, was sich ereignet habe und wo ich sei. Bald vernahm ich ganz nahe an meinem Ohre einen tiefen Seufzer, und hörte gleich darauf die erstickte Stimme meines Kameraden Peters, wie er stammelnd um Hilfe flehte. Mit großer Mühe bewegte ich mich einen oder zwei Schritte weit nach vorn und fiel dabei über den Kopf und die Schultern meines Gefährten, der, wie ich bald entdeckte, bis zur Mitte in einer losen Erdmasse vergraben lag und verzweifelt kämpfte, sich von dem Druck zu befreien. Ich entfernte die auf ihm lastenden Erdmassen, so rasch es mir nur möglich war. Bald hatte ich ihn denn auch ausgegraben.

Als wir uns von unserem Schreck und Staunen so weit erholt hatten, daß wir vernünftig zusammen reden konnten, kamen wir zu der Ansicht, daß die Mauern des Spaltes, in den wir uns hineingewagt hatten, durch irgendeine Erschütterung der Erde oder vielleicht durch ihr eigenes Gewicht über uns eingestürzt sein mußten, und daß wir verloren – lebendig begraben waren! Eine beträchtliche Zeit über blieben wir in einem Zustande von Angst und bitterster Verzweiflung, den sich niemand, der sich nicht in ähnlicher Lage befunden hat, auch nur vorstellen kann. Ich glaube fest, daß unter allen Qualen, die ein Mensch ertragen kann, keine für Leib und Seele fürchterlicher ist, als die Qual, die wir erdulden mußten: lebendig begraben zu sein. Die schwarze Finsternis, die das Opfer umgibt, der furchtbare Druck auf die Lungen, die erstickende Ausdünstung der Erde, die gräßliche Vorstellung, daß *jede* Hoffnung dahin ist, und daß wir damit den Toten schon zugezählt sind: all das gießt ein Entsetzen, einen eisigen Schauder ins Herz, den man nicht beschreiben kann!

Endlich schlug Peters vor, uns doch einmal von der Tragweite unseres Unglücks genau zu überzeugen und, wenn es möglich sein sollte, in unserm Gefängnis umherzutappen; denn es war ja noch immer denkbar, meinte er, daß irgendwo eine Öffnung geblieben, durch die wir unser Grab verlassen konnten. Ich griff diesen Hoffnungsgedanken begierig auf, raffte alle meine Energie zusammen und bemühte mich, mir einen Weg durch das lose Erdreich zu bahnen. Kaum hatte ich einige Schritte vorwärts getan, als ich denn auch einen Lichtschimmer bemerkte, der, so schwach er auch war, uns doch die eine Furcht benahm, alsbald aus Luftmangel umkommen zu müssen. Wir faßten ein wenig Mut und suchten uns gegenseitig zu überzeugen, daß noch alles gut gehen könne. Als wir einen Trümmerhaufen, der uns hinderte, in der Richtung des Lichtes vorzudringen, überklettert hatten, konnten wir mit geringer Mühe fortschreiten und fanden auch, daß sich der Druck, der so qualvoll auf unseren Lungen lastete, ein wenig verminderte. Bald konnten wir schon die Dinge um uns her unterscheiden und entdeckten, daß wir uns fast am Ende des Teiles der Spalte befanden, der geradeaus lief, das heißt an der Stelle, an der sie eine entschiedene Biegung nach links machte. Noch ein paar weitere Anstrengungen und wir waren an dieser Biegung angelangt, wo wir zu unserer unaussprechlichen Freude einen zweiten langen Spalt oder Riß entdeckten, der sich in einem Winkel von etwa fünfundvierzig Grad, manchmal auch noch viel abschüssiger, weit nach oben zog. Wir konnten die ganze Ausdehnung der Öffnung nicht überschauen, da jedoch ziemlich viel Licht durch sie hineinfiel, zweifelten wir nicht, von dem oberen, uns sichtbaren Ende des Spaltes aus – vorausgesetzt, daß wir dieses erreichen konnten – einen Ausgang ins Freie zu finden.

Ich erinnerte mich jetzt, daß wir ja zu dreien waren, als wir die Hauptschlucht verließen und in den Spalt eintraten. Unser Gefährte Allan war noch nicht gefunden, und wir beschlossen, sofort zurückzukehren und ihn zu suchen. Nach langem Umhertappen, bei dem uns die herabfallende Erde oft in Gefahr brachte, rief mir Peters plötzlich zu, daß er den Fuß unseres Gefährten ergriffen habe, sein ganzer Körper läge jedoch so unter Erdmassen begraben, daß er ihn nicht herausziehen könne. Ich überzeugte mich bald, daß das, was er sagte, nur zu wahr sei und das Leben unseres Freundes längst entflohen sein mußte. Mit angstbedrücktem Herzen überließen wir also den Leichnam seinem Schicksal und bahnten uns von neuem den Weg an die Biegung.

Die Breite des Risses genügte kaum für unsere Körper, und nach ein paar vergeblichen Anstrengungen, hinaufzuklimmen, wollten wir schon von neuem verzweifeln.

Ich habe nun noch nicht gesagt, daß die Hügelkette, durch welche sich die Hauptschlucht hindurchwand, von einem weichen Felsen, der dem Speckstein ähnlich sah, gebildet wurde. Die Seite des Spaltes, die wir hinaufklettern wollten, bestand aus dem gleichen Material und war so feucht und glitschig, daß wir selbst an den am wenigsten abschüssigen Stellen nicht Fuß fassen konnten; an den steileren ging es natürlich noch weniger, so daß wir es eine Zeitlang für ganz unmöglich hielten, hinaufzukommen. Die Verzweiflung jedoch gab uns endlich den Mut; mit unseren Seemannsmessern kratzten wir ein paar Absätze in den weichen Stein und schwangen uns mit Lebensgefahr an diesen und einigen wenigen, aus Tonschiefer bestehenden Vorsprüngen, die etwas härter aus der allgemeinen Masse hervorragten, hinauf und erreichten endlich eine natürliche Plattform, von der aus wir oben zwischen der Öffnung der reichbewaldeten Schlucht ein Stück blauen Himmels entdeckten. Als wir jetzt mit einiger Aufmerksamkeit den Weg, den wir zurückgelegt, wieder betrachteten, sahen wir deutlich, daß sich dieser Riß erst ganz neuerdings gebildet haben konnte, und schlossen daraus, daß der Stoß, der, welcher Art er auch immer gewesen, uns begraben, uns auch zugleich diesen Ausgang geschaffen habe. Da uns die Anstrengung sehr erschöpft hatte und wir so schwach waren, daß wir kaum stehen oder zusammenhängend reden konnten, schlug Peters vor, wir sollten unsere Kameraden von unserem Aufenthaltsort benachrichtigen, indem wir die Pistolen, die noch in unseren Gürteln steckten — unsere Flinten und Hirschfänger hatten wir in dem weichen Erdreich am Boden der Schlucht verloren — abfeuerten. Die folgenden Ereignisse zeigen, daß wir dieses Schießen bald bereut haben würden; glücklicherweise war in meiner Seele schon ein halber Argwohn, die Ahnung irgendeines tückischen Streiches erwacht, und so ließen wir denn von unserem Vorhaben ab.

Nachdem wir uns ungefähr eine Stunde lang ausgeruht hatten, drangen wir langsam weiter in die Schlucht hinauf und waren noch nicht weit gekommen, als wir ein schreckliches, langanhaltendes Geheul vernahmen. Endlich erreichten wir sozusagen die Oberfläche des Bodens, denn unser Weg, seit wir die Plattform verlassen, hatte sich unter einem hohen Gewölbe von Felsen und Laubwerk langsam bis dicht nach oben geschlängelt. Mit großer

Vorsicht näherten wir uns einer engen Öffnung, durch die wir die Gegend mit einem Blick überschauen konnten, der uns das ganze, schreckliche Geheimnis des fürchterlichen Erdstoßes klarmachte.

Die Stelle, von der wir auslugten, war nicht weit von der höchsten Spitze der Specksteinhügel entfernt. Fünfzig Fuß zu unserer Linken zog sich die Schlucht hin, in die wir zweiunddreißig Weiße eingetreten waren. Doch wenigstens hundert Ellen weit war das die Schlucht bildende alte Flußbett mit einer chaotischen Masse von Erdklumpen und Felstrümmern angefüllt, mit einer ganzen Lawine von Felsenschutt, die man künstlich hineingestürzt haben mußte. Die Mittel zu diesem ungeheuren Mordwerke waren ebenso einfach wie leicht erkennbar. An mehreren Stellen an dem östlichen First der Schlucht – wir befanden uns auf dem westlichen – sahen wir in die Erde gegrabene Holzpfähle. An diesen Stellen war die Erde nicht hinabgestürzt, doch den ganzen Abhang entlang, von dem die Stein- und Erdmasse hinuntergefallen war, erkannte man an den im Boden zurückgebliebenen, Bohrlöchern ähnlichen Vertiefungen, daß dort gleiche Pfähle, in einem Abstand von einer Elle ungefähr, vielleicht dreihundert Fuß weit in den Boden getrieben worden waren. Die ganze Reihe war ungefähr zehn Fuß vom Rande des Abgrundes entfernt. An den stehengebliebenen Pfählen waren starke Seile aus Pflanzenfasern befestigt; offenbar hatten sich an den gestürzten Pflöcken ebenfalls derartige Taue befunden.

Ich habe schon von der eigentümlichen Schichtung dieser Specksteinhügel gesprochen, und die Beschreibung der engen und tiefen Ritze, durch welche wir aus unserem Grabe flohen, wird ihre besonderen Eigenschaften noch mehr erläutert haben. Jede natürliche Erderschütterung mußte den ganzen Boden in senkrechte, parallel laufende Lagen oder Schichten zerspalten – jede ganz geringe künstliche Anstrengung mußte dasselbe Resultat haben. Diese eigenartige Schichtung nun hatten sich die Wilden bei der Ausübung ihres hinterlistigen Mordanschlages zunutze gemacht. Ohne Zweifel hatten sie durch eine fortgesetzte Reihe von Pfählen ein teilweises, vielleicht ein oder zwei Fuß tiefes Reißen des Bodens bewirkt; an den Spitzen der Pfähle waren Seile angebracht, und am Ende jedes Seiles, die bis über den First des Hügels reichten, stand ein Wilder und zog aus Leibeskräften an denselben, so daß eine ungeheure Hebelkraft wirksam wurde, die auf ein gegebenes Zeichen hin den ganzen Hügel in den Abgrund an seinem Fuße schleudern mußte. Das Schicksal unserer armen Kameraden konnte uns nicht länger zweifelhaft erscheinen. Wir allein waren dem vernichtenden künstlichen Erdsturz entgangen, waren die einzigen lebenden Weißen auf der Insel.

KAPITEL XIX

Der Kampf

Unsere Lage war auch jetzt nicht weniger fürchterlich als vorher, da wir schon glaubten, lebendig begraben zu sein. Denn welch anderes Schicksal konnten wir erwarten, als entweder von den Wilden getötet, unter gräßlichen Martern getötet zu werden oder ein trostloses Dasein als Gefangene oder Sklaven führen zu müssen! Eine Zeitlang konnten wir uns ja vielleicht im Innern der Hügel vor ihnen verbergen; doch mußten wir dann, in dem strengen polarischen Winter, sicherlich der Kälte und dem Hunger zum Opfer fallen; vorausgesetzt, daß wir nicht eben schon vorher bei einem Versuch, uns Unterhalt zu verschaffen, entdeckt wurden.

Die ganze Gegend rings umher schien von Wilden förmlich zu wimmeln, und wir bemerkten bald, daß große Scharen von Eingeborenen auf Flößen von den benachbarten südlichen Inseln herübergekommen waren, zweifellos, um sich an der Ausplünderung der ›Jane Guy‹ zu beteiligen. Das Schiff lag noch immer ruhig in der Bucht vor Anker, und die Mannschaft an Bord ahnte nicht, daß Gefahr sie bedrohte. Wie verlangten wir danach, in diesem Augenblick bei ihnen zu sein, um entweder mit ihnen das Wagnis der Flucht zu unternehmen, oder mit ihnen nach mutiger Gegenwehr zu fallen! Aber wir sahen kein Mittel, sie vor der Gefahr zu warnen, ohne daß wir selbst entdeckt worden wären — und das würde ihnen ja nur geschadet haben! Ein Pistolenschuß hätte vielleicht genügt, um ihnen Nachricht zu geben, daß ein Unglück geschehen sei — doch wäre ihnen damit noch nicht mitgeteilt gewesen, daß ihr einziges Heil in sofortiger, schleuniger Flucht lag, daß sie nichts mehr zu bleiben verpflichtete, daß sich ihre Gefährten nicht mehr unter den Lebenden befanden. Wenn sie den Schuß vernahmen, so konnten sie ja doch nicht besser und nicht schlechter vorbereitet den Feind erwarten, als sie es jetzt auch waren. Sie hatten also auf keinen Fall einen Vorteil, während uns ein Schuß den Tod bringen konnte, mußte; wir sahen deshalb auch nach reiflicher Überlegung davon ab.

Dann kam uns der Gedanke, selbst zu dem Schiffe vorzudringen, einen der vier Kähne, die am oberen Ende der Bucht lagen, zu benutzen und den Weg an Bord zu erzwingen. Doch mußten wir uns bald sagen, daß es ganz unmöglich sei, ein solches Unternehmen durchzuführen. Die ganze Gegend wimmelte, wie gesagt, von Eingeborenen, die sich in den Sträuchern und Schluchten der Hügel verbargen, um vom Schiffe aus nicht gesehen zu werden. In unserer unmittelbaren Nähe lagerten die mit schwarzen Fellen bekleideten Krieger und versperrten den einzigen Weg, auf dem wir die Küste an der geeigneten Stelle hätten erreichen können, Too-wit war an der Spitze und wartete wahrscheinlich bloß auf Verstärkung, um zum Angriff auf die ›Jane Guy‹ überzugehen. Die Kähne am Kopf der Bucht waren mit Wilden besetzt, die allerdings nicht bewaffnet waren, doch ohne Zweifel jeden Augenblick ihre Waffen erreichen konnten.

Wir sahen uns also gezwungen, in unserem Versteck zu bleiben und dem Kampf, der sich alsbald entspinnen mußte, untätig zuzuschauen.

Nach ungefähr einer halben Stunde sahen wir denn auch schon vielleicht sechzig oder siebzig Flöße und Kähne, alle mit Wilden besetzt, um die südliche Spitze der Bucht kommen. Sie schienen keine anderen Waffen bei sich zu haben als kurze Keulen und Steine, die auf dem Boden ihrer Fahrzeuge lagen. Gleich darauf näherte sich eine andere, noch größere Abteilung von der entgegengesetzten Richtung, mit den gleichen Waffen ausgerüstet. Die vier Kähne waren jetzt bald mit Eingeborenen gefüllt, die aus den Büschen am Ufer der Bucht hervorkrochen und sich mit den Ankömmlingen vereinigten, so daß sich in kürzerer Zeit, als ich zum Erzählen brauche, die ›Jane Guy‹ wie durch Zauberei von einer zahllosen Menge blutgieriger Räuber umgeben sah, die sich ihrer um jeden Preis bemächtigen wollten.

Und daß es ihnen gelingen werde — daran war nicht einen Augenblick zu zweifeln. Die sechs auf dem Schiffe zurückgelassenen Matrosen reichten auf keinen Fall aus, um von den Schußwaffen den rechten Gebrauch zu machen und, so mutig sie auch kämpfen mochten, es mit einer solchen Übermacht aufzunehmen. Ich hielt es kaum für möglich, daß sie überhaupt Widerstand zu leisten versuchen würden, doch täuschte ich mich, denn ich sah bald, wie das Schiff quer vor Anker legte und die ganze mit den Kanonen besetzte Breitseite den Kähnen zuwandte, die jetzt noch einen Pistolenschuß entfernt waren, während die Flöße ungefähr eine Viertelmeile weiter windwärts liegen blieben. Aus irgendeiner Ursache, wahrscheinlich aus Aufregung über die plötzliche hoffnungslose Lage, fügten unsere armen Freunde dem Feinde mit ihren Salven jedoch nicht den geringsten Schaden zu. Keiner der vier Kähne wurde getroffen, kein Wilder verletzt, die Kugeln flogen einfach über deren Köpfe weg. Die ganze Wirkung der Schußwaffen beschränkte sich wohl auf ein großes Erstaunen der Wilden über die starke Detonation und den Rauch; ein Erstaunen, das allerdings so ungeheuer sein mochte, daß ich schon ein paar Augenblicke lang dachte, sie würden von ihrem Vorhaben absehen und an die Küste zurückkehren. Und wahrscheinlich hätten sie dies auch getan, wenn die Mannschaft nunmehr zu den kleinen Waffen gegriffen hätte, mit denen sie, da die Kähne jetzt näher gekommen, Schaden genug anrichten konnten; jedenfalls würde es ihnen gelungen sein, die ersten Angreifenden zurückzuschrekken, bis sie den Flößen ebenfalls eine Ladung aus den Kanonen hätten aufbrennen können. Statt dessen jedoch ließen sie den Wilden in den Kähnen Zeit, sich von ihrem Schrecken zu erholen und sich zu vergewissern, daß ihnen nichts geschehen, und dachten selbst nur daran, die Flöße gebührend zu empfangen.

Hier allerdings waren ihre Geschütze von fürchterlicher Wirkung. Die Kartätschen und die Kettenkugeln aus den großen Kanonen bohrten sieben oder acht der Flöße sofort in Grund und Boden und töteten auf der Stelle dreißig oder vierzig der Wilden, während wenigstens Hunderte von ihnen, zum Teil schwer verwundet, im Wasser ihren Tod fanden. Die übrigen wurden von Entsetzen gefaßt und machten sich Hals über Kopf auf die Flucht, ohne sich weiter um ihre Genossen, von denen noch viele Hilfe schreiend im Wasser umherschwammen, zu kümmern. Dieser Erfolg kam jedoch zu spät, um unsere armen Kameraden retten zu können. Die Wilden aus den Kähnen waren vielleicht schon in der Anzahl von hundertundfünfzig an Bord des Schiffes gekommen, das sie an den Ketten von außen erklettert hatten; ihrer barbarischen Wut konnte nichts widerstehen. In einem Augenblick waren unsere Gefährten überwältigt, zu Boden geschlagen, mit Füßen zertreten und in Stücke gerissen.

Kaum hatten die Wilden auf den Flößen dies bemerkt, so wurden sie Herr ihrer Furcht und kamen gleichfalls in Scharen zum Raube herbei. In fünf Minuten war die ›Jane Guy‹ nur noch ein beklagenswerter Schauplatz von Verwüstung und Zerstörung. Das Deck wurde aufgerissen, die Taue, Segel, kurz, alles Bewegliche an Bord schnell wie durch einen bösen Zauberer zerstört. Das Ankertau wurde durchschnitten, zahllose der Elenden stießen hinten, schoben an den Seiten, zogen vorne, bis sie das Schiff an den Strand gebracht und der gütigen Obhut Too-wits übergeben hatten, der während der ganzen Schlacht wie ein guter Feldherr seinen sicheren Beobachtungsposten in den Hügeln nicht verlassen hatte, doch jetzt, als der Kampf wie gewünscht verlaufen, sich herabließ, mit den Kriegern im schwarzen Fell herbeizukommen und seinen Teil an der Beute in Empfang zu nehmen.

Als Too-wit die Hügel hinabgestiegen war, konnten wir unser Versteck verlassen und die Gegend in der Nähe der Schlucht ein wenig erforschen. Ungefähr fünfzig Ellen von ihrem Ende erblickten wir eine kleine Quelle, an der wir unseren brennenden Durst löschten. Nicht weit von der Quelle entdeckten wir mehrere der

Haselnußstauden, von denen ich schon gesprochen. Wir kosteten die Nüsse und fanden sie durchaus wohlschmeckend und im Geschmack der gewöhnlichen englischen Haselnuß ähnlich. Wir sammelten gleich unsere Hüte voll, legten sie in der Schlucht nieder und gingen, um neue zu sammeln. Während wir damit noch eifrig beschäftigt waren, erschreckte uns plötzlich ein Geräusch in den Büschen, und wir wollten uns schon zu unserem Verstecke zurückschleichen, als sich ein großer schwarzer Vogel, der an eine Rohrdommel erinnerte, mühsam und langsam aus dem Gebüsche erhob. Ich erschrak so sehr, daß ich nichts beginnen konnte, Peters jedoch hatte genügend Geistesgegenwart, sich auf ihn zu stürzen und ihn am Hals festzuhalten. Der Vogel wehrte sich wütend und stieß ein schreckliches Geschrei aus, so daß wir schon daran dachten, ihn wieder entwischen zu lassen, damit das Geräusch nicht etwa die Wilden, die im Gebüsch noch verborgen sein konnten, herbeilockte. Ein geschickter Stoß mit dem großen Messer ließ ihn jedoch bald verstummen, er fiel auf die Erde, und wir schleppten ihn in die Schlucht und waren froh, für eine Woche wenigstens mit Nahrung versorgt zu sein.

Darauf strichen wir wieder, Umschau haltend, umher und wagten uns ziemlich weit über den südlichen Abhang des Hügels hinaus, fanden jedoch weiter nichts, das uns als Nahrung hätte dienen können. Wir sammelten nur noch eine Menge trockenen Holzes und kehrten in unser Versteck zurück, wobei wir von ferne ein oder zwei größere Trupps von Eingeborenen bemerkten, die, mit Beute vom Schiffe beladen, ins Dorf zurückgingen und uns leicht hätten erkennen können.

Unsere nächste Sorge war, unseren Zufluchtsort so sicher wie möglich zu machen. Zu diesem Zwecke schichteten wir über der Öffnung, durch die wir, vom Abgrunde aus, ein Stückchen blauen Himmels gesehen hatten, wie zufällig etwas Buschholz auf. Nur eine ganz kleine Öffnung, die groß genug war, die Bucht zu überschauen, wurde freigelassen und zwar so, daß man uns von unten nicht sehen konnte. Dann betrachteten wir unsere Arbeit mit Zufriedenheit und durften uns sagen, daß wir, solange wir die Schlucht nicht verließen und uns nicht auf die Hügel hinauswagten, wohl in Sicherheit waren. Keinerlei Spuren wiesen darauf hin, daß jemals Wilde in der Höhle gewesen waren; als wir jedoch weiter nachdachten und uns eingestehen mußten, daß der Spalt, durch den wir dieselbe erreicht hatten, ja erst neuerdings durch den herabstürzenden gegenüberliegenden Felsen geschaffen worden war, und daß kein anderer Weg zu ihr hinein und hinaus führte, da erfüllten uns bittere Befürchtungen über unser Los: was würde aus uns werden, falls man den einzigen Aus- und Eingang entdeckte, da es ganz unmöglich war, wieder bis in den tiefsten

Schlund hinabzusteigen?! Wir beschlossen den Gipfel des Hügels gründlich zu erforschen, ob sich vielleicht ein anderes Versteck finden ließe.

Mittlerweile beobachteten wir durch unser Guckloch alle Bewegungen der Wilden. Sie hatten das Schiff vollständig zerstört und waren jetzt dabei, es zu verbrennen. Nach kurzer Zeit sahen wir dicke Rauchsäulen aus der Hauptluke emporsteigen, und gleich darauf lohte auch schon eine Flamme vom Vorderkastell empor. Das Tauwerk, die Masten, alles, was noch von den Segeln übriggeblieben, wurde im Augenblick vom Feuer ergriffen. Dennoch trieb noch immer eine große Zahl von Wilden ihr Wesen auf dem Schiff und zerstörte mit Steinen und Äxten das Eisen und Kupferwerk, das bis jetzt standgehalten. In der Bucht, auf Kähnen und Flößen, befanden sich wohl nicht weniger als zehntausend Eingeborene in der Nähe unseres Schoners; ohne alle die zu rechnen, welche, mit Beute beladen, ins Innere des Landes oder auf die benachbarten Inseln zurückkehrten. Wir erwarteten jeden Augenblick auf dem brennenden Schiffe eine Katastrophe und sie ließ in der Tat nicht lange auf sich warten. Zuerst empfanden wir einen starken Stoß, wie ihn wohl eine leichte Galvanisierung hervorruft; doch fehlten noch andere sichtbare Zeichen einer Explosion. Die Wilden waren offenbar höchst erschrocken und hielten einen Augenblick mit ihrem Arbeiten und Schreien inne. Doch wollten sie sich eben wieder ihrem Zerstörungswerk überlassen, als plötzlich eine wilde Rauchmasse wie eine schwarze, schwere Gewitterwolke vom Deck aufstieg und aus den Eingeweiden des Wracks eine hohe Feuersäule emporschoß, die sich dann kreisförmig ausdehnte — dann war in einem einzigen Augenblick die ganze Atmosphäre in ein wildes Chaos von Holz- und Metallstücken und menschlichen Gliedmaßen verwandelt — und dann erst kam der wütendste Stoß, der uns in der weiten Entfernung auf unsere Füße riß, während die Hügel den Tumult in schauerlichem, vielfachem Echo wiedergaben und ein dichter Regen kleiner Trümmer von jeder Seite aus auf uns niedersauste.

Die Verwüstung, die die Explosion unter den Wilden angerichtet, überstieg unsere kühnsten Erwartungen. Vielleicht tausend wurden sofort getötet und ebenso viele scheußlich verstümmelt. Die ganze Oberfläche des Wassers war mit Ertrinkenden buchstäblich übersät, und an der Küste war das Bild ein noch gräßlicheres. Die schnelle Vernichtung schien die Wilden ganz um ihre Sinne gebracht zu haben; sie bemühten sich wenigstens nicht im geringsten, einander beizustehen. Erst nach einiger Zeit kam wieder Bewegung in sie. Dann jedoch schienen sie aus vollständiger Erstarrung plötzlich in einen Zustand höchster Erregung überzugehen; sie rannten wild durcheinander, liefen bis zu einem be-

stimmten Punkte der Küste mit einem seltsam aus Entsetzen, Wut und heftigster Neugier gemischten Ausdruck hin und her und schrien aus Leibeskräften immerfort »Tekeli-li! Tekeli-li!«

Darauf sahen wir, daß sich ein großer Trupp in die Hügel zurückzog, von wo sie in kurzer Zeit mit Holzpfählen wieder zurückkamen. Diese brachten sie an die Stelle, an der die Menge am dichtesten war. Sie teilte sich jetzt und ließ uns den Gegenstand ihrer großen Aufregung sehen. Wir bemerkten, daß etwas Weißes auf dem Boden lag, konnten jedoch nicht sogleich erkennen, was es war. Endlich erkannten wir den Körper des seltsamen Tieres mit den scharlachroten Zähnen und Klauen, das der Schoner am 18. Januar auf See erbeutet hatte. Kapitän Guy hatte den Körper verwahrt, um ihn auszustopfen und mit nach England zu nehmen. Ich erinnerte mich, daß er, kurz bevor wir die Insel erreichten, die diesbezüglichen Befehle gegeben und das Tier in einem Schrank aufbewahren ließ. Die Explosion hatte es an die Küste geschleudert. Weshalb es unter den Wilden eine so große Erregung hervorrufen konnte, blieb uns unverständlich. Obwohl sie sich in großer Menge um das Tier drängten, wagte offenbar niemand, sich ihm ganz zu nähern. Die mit den Holzpfählen bewaffneten Männer pflanzten dieselben rund im Kreis um den Kadaver auf; und kaum waren sie damit fertig, so stürzte sich die ganze schwarze Menge mit dem lauten Geschrei »Tekeli-li! Tekeli-li!« in das Innere der Insel.

KAPITEL XX

Das Labyrinth

Während der folgenden sechs oder sieben Tage blieben wir in unserem Versteck und begaben uns nur gelegentlich mit der größten Vorsicht auf die Suche nach Wasser und Haselnüssen. Wir hatten uns auf der Plattform eine Art Wetterdach hergerichtet und aus trockenen Blättern ein Bett, aus drei großen Steinen einen Tisch und einen Kamin verfertigt. Mit wenig Mühe gelang es uns, Feuer zu entzünden, indem wir weiches und ein hartes Stück Holz aneinander rieben. Der Vogel, den wir zu guter Zeit erbeutet, lieferte eine ausreichende, obwohl ein wenig zähe Speise. Er war kein Meervogel, sondern, wie gesagt, eine Art Rohrdommel mit pechschwarzem, von kleinen grauen Flecken übersätem Gefieder und verhältnismäßig kleinen Flügeln. Wir sahen später drei Vögel derselben Art in der Umgebung der Schlucht, wie sie ihren Gefährten, den wir gefangen hatten, zu suchen schienen; da sie sich jedoch nicht ein einzigesmal auf die Erde niederließen, konnten wir uns ihrer nicht bemächtigen.

Solange der Vogel reichte, hatten wir unter unserer Lage nicht zu leiden; doch war er nur zu schnell verzehrt, so daß wir uns bald nach neuen Lebensmitteln umsehen mußten. Die Nüsse genügten nicht, um die Hungerqualen zu stillen; in größerer Menge genossen, verursachten sie uns heftiges Leib- und Kopfweh. Im Osten des Hügels, nahe am Ufer, hatten wir einige sehr große Schildkröten gesehen und waren auch überzeugt, daß wir sie, wenn wir nur erst einmal unentdeckt in ihre Nähe gekommen, leicht erbeuten könnten. Wir beschlossen also, eine kleine Streife aus unserer Höhle zu wagen.

Wir begannen damit, den südlichen Abhang, der am leichtesten zugänglich schien, herabzusteigen. Doch mochten wir kaum hundert Ellen gegangen sein, als unser Weg, wie wir es bei unserer Umschau von der Spitze des Hügels vorausgesehen hatten, durch eine Abzweigung der großen Schlucht, in welcher unsere Gefährten umgekommen waren, aufgehalten wurde. Ungefähr eine Viertelmeile weit folgten wir dem Rand derselben, doch wurden wir von neuem durch einen ungeheuer tiefen Abgrund aufgehalten; und da wir nicht weiter am Rande vorwärts konnten, kehrten wir auf demselben Weg wieder zur Hauptschlucht zurück.

Wir drangen nun nach Osten vor, hatten jedoch nicht mehr Glück. Nachdem wir eine Stunde auf die Gefahr hin, den Hals zu brechen, umhergeklettert waren, entdeckten wir, daß wir nun in einen riesigen Abgrund aus schwarzem Granit herabgestiegen waren, dessen Boden mit feinem Staub bedeckt war, und aus dem wir nur durch den halsbrecherischen Pfad, auf dem wir gekommen waren, wieder hinausgelangen konnten. Wir kletterten denselben mit vieler Mühe wieder hinauf und versuchten unser Heil auf der nördlichen Seite des Hügels. Dort mußten wir jedoch mit der erdenklichsten Vorsicht zu Werke gehen, denn die kleinste Unaufmerksamkeit konnte uns den Blicken der Wilden im Dorfe zeigen. Wir krochen also auf Händen und Füßen vorwärts, zuweilen mußten wir uns sogar, platt auf dem Boden liegend, an den Gesträuchen vorwärtsziehen. Mit Mühe und Not hatten wir so ein kleines Stück des Weges zurückgelegt, als wir an einen Abgrund kamen, der tiefer war als jeder, den wir bis jetzt gesehen, und der unmittelbar in die Hauptschlucht hineinführte. So bestätigten sich unsere schlimmsten Befürchtungen: wir waren vollständig abgeschnitten und konnten auf keine Weise in das unten gelegene Land gelangen. Von der Anstrengung erschöpft, krochen wir in unser

Versteck zurück, sanken auf unser Blätterlager und schliefen ein paar Stunden lang tief und traumlos.

Mehrere Tage nach diesen fruchtlosen Ausflügen beschäftigten wir uns damit, die ganze Spitze des Berges zu erforschen, um zu sehen, ob sich uns dort keine Nahrungsmittel zeigen wollten. Wir fanden mit Ausnahme der Nüsse und einer Art Löffelkraut, das auf einer vielleicht vier Quadratruten großen Stelle wuchs und bald aufgebraucht sein mußte, nicht das geringste. Am fünfzehnten Februar — soweit wir rechnen konnten, mußte es dieser Tag sein — war es bis auf das letzte Blättchen aufgezehrt, und auch die Nüsse wurden seltener, so daß wir uns in der beklagenswertesten Lage befanden. Am sechzehnten durchkreuzten wir nochmals unser Gefängnis nach allen Richtungen hin, in der Hoffnung, einen Ausweg zu finden; doch auch diesmal war's vergebens.

Wir stiegen noch in die Höhle hinab, in der schwachen Annahme, dort einen Ausgang in die Hauptschlucht zu finden, aber vergeblich. Doch fanden wir bei der Gelegenheit eine der verloren gegangenen Flinten.

Am siebzehnten verließen wir unser Versteck in der Absicht, den granitnen Abgrund, in den wir am ersten Tage der Nachforschungen gelangt waren, genauer zu durchsuchen. Wir erinnerten uns, daß wir in eine der breiten Spalten an seinen seitlichen Wänden nur flüchtig hineingeschaut hatten, und waren nun begierig, sie näher in Augenschein zu nehmen, obwohl wir kaum hoffen durften, daß sie zu einem Ausgang führen werde.

Ohne allzu viele Schwierigkeiten erreichten wir den Boden des Abgrunds und begannen mit Muße Umschau zu halten. Wir befanden uns ohne Zweifel an einem der sonderbarsten Orte der Erde, und nur schwer konnten wir bei dem Glauben bleiben, daß er wirklich einzig und allein ein Werk der Natur sei. Der Abgrund war von seinem östlichen zum westlichen Ende, wenn man alle seine Windungen aneinandersetzte, wohl fünfhundert Ellen lang. In gerader Linie betrug die Entfernung von Osten nach Westen höchstens vierzig bis fünfzig Ellen. Am Anfang unseres Abstiegs, das heißt, als wir vielleicht hundert Fuß von der Spitze des Hügels herabgestiegen waren, glichen sich die Wände des Abgrundes sehr wenig und schienen niemals vereinigt gewesen zu sein, denn die eine bestand aus Speckstein, die andere aus Mergel, der mit metallischen Substanzen durchkörnt war. Der Zwischenraum zwischen den beiden Mauern betrug manchmal sechzig Fuß, doch war die Formation eine durchaus unregelmäßige. Als wir nun über die zweihundert Fuß weiter hinabgestiegen, verengte sich der Zwischenraum bedeutend, und die Wände fingen an, parallel zu laufen, obgleich ihr Aussehen und ihre Beschaffenheit noch eine Strecke weiter durchaus verschieden war. Als wir jedoch dem Boden bis auf fünfzig Fuß nahe gekommen, zeigte es sich, daß die beiden Wände bezüglich ihrer Beschaffenheit und Formation vollständig gleich waren. Sie liefen parallel, bestanden aus glänzendem, schwarzem Granit und standen genau zwanzig Ellen weit voneinander entfernt. Die beste Vorstellung von der Gestalt des ganzen Abgrundes wird eine Zeichnung geben:

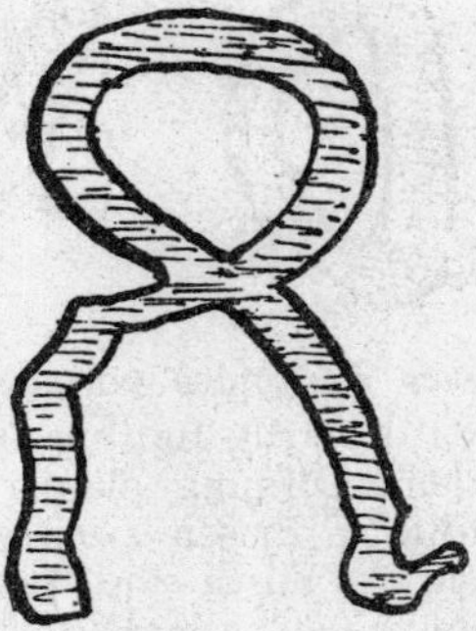

Diese Figur gibt die allgemeinen Umrisse des Abgrundes, ohne die kleineren Höhlen in den Wänden, die sehr häufig vorkamen und einem Vorsprung an der gegenüberliegenden Wand entsprachen. Der Boden des Schlundes war vielleicht drei oder vier Zoll hoch mit einem fast ungreifbaren Staub bedeckt, unter dem sich der Granit wieder fortsetzte. Zur Rechten, am unteren Ende, bemerkt man etwas wie eine kleine Öffnung; es ist dies der Spalt, von dem ich oben schon gesprochen, den wir bei unserem zweiten Besuche näher betrachten wollten. Wir drangen in ihn hinein, räumten eine Menge Brombeersträucher, die den Eingang versperrten, aus dem Wege, und mußten auch einen Haufen spitzer Steine, die in der Form Pfeilspitzen glichen, entfernen. Dennoch drangen wir unentwegt weiter vor, da aus dem entgegengesetzten Ende ein kleiner Lichtstreifen hervorzuschimmern schien. Als wir unsern Weg vielleicht dreißig Fuß weit gebahnt hatten, fanden wir, daß die Öffnung ein niedriger, regelmäßig geformter Bogen war, dessen Boden mit dem gleichen unfühlbaren Staub bedeckt war wie der des Abgrundes. Starkes Licht brach durch denselben herein; wir gelangten an eine scharfe Biegung und befanden uns, nachdem wir sie umschritten, in einem anderen hohen Felsgemach, das dem soeben verlassenen, abgesehen von seiner länglichen Gestalt, durchaus ähnlich war. Ihr allgemeines Bild gibt diese Zeichnung:

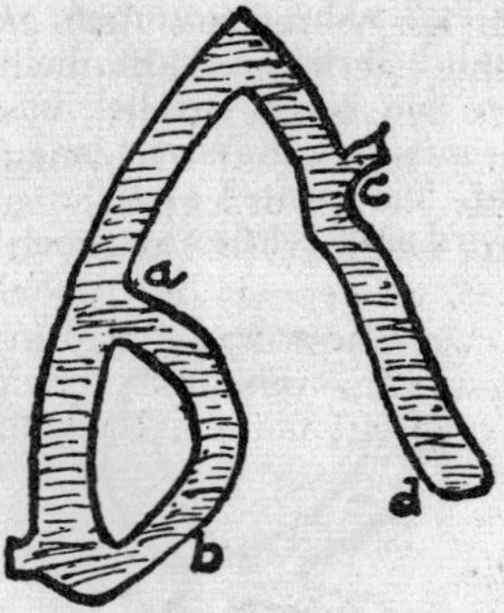

Die ganze Länge dieses Schlundes von der Öffnung a um die Kurve b bis zum Ende d betrug fünfhundertfünfzig Ellen. Bei c bemerkten wir eine kleine Öffnung, die derjenigen, durch die wir aus dem ersten Schachte in diesen zweiten gelangten, durchaus ähnlich schien. Auch sie war durch eine Menge Brombeersträucher und Haufen spitzer Steine versperrt. Wir bahnten uns einen Weg durch sie hindurch: sie mochte ungefähr vierzig Fuß lang sein und mündete in einen dritten Schlund. Dieser glich dem ersten ebenfalls in jeder Beziehung, nur war er wie der zweite länglich und von folgender Gestalt:

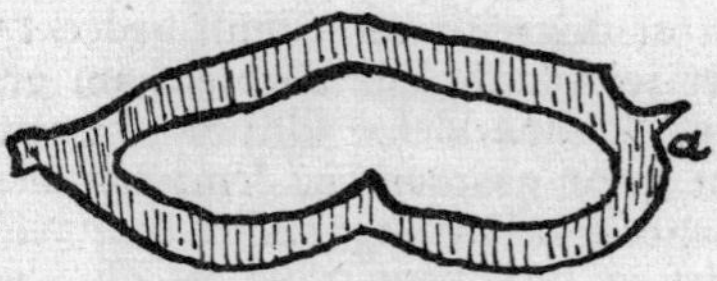

Die ganze Länge des dritten Schachtes betrug dreihundertundzwanzig Ellen. Bei dem Punkte a befand sich eine Öffnung von sechs Zoll Weite, die fünfzehn Fuß tief in den Felsen hineinging und dort in ein Mergellager auslief, ohne daß sich, wie wir erwartet hatten, ein anderer Schacht auftat. Wir wollten diesen Spalt, in den nur wenig Licht eindrang, wieder verlassen, als Peters meine Aufmerksamkeit auf eine Reihe sonderbar aussehender Einschnitte lenkte, die in der Oberfläche der Mergelwand, am Ende der Sackgasse eingekerbt waren. Es bedurfte nur einer geringen Anstrengung der Einbildungskraft, um den linken oder nördlichsten dieser Einschnitte für die beabsichtigte, obwohl äußerst plumpe Darstellung eines aufrechtstehenden menschlichen

Körpers mit einem ausgestreckten Arm zu halten. Die übrigen Zeichen hatten eine geringe Ähnlichkeit mit alphabetischen Schriftzügen; Peters behauptete sofort, es seien auch solche, und ich konnte ihn erst von der Irrtümlichkeit dieser Annahme überzeugen, als ich vom Boden des Spaltes mehrere große Mergelstücke aufsammelte, welche offenbar durch irgendeine Erschütterung von der Wand, an der wir die angeblichen Schriftzüge entdeckten, abgesprungen waren und genau in die vorhandenen Einschnitte paßten, so daß man also nur annehmen konnte, sie seien auf natürlichem Wege entstanden. Folgende Figur gibt die Einschnitte genau wieder.

Als wir uns davon überzeugt hatten, daß uns alle diese Höhlungen nicht ins Freie führten, begaben wir uns ziemlich niedergeschlagen wieder auf die Spitze des Hügels zurück. Während der folgenden vierundzwanzig Stunden ereignete sich nichts Erwähnenswertes, nur bemerkten wir an der östlichen Seite des dritten Abgrundes zwei dreieckige, ziemlich tiefe Löcher, deren Seitenwände ebenfalls aus Granit bestanden. Wir hielten es jedoch nicht der Mühe wert, in die Löcher hinabzusteigen, denn sie hatten keinen Ausweg und schienen natürlichen Ursprungs zu sein. Sie maßen ungefähr jedes zwanzig Fuß Umfang, und ihre Form sowie ihre Lage zueinander ist hier abgebildet:

KAPITEL XXI

Die Flucht

Am 20. mußten wir uns sagen, daß es ganz unmöglich sei, noch länger bloß von den Haselnüssen zu leben. Ihr Genuß verursachte uns die heftigsten Schmerzen, und wir beschlossen, einen verzweifelten Versuch zu machen, den südlichen Abhang des Hügels hinabzusteigen. Die Wand dieses fast senkrechten und an manchen Stellen selbst überhängenden Abhanges bestand aus der weichsten Art des Specksteins und war wenigstens hundertfünfzig Fuß tief. Nach langem Nachsuchen entdeckten wir, vielleicht zwanzig Fuß unter dem oberen Rand der Mauer, einen schmalen Vorsprung, und es gelang meinem Freunde Peters, mit Hilfe unserer aneinandergeknüpften Taschentücher auf ihn hinabzuspringen. Mein Sprung hinunter war gefahrvoller und schwieriger, und wir sahen keine andere Möglichkeit ganz hinabzusteigen, als Stufen in den weichen Stein zu graben, wie wir es bei unserem Aufstieg aus dem Abgrund, in dem wir uns schon lebendig begraben geglaubt, getan hatten. Es ist ganz unmöglich, sich eine Vorstellung davon zu machen, wie gefährlich dieses Unternehmen war; da uns aber nichts anderes übrig blieb, beschlossen wir, es immerhin zu wagen.

Auf dem Vorsprung, auf dem wir uns befanden, wuchsen einige Haselnußstauden; an einer von ihnen befestigten wir das eine Ende unseres Taschentuchseiles, das andere Ende band ich meinem Kameraden Peters um die Taille und ließ ihn so weit an dem Abgrund hinunter, bis das ›Seil‹ straff gespannt hing. Nun grub er ein acht oder zehn Zoll tiefes Loch in den Speckstein und schrägte den Felsen vielleicht einen Fuß darüber so ab, daß er mit dem Kolben seiner Flinte einen ziemlich starken Pflock in die gleichmäßig gemachte Oberfläche einschlug. Ich zog ihn dann ungefähr vier Fuß weiter hinauf, er grub ein ähnliches Loch und trieb wieder einen Pflock hinein, so daß seine Hände sowohl wie seine Füße einen festen Stützpunkt hatten. Ich löste nun das Taschentuchseil von dem Strauch los, warf es ihm zu und er befestigte es dann an dem oberen Pflocke und ließ sich dann sanft etwa drei Fuß tiefer hinab, das heißt so weit wie das improvisierte Tau reichte. Hier grub er ein neues Loch und trieb einen neuen Pflock ein. Dann schwang er sich hinauf, daß seine Füße auf dem eben eingetriebenen Pflock ruhten, und hielt sich mit den Händen an dem darüber befindlichen fest. Nun mußte er das Taschentuch von dem obersten Pflock lösen, um es an dem zweiten zu befesti-

gen, und fand dabei, daß er die Pflöcke in zu großer Entfernung voneinander eingeschlagen habe und die Knoten des Taues nicht lösen konnte. Nach ein oder zwei vergeblichen Versuchen blieb ihm nichts anderes übrig, als das Seil zu zerschneiden; ein Stück von vielleicht sechs Zoll blieb an dem oberen Pflocke hängen, den Rest band er an den zweiten Pflock und ließ sich wieder tiefer hinab, wobei er achtgab, nicht wieder allzutief weiterzuarbeiten. Auf diese kluge Art und Weise gelang es meinem Freund Peters, den Boden ohne Unfall zu erreichen.

Es dauerte eine ganze Zeitlang, ehe ich mich ermannen konnte, ihm zu folgen; endlich versuchte ich es. Peters hatte, ehe er hinabstieg, sein Hemd abgelegt, ich band es mit dem meinigen zusammen und erhielt so das notwendige Seil. Nachdem ich die Flinte, die ich in dem Abgrund gefunden, von mir geworfen hatte, befestigte ich das Seil an den Sträuchern und ließ mich hinab. Während der ersten vier oder fünf Stufen gelang es mir auch, doch plötzlich wurde meine Phantasie bei dem Gedanken an die gräßliche Tiefe, der ich entgegenstieg, und der Unsicherheit des weichen Felsens und der eilig eingetriebenen Pflöcke, die meine einzigste Stütze waren, schauerlich erregt. Vergebens versuchte ich, diese Betrachtungen von mir zu weisen und meine Augen auf die glatte Felsoberfläche vor mir gebannt zu halten. Je hitziger ich mich bemühte, *nicht zu denken*, um so lebhafter, um so deutlicher kamen mir Vorstellungen, bis sich endlich jene Krise der Phantasie einstellte, die in dergleichen Fällen so gefährlich ist, die Krise, in der wir die Gefühle zu ahnen beginnen, die wir beim Fallen haben würden — in der wir uns den Schwindel, die Übelkeit, den letzten Kampf dagegen und endlich die ganze Gräßlichkeit des rasenden Sturzes vorstellen. Und ich fühlte, wie sich diese Vorstellungen in Wirklichkeiten umsetzten und mich alle die eingebildeten Schrecken als Wirklichkeiten packten. Ich fühlte, wie meine Knie heftig aneinander schlotterten und meine Finger sich langsam von dem krampfhaft umspannten Pflock lösten. Es sauste mir in den Ohren, und plötzlich packte mich das ununterdrückbare Verlangen, hinunter zu sehen. Ich konnte, ich wollte meine Blicke nicht mehr auf den Felsen bannen, und mit einer seltsamen unbeschreiblichen Erregung, halb entsetzt, halb freudig erleichtert, wandte ich meine Augen dem Abgrund unter mir zu. Einen Augenblick lang klammerten sich meine Finger noch einmal krampfhaft um ihren Halt, während mir bei dieser Bewegung der eben noch erdenkbare, schwächste Gedanke an Rettung wie ein Schatten durch die Seele glitt — im nächsten Augenblick erfüllte mich nur noch *ein* Wunsch, ein unbezwingbarer, leidenschaftlicher Wunsch, *zu fallen*. Ich ließ plötzlich meinen Pflock los, wandte mich nun mit dem Rücken halb der Felsmauer zu und blieb eine

Sekunde schwankend gegen sie gelehnt. Dann entstand ein Wirbel in meinem Gehirn, es war mir, als schrille eine geisterhafte Stimme in meinem Ohre. Eine düstere, satanische, nebelhafte Gestalt stand plötzlich unter mir, ich seufzte auf, mein Herz schien zu zerspringen, und ich stürzte in ihre Arme.

Ich war ohnmächtig geworden, und Peters hatte mich im Fallen aufgefangen. Er hatte mich während des Herabkletterns genau beobachtet und die ungeheure Gefahr, in der ich schwebte, wohl bemerkt und mir auf jede Weise Mut einflößen wollen; ich war jedoch schon zu erregt, um zu verstehen, was er mir zurief, ja, ich bemerkte nicht einmal, daß er überhaupt mit mir sprach. Als er mich schwanken sah, kletterte er herauf, um mir zu Hilfe zu kommen, und tauchte gerade im letzten Augenblick auf dem Pflock unter mir auf. Wäre ich mit der ganzen Wucht meines Körpers gestürzt, so würde das Tau, an das ich gebunden war, ohne Zweifel zerrissen und ich in den Abgrund hinabgestürzt sein. Er fing mich jedoch im Fallen auf und ließ mich vorsichtig hinunter, so daß ich ohne Gefahr hängen konnte, bis meine Besinnung wieder zurückkehrte. Das war nach ungefähr fünfzehn Minuten. Als ich wieder zu mir kam, war der Schwindel vollständig geschwunden, ich fühlte mich wie ein ganz anderer, ein neuer Mensch und erreichte mit Peters' Hilfe bald den Boden.

Wir befanden uns jetzt nicht weit von der Schlucht, die das Grab unserer Kameraden geworden, und südlich von der Stelle, an welcher der Felssturz stattgefunden. Der Ort war sonderbar wild und zerklüftet und erinnerte mich an die Beschreibungen, welche uns die Reisenden von der zerstörten Stadt Babylon überbracht haben. Von den Felstrümmern, die nach Norden zu eine riesige, zum Himmel aufsteigende Schranke bildeten, war der Boden nach jeder Richtung hin mit ungeheuren Blöcken und Schuttmassen übersät, die die Überreste irgendeines gigantischen Bauwerkes zu sein schienen; doch ließen die Trümmer im einzelnen durch nichts auf ein Werk von Menschenhänden schließen. Wir fanden sehr viele Schlacken, und riesige Granitblöcke wechselten mit schwarzen Mergelblöcken ab; beide Arten Gestein waren reichlich mit metallischen Bestandteilen durchsetzt. Dagegen fanden wir, so weit das Auge reichte, keine Spur von Vegetation; wir sahen einige ungewöhnlich große Skorpione und ein paar Reptilien, die man sonst unter diesem Breitengrad nicht mehr findet.

Da wir uns vor allem Nahrung verschaffen mußten, beschlossen wir, uns der Küste zuzuwenden, die eine halbe Meile entfernt lag, um dort ein paar Schildkröten zu erlegen. Wir mochten uns mit großer Vorsicht unter den Trümmern vielleicht an hundert Ellen weit vorgewagt haben, als wir eine Biegung machten und

plötzlich aus dem Hinterhalt von fünf Wilden überfallen wurden, die aus einer kleinen Höhle auf uns zusprangen und Peters durch ein Wurfgeschoß zu Boden streckten. Als er fiel, stürzte sich die ganze Bande auf ihn und gab mir so, ohne es zu wollen, Zeit, zu mir zu kommen und den ersten jähen Schreck abzuschütteln. Ich hatte meine Flinte bei mir, doch war sie bei dem Fall von dem Felsen so beschädigt worden, daß ich sie als nutzlos beiseite warf, und nur auf meine Pistolen vertraute, die ich sorgfältig in gutem Zustand erhalten hatte. Ich wandte mich mit meinen Waffen gegen die Angreifer und feuerte schnell hintereinander. Zwei Wilde fielen, darunter einer, der Peters gerade mit seinem Speer durchbohren wollte. Da mein Freund nun befreit war, bot der Kampf keine Schwierigkeiten mehr für uns. Er hatte ebenfalls seine Pistolen bei sich, doch stand er klugerweise davon ab, sie zu gebrauchen, sondern vertraute allein auf seine große Körperkraft, die, wie ich ja schon so oft erfahren hatte, ans Wunderbare grenzte. Er entriß einem der gefallenen Wilden die Keule und schlug mit ihr den drei übrigbleibenden mit je einem Schlag einfach den Schädel ein. So waren wir die Sieger.

Dies alles war so schnell vor sich gegangen, daß es uns selbst fast unwirklich vorkam. Mit schweigender Verblüfftheit starrten wir auf die Körper der Leblosen, als uns ein in einiger Entfernung ertönendes wütendes Geschrei wieder zum Bewußtsein der Wirklichkeit brachte. Offenbar hatten die Schüsse die Wilden alarmiert, und es blieb uns wohl keine Möglichkeit, einer Entdeckung zu entgehen. Wollten wir wieder auf unseren Felsen gelangen, so mußten wir die Richtung, aus der das Geschrei kam, einschlagen, und selbst wenn wir sicher bis zu seinem Fuß gelangten, konnten wir ihn doch auf keinen Fall erklimmen, ohne gesehen zu werden. Wir befanden uns in allergrößter Gefahr und zögerten noch, in welcher Richtung wir fliehen sollten, als einer der Wilden, auf den ich geschossen und der wie tot niedergefallen war, plötzlich wieder auf seine Füße sprang und entfliehen wollte. Wir hielten ihn zurück und wollten ihn schon töten, als Peters auf den Gedanken kam, er könnte uns vielleicht von Nutzen sein. Wir zogen ihn mit uns fort, indem wir ihm bedeuteten, daß er, wenn er nur den geringsten Widerstand leiste, verloren sei. Gleich zeigte er sich unterwürfig und lief getreu neben uns her, während wir uns in der Richtung auf die Küste zu einen Weg durch die Felsen bahnten.

Der hügelige Boden hatte das Meer bis jetzt fast ständig unseren Blicken entzogen, und als wir es endlich wiedersahen, mochte es vielleicht zweihundert Ellen von uns entfernt sein. Als die Bucht offen vor uns lag, sahen wir zu unserem Schrecken eine große Schar Wilder, die aus dem Dorfe und von allen Punkten der Insel her mit wütenden Gebärden und wüstem Geheul auf uns zustürzten. Wir wollten schon wieder umkehren, um uns in den Felsgängen, aus denen wir kamen, ein Versteck zu suchen, als ich plötzlich das Hinterteil von zwei Kähnen bemerkte, die hinter einem großen Felsen, der weit ins Wasser hineinragte, hervorlugten. So schnell wie möglich rannten wir auf diese zu und fanden sie unbeaufsichtigt – nur mit drei Gallapagos und dem üblichen Ruderzeug für sechs Ruderer beladen. Wir stiegen mit unserem Gefangenen in einen der Kähne und ruderten aus allen Kräften aufs hohe Meer hinaus.

Kaum hatten wir uns vielleicht fünfzig Ellen vom Ufer entfernt und ein wenig Geistesgegenwart zurückerlangt, so sahen wir ein, welche Torheit wir begangen hatten, den anderen Kahn im Bereich der Wilden zu belassen, die vielleicht nur noch doppelt so weit vom Ufer entfernt waren wie wir, und sich demselben in eilendem Laufe näherten. Wir hatten keine Zeit mehr zu verlieren, unsere Hoffnung war eine sehr zweifelhafte, und doch blieb uns nichts anderes übrig, als wenigstens zu versuchen, uns des Kahnes vor ihnen zu bemächtigen. Gelang es uns, was eigentlich nicht zu erwarten war, so waren wir gerettet, machten wir jedoch diesen letzten Versuch nicht, so waren wir unfehlbar ihren Messern ausgeliefert.

Unser Kahn war so gebaut, daß sein Hinter- und Vorderteil gleich war, wir brauchten also nicht zu drehen, sondern ruderten nur nach der entgegengesetzten Seite. Sobald die Wilden dies bemerkten, verdoppelte sich ihr Geschrei und sie kamen mit staunenerregender Eile heran. Wir ruderten mit der Kraft der Verzweiflung, und als wir den Kahn erreichten, war erst ein einziger der Wilden angekommen. Er mußte seine Eile teuer bezahlen: ein Pistolenschuß streckte ihn in dem Augenblick, da er am Wasser stand, auch schon nieder. Die übrigen befanden sich vielleicht noch dreißig Schritt vom Ufer entfernt, als wir uns glücklich des Kahnes bemächtigten. Wir wollten ihn zuerst bloß aus dem Bereich der Wilden ins tiefe Wasser ziehen, fanden jedoch, daß er dafür zu schwer war, so daß Peters durch ein paar wuchtige Stöße mit dem Flintenkolben sein Hinterteil und ein Stück der Seitenwand entzweischlug. Dann stießen wir wieder vom Land ab.

Wir waren also einstweilen frei und ruderten von neuem aus Leibeskräften auf das Meer hinaus. Als die Masse der Wilden bei dem zerbrochenen Kahn ankam, stießen sie voll Enttäuschung und Wut ein gräßliches Geheul aus. Dann machten sie einen unsinnigen Versuch, uns in dem zerstückelten Boot zu verfolgen; als sie jedoch einsahen, daß dies ganz unmöglich sei, stießen sie von neuem ein gellendes Geschrei aus und rannten in ihre Hügel zurück.

Wir waren also von jeder unmittelbaren Gefahr befreit; doch

war unsere Lage immerhin noch gefährlich genug. Wir wußten, daß die Wilden im ganzen vier Kähne von der Tüchtigkeit des unsrigen besessen hatten, und erfuhren erst später von unserem Gefangenen, daß zwei derselben bei der Explosion der ›Jane Guy‹ zerschmettert worden waren. So mußten wir also vorläufig erwarten, daß unsere Feinde, sobald sie zu dem Punkt der Bucht, an welchem die Kähne gewöhnlich geborgen lagen — er mochte drei Meilen entfernt sein —, zurückgelaufen wären, unsere Verfolgung wieder aufnehmen würden. Wir arbeiteten so angestrengt wir konnten und zwangen auch unseren Gefangenen zum Rudern, um einen möglichst großen Vorsprung zu gewinnen. Nach einer halben Stunde, als wir vielleicht fünf oder sechs Meilen südwärts zurückgelegt hatten, sahen wir, wie zahlreiche Flöße aus der Bucht hervorkamen, um uns einzufangen. Sie kehrten jedoch, offenbar von der Nutzlosigkeit ihrer Anstrengungen überzeugt, bald wieder zurück.

KAPITEL XXII

Der weiße Riese

Wir befanden uns also jetzt auf dem unendlichen, öden südlichen Ozean, unter einer Breite von mehr als vierundachtzig Grad, in einem schwachen Boote und ohne weitere Lebensmittel als die drei Schildkröten. Dazu kam, daß der lange polare Winter herannahte.

Wir mußten reiflich überlegen, in welcher Richtung wir am besten weiterruderten. Es waren sechs oder sieben Inseln in Sicht, die zu derselben Gruppe, wie die eben verlassenen, gehörten; daher durften wir nicht wagen, auf einer derselben zu landen. Als wir mit der ›Jane Guy‹ von Norden herunterkamen, hatten wir die härteste Eisregion schon durchquert. Die Tatsache steht zwar in direktem Widerspruch zu der Vorstellung, die man im allgemeinen von dem südlichen Polarmeer hat, doch ließ es sich nicht wegleugnen. Der Versuch, den Rückweg anzutreten, wäre, zumal in der vorgeschrittenen Jahreszeit, eine große Torheit gewesen. Es blieb uns nur *ein Weg*, eine Hoffnung: wir beschlossen, kühn nach Süden weiterzurudern, wo sich uns noch immer die Möglichkeit bot, neues Land zu entdecken, und mehr als eine bloße Möglichkeit, in mildes Klima zu gelangen.

Bis jetzt hatten wir den antarktischen wie arktischen Ozean ziemlich frei von heftigen Stürmen oder allzu bewegtem Wasser gefunden; doch war unser Kahn eher schwächlich als stark; und wir gingen sogleich ans Werk, um ihn, soweit wie möglich, seetüchtiger zu machen. Der Rumpf des Bootes bestand bloß aus Rinde, aus der Borke irgendeines unbekannten Baumes. Das Rippenwerk war ein starkes Geflecht, das seiner Bestimmung sehr wohl entsprach. Lang war das Fahrzeug im ganzen fünfzig Fuß, breit vier bis sechs Fuß und dabei vier und einen halben Fuß tief — es wich also an Gestalt vollständig von den Fahrzeugen ab, die man bis jetzt bei den Insulanern in den südlichen Meeren gefunden. Wir konnten nicht wohl annehmen, daß sie von den ungeschickten Insulanern, denen sie gehörten, selbst gemacht worden seien, und erfuhren auch einige Tage später von unserem Gefangenen, daß sie von den Eingeborenen einer südwestlich liegenden Insel verfertigt worden und durch Zufall in die Hand unserer Barbaren gekommen waren.

Wir konnten nur sehr wenig tun, um unser Boot sicherer zu machen. An seinen beiden Enden entdeckten wir eine ziemlich breite Ritze, die wir, so gut es ging, mit Stücken von unseren wollenen Jacken verstopften. Mit Hilfe der zahlreichen überflüssigen Ruder errichteten wir eine Art Holzwand am Vorderteil, um uns gegen Sturzwellen von dieser Seite her möglichst zu schützen. Zwei Ruder pflanzten wir einander gegenüber als Mastbäume auf, um uns die Rahe zu ersparen. An diese Mastbäume befestigten wir die aus unseren Hemden verfertigten Segel. Diese letztere Arbeit verursachte uns eine ziemlich große Schwierigkeit, zumal sich unser Gefangener, der sich bis jetzt stets willig gezeigt hatte, sonderbarerweise weigerte, uns bei ihr zu helfen. Der Anblick des Leinens erschien ihn in ganz eigentümlicher Weise aufzuregen. Er war nicht zu bewegen, es auch nur anzurühren, und als wir versuchten, ihn dazu zu zwingen, schauderte er geradezu und schrie sein »Tekeli-li!«

Als wir mit den Arbeiten zur Sicherung unseres Bootes fertig waren, segelten wir nach Südsüdosten, um die südlichste der Inseln, die in Sicht war, zu umschiffen, und richteten dann, nachdem dies geschehen, unseren Lauf ganz nach Süden. Das Wetter war durchaus nicht unangenehm, wir hatten einen beständigen sanften Nordwind, glatte See und ununterbrochen Tageslicht. Eis war überhaupt nicht zu sehen, und ich muß ausdrücklich betonen, daß uns, seit wir über den Breitengrad des Bennets-Eilandes hinausgelangt waren, auch nicht das kleinste Stückchen mehr begegnete. Die Temperatur des Wassers war hier viel zu warm, um die geringste Eisbildung zuzulassen. Als wir unsere größte Schildkröte geschlachtet und uns dadurch nicht nur mit Nahrung, sondern auch reichlich mit Wasser versorgt hatten, segelten wir vielleicht sieben oder acht Tage in der gleichen Richtung weiter und mußten ein

sehr beträchtliches Stück nach Süden kommen, da der Wind uns immer günstig war und uns ein sehr starker Strom beständig in der gewünschten Richtung vorwärts trieb.

1. März. Viele unbekannte Erscheinungen wiesen darauf hin, daß wir uns in unerforschten, seltsamen Regionen befanden. Eine hohe Mauer leichten grauen Nebels zog beständig am südlichen Horizont dahin und flackerte oft in hohen Streifen auf, die bald von Osten nach Westen, bald von Westen nach Osten liefen, bald sich wieder zu einer geraden, dichten Linie sammelten – kurz, alle die sonderbaren Veränderungen der Aurora Borealis zur Schau trug.

Die durchschnittliche Höhe dieser Nebelmauer, von unserem Gesichtspunkt aus gesehen, mochte fünfundzwanzig Grad betragen. Die Temperatur des Wassers nahm mit jedem Augenblick zu, und auch seine Farbe erlitt eine deutlich merkbare Veränderung.

2. März. Nach verschiedentlichen Fragen erfuhren wir heute von unserem Gefangenen viele Einzelheiten über seine Heimatinsel, deren Einwohner und ihre Sitten – doch wie könnten diese Dinge *jetzt* die Aufmerksamkeit des Lesers noch fesseln? Ich möchte hier nur kurz erwähnen, daß acht Inseln die gesamte Gruppe bildeten, die von einem König namens Tsalemon oder Psalemonn, der auf einer der kleinsten Inseln wohnte, regiert wurde; daß die schwarzen Felle, welche das Abzeichen der Krieger bildeten, von riesig großen Tieren stammten, die man nur in einem Tal in der Nähe des Königssitzes fand – daß sein Name Nu-Nu lautete – daß das Bennets-Eiland ihm ganz unbekannt war und die Insel, die wir verlassen hatten, Tsalal hieß. Die Worte Tsalemon und Tsalal wurden am Anfang mit einem langen Zischlaut gesprochen, den wir selbst nach wiederholten Anstrengungen nicht nachahmen konnten.

3. März. Immer mehr fiel uns die Wärme des Wassers auf, und auch seine Farbe veränderte sich immer deutlicher: es blieb nicht durchsichtig, sondern nahm ein dichteres, milchiges Aussehen an. In unserer Nähe war das Meer beständig glatt und brachte unser Boot keinen Augenblick in Gefahr – doch bemerkten wir oft mit großem Erstaunen zu unserer Rechten und Linken in ganz verschiedener Entfernung plötzliche und wilde Bewegungen der Oberfläche, denen, wie wir später wahrnahmen, immer seltsame Schwankungen der Nebelwand vorausgingen.

4. März. Der Nordwind flaute heute merklich ab, und um unser Segel zu vergrößern, zog ich mein weißes Taschentuch aus meiner Rocktasche. Nu-Nu saß dicht neben mir, und als das Tuch zufällig um sein Gesicht flatterte, verfiel er in heftige Krämpfe, auf die eine Schläfrigkeit und Benommenheit folgte, in der er sein ewiges »Tekeli-li! Tekeli-li!« murmelte.

5. März. Der Wind hatte vollständig nachgelassen, doch trieben wir offenbar mit einem starken Strom nach Süden. Jetzt hätten wir eigentlich den Dingen, die uns erwarteten, mit Unruhe entgegensehen müssen — jedoch wir empfanden nicht die geringste. Der Polarwinter nahte sich uns, doch wie es schien, ohne seine Schrekken. Ich empfand eine körperliche und seelische Dumpfheit — einen Hang zum Träumen — aber dies war auch alles!

6. März. Der graue Nebel hatte sich mehrere Grade am Horizont erhoben und verlor allmählich seine graue Färbung. Das Wasser war so warm, daß man nur ungern in Berührung mit demselben kam, und seine milchige Färbung wurde immer ausgesprochener. Heute kamen heftige Wellen bis in die Nähe unseres Bootes. Sie waren wie gewöhnlich von einem wilden Aufflackern des Nebels auf dem Gipfel der Mauer und einer sekundenartigen Teilung ihrer Grundschichten begleitet. Ein feiner, weißer Staub, der an Asche erinnerte, doch offenbar etwas anderes war, fiel auf das Boot und die Wasseroberfläche, während das beleuchtende Nebelgeflacker erblich und das Wasser sich beruhigte. Nu-Nu warf sich auf dem Boden des Bootes aufs Gesicht und war nicht zu überreden, sich wieder zu erheben.

7. März. Wir fragten Nu-Nu, was die Angehörigen seines Stammes denn eigentlich bewogen habe, unsere Kameraden umzubringen. Er schien sich jedoch dermaßen zu fürchten, daß er uns keine vernünftige Antwort geben konnte. Er blieb hartnäckig auf dem Grund des Bootes liegen; da wir ihm aber ohne Unterlaß Fragen stellten, die sich auf ihre Mordtaten bezogen, antwortete er uns nur durch eine stumpfsinnige Bewegung: Er hob mit dem Zeigefinger die Oberlippe in die Höhe und zeigte uns die Zähne, die unter ihr verborgen lagen. Sie waren tiefschwarz. Wir hatten nie vorher die Zähne eines Eingeborenen von Tsalal gesehen.

8. März. Heute schoß eines der wilden Tiere an uns vorüber, deren Anblick bei den Leuten von Tsalal eine so unerklärliche Aufregung hervorgerufen hatte. Die Temperatur des Wassers hatte sich unterdessen so gesteigert, daß es unmöglich war, die Hand hineinzuhalten. Peters sprach sehr wenig, und ich wußte nicht, was ich von seiner Apathie denken sollte. Nu-Nu atmete, sonst tat er nichts.

9. März. In großen Mengen fiel nun beständig der feine, aschenartige Staub auf uns herab. Die Nebelwand im Süden hatte sich ungeheuer hoch erhoben und begann deutlichere Formen anzunehmen. Ich kann sie nur mit einem ungeheuren Katarakt vergleichen, der von einem weit entfernten, unbegrenzten Grat am Himmel schweigend in die See stürzte. Dieser Riesenvorhang dehnte sich über den ganzen südlichen Horizont hin. Kein Laut ging von ihm aus.

21. März. Eine jähe Dunkelheit senkte sich auf uns – doch aus den milchigen Tiefen des Ozeans erhob sich ein leuchtendes Schimmern und glühte am Holzwerk des Bootes empor. Wir wurden unter dem weißen Aschenregen, der sich im Kahn ansammelte, im Wasser jedoch schmolz, fast begraben. Die Höhe der Nebelwand verlor sich in dem Zwielicht der Ferne. Dabei nahten wir uns ihr mit unheimlicher Schnelligkeit. Hin und wieder bemerkten wir, wie sich für Sekunden weite, gähnende Spalten öffneten und aus diesen Spalten, in denen ein Chaos unbestimmter Bilder flakkerte, kamen gewaltige, doch schweigende Luftströme, die den glühenden Ozean mit sich fortrissen.

22. März. Die Finsternis hatte sich verdichtet und wurde durch den Widerschein der weißen Wand auf dem Wasser ein wenig behoben. Riesenhafte, geisterweiße Vögel kamen beständig aus dem weißen Düster hervor und schossen mit dem ewigen Schrei »Tekeli-li! Tekeli-li!« bei unserem Anblick wieder hinweg. Einmal bewegte sich Nu-Nu ein wenig auf dem Boden des Bootes, zuckte, und als wir ihn anrührten, fanden wir, daß er tot war. Und dann schossen wir in einen Spalt des Kataraktes ... schon öffnete sich ein Abgrund, um uns zu empfangen –

– doch da erhob sich auf unserer Bahn die lakenumhüllte Gestalt eines Mannes, der größer war, als ein Bewohner der Erde –

– und die Hautfarbe des Mannes hatte die makellose Weiße des Schnees.

Nachbemerkungen

Das unter so traurigen Umständen erfolgte Ableben des Herrn Pym ist dem Publikum aus der Tagespresse schon bekannt. Man hegt die Befürchtung, daß die Schlußkapitel seiner Erzählung, die sich, während die übrigen im Druck waren, noch zur letzten Korrektur in seinem Besitz befanden, bei dem betrübenden Unfall, dem er selbst zum Opfer fiel, verlorengegangen seien. Sollte dies jedoch nicht der Fall sein, so werden die Papiere, sobald man sie findet, der Öffentlichkeit übergeben werden.

Man hat kein Mittel unversucht gelassen, dem Werk soviel wie möglich zur Vollständigkeit zu verhelfen. Der in der Vorrede genannte Herr E. A. Poe, von dem man nach den dort gemachten Bemerkungen erwarten konnte, daß er fähig sei, das Fehlende zu ersetzen, hat die Arbeit abgelehnt – und zwar aus triftigen Gründen, wegen der Ungenauigkeit der ihm gelieferten Details sowohl, als auch, weil er an der Wahrheit des letzten Teils der Erzählung zweifelte. Dirk Peters, von dem man vielleicht Nachrichten erhalten könnte, lebt noch und soll in Illinois wohnen, ist jedoch augenblicklich nicht zu finden. Doch wird er wohl mit Sicherheit ermittelt werden und uns dann ohne Zweifel wichtiges Material für den Schluß von Herrn Pyms Bericht liefern.

Der Verlust der zwei oder drei Endkapitel (mehr waren es nicht) ist um so mehr zu bedauern, als sie jedenfalls Aufschluß über den Pol selbst oder wenigstens über die Regionen in seiner nächsten Nähe geben sollten, und die Behauptungen des Autors in kurzer Zeit durch die von der Regierung nach der Südsee ausgesandte Expedition dann hätten bewiesen oder widerlegt werden können.

Einen Punkt der Erzählung können wir noch weiter erörtern, und es würde dem Schreiber dieses Anhanges eine große Genugtuung sein, wenn seine Bemerkungen an dieser Stelle ein Beweis mehr für die Wahrheit der seltsamen Erzählung werden würden. Wir denken an die auf der Insel Tsalal gefundenen Abgründe und die Abbildungen auf den Seiten 161, 162, 163. Herr Pym hat die Schlünde, ohne weitere Erklärungen zu geben, einfach abgebildet und von den Kerben, die er am Ende des östlichen Abgrundes fand, behauptet, sie hätten eine wunderliche Ähnlichkeit mit alphabetischen Schriftzügen gehabt, seien es jedoch bestimmt *nicht* gewesen. Zur Bekräftigung dieser einfachen, bündigen Versicherung führt er den anscheinend erschöpfenden Beweis an, daß er in dem Staub am Boden Felsstücke gefunden, die den Einschnitten genau entsprachen. Wir müssen glauben, er rede in vollem Ernste, und kein vernünftiger Leser gibt sich weiter mit Vermutungen über die ›scheinbare‹ Inschrift ab. Da jedoch die Tatsachen, die die Gesamtheit der Abbildungen betreffen, äußerst sonderbare sind (und dies ganz besonders, wenn wir sie in Verbindung mit den Behauptungen am Anfang der Erzählung bringen), scheint es doch geboten, noch ein paar Worte über sie zu sagen, zumal die fraglichen Tatsachen ohne Zweifel der Aufmerksamkeit Herrn E. A. Poes entgangen sind.

Die Figuren 1, 2, 3 und 5 bilden, wenn man sie in der Reihenfolge, wie sie der Abgrund bot, miteinander verbindet und dabei nur die kleinen Seitenzweige oder Bogen, die, wie man sich erinnern wird, nur Verbindungsgänge zwischen den Hauptträumen darstellten und einen ganz anderen Charakter trugen, ausläßt, eine verbale Wurzel! – nämlich 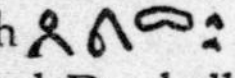 = ›schattig sein‹ aus der alle Flexionen von Schatten und Dunkelheit abgeleitet werden.

Die linke oder nördlichste Kerbe der Figur 4 bestätigt höchstwahrscheinlicherweise die Ansicht Peters', daß sie eine künstlich hergestellte Hieroglyphe sei und eine menschliche Gestalt vorstellen solle. Der Leser hat die Zeichnung vor sich und wird vielleicht die Ähnlichkeit bemerken. Der Rest der Einschnitte jedoch bestätigt Peters' Ansicht auf den ersten Blick. Die obere Zeile ist ohne Zweifel die arabische verbale Wurzel 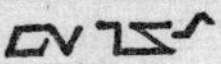 = ›weiß sein‹, aus der alle Begriffe von Glanz und Weiße abgeleitet werden. Die Bedeutung der unteren Reihe läßt sich nicht so leicht erkennen. Die Schriftzüge sind zum Teil zerbrochen und nicht verbunden; trotzdem ist es zweifellos, daß sie in ihrem vollkommenen Zustand das ägyptische Wort ΠΑϢΥΡΗϹ = ›die Region des Südens‹ bildeten.

Hierbei muß es jedem auffallen, daß diese Interpretation auch Peters' Ansicht über die ›nördlichste‹ der Figuren bestätigt. Denn der ausgestreckte Arm weist nach Süden. Diese Schlüsse öffnen den tiefgehendsten Vermutungen ein weites Feld. Man sollte sie jedoch nur in Verbindung mit anderen, nur leicht gestreiften Vorkommnissen dieser Erzählung betrachten, obwohl die Kette, die dieselben miteinander verbindet, durchaus nicht vollständig sichtbar ist. »Tekeli-li!« lautete der Schrei der erschreckten Eingeborenen von Tsalal, als sie den Kadaver des auf See gefangenen *weißen* Tieres erblickten. Den gleichen Ruf stieß schaudernd der gefangene Tsalaler aus, als er die *weißen* Gegenstände im Besitz des Herrn Pym bemerkte. Ebenso krächzten die schnellen, riesigen weißen Vögel, die hinter der *weißen* Nebelwand im Süden hervorkamen. Auf Tsalal selbst und auf der ganzen Reise von dort nach Süden fand man nichts *Weißes*. Es ist nicht unmöglich, daß Tsalal, der Name der abgrundreichen Insel, einer genauen philologischen Forschung eine Verbindung mit den Abgründen selbst oder eine Beziehung zu den äthiopischen Schriftzügen, die so geheimnisvoll in ihre Schluchten gehauen sind, darböte.

»Ich habe es in die Hügel gegraben und meine Rache in den Staub des Felsens geschrieben.«

DIE SPHINX

Während der furchtbaren New Yorker Cholerazeit hatte ich es vorgezogen, die freundliche Einladung eines Verwandten anzunehmen und bei ihm in der Abgeschlossenheit eines Landhäuschens, am Ufer des Hudson, einige Wochen zu verbringen. Wir konnten uns dort all die üblichen Sommerunterhaltungen und Lustbarkeiten gestatten und hätten uns auch wohl die Zeit mit Ausflügen in die weiten Wälder, mit Kahnfahren, Fischen, Baden, mit Malen und Zeichnen, mit Musik und Lektüre auf das allerangenehmste vertrieben, wenn uns nicht jeden Morgen die schrecklichen Nachrichten aus der nahen Riesenstadt zugegangen wären. Beinah kein Tag verstrich, der uns nicht die Nachricht von dem Tod eines mehr oder weniger guten Bekannten brachte. Und als das Verhängnis weiter fortschritt, da sahen wir schließlich nur noch mit dem größten Bangen dem Boten entgegen, der uns die Briefe und Zeitungen brachte; denn wir konnten sicher sein: unter den Opfern, die die Seuche seit der letzten Pest gefordert hatte, befand sich wieder einer unserer Freunde – wenn nicht gar mehrere und die liebsten!

So mochte es kommen, daß uns schließlich selbst die Luft, die aus dem Süden kam, todbringend schien. *Mich* wenigstens faßte dieser Gedanke, um mich schließlich nicht wieder loszulassen und sich in jede Wendung meines Sprechens, Denkens und Träumens einzuschleichen.

Mein gastfreundlicher Verwandter war weniger erregt. Und obwohl er sich innerlich auch recht gedrückt fühlen mochte, versuchte er doch, mich aufzurichten. Sein scharfer, philosophisch geschulter Verstand ließ sich von Unwirklichkeiten nicht so leicht berühren. Tatsächliche Schrecknisse, Gefahren und so weiter konnten ihn sicherlich hart bedrängen, aber ihre bloßen Schatten gingen unwirksam an ihm vorüber.

Seine Bemühungen, mich zusammenzurütteln und aus meinem Zustand krankhafter Verdüsterung, in den ich gesunken war, herauszureißen, wurden großenteils durch gewisse Bücher vereitelt, die ich in seiner Bibliothek gefunden hatte. Sie hatten einen Inhalt, der die Saat ererbten Aberglaubens in mir notwendig zum Keimen bringen mußte.

Ich hatte diese Bücher gelesen, ohne daß mein Gastgeber darum wußte. Und so konnte er sich erst recht nicht erklären, welchem Umstand die dauernde Veränderung meines Wesens im besonderen zuzuschreiben sein mochte, noch wissen, wie es überhaupt in mir aussah.

Damals war ich ganz besonders geneigt, an Vorbedeutungen zu glauben — ja, diesen Glauben selbst ernsthaft zu verteidigen. Wir führten darüber lange und lebhafte Debatten. Mein Verwandter betonte immer wieder, wie vollständig unberechtigt der Glaube an dergleichen Dinge sei — ich behauptete dagegen, daß ein so vielfach empfundenes Gefühl, wenn es sich plötzlich, unvorbereitet, ohne erkennbare Spuren einer Suggestion von außen, einstellt, in sich selbst die nicht zu verkennende Kraft der Wahrheit enthalten und größere Beachtung beanspruchen müsse.

Nun geschah es, daß sich bald nach meiner Ankunft in dem Landhaus ein seltsamer Vorfall ereignete, der so viel Unheilverkündendes an sich hatte, daß es nur zu erklärlich war, wenn ich ihn als eine Vorbedeutung ansah. Er erschreckte, verwirrte und verstörte mich so, daß mehrere Tage vergingen, ehe ich mich entschließen konnte, meinem Freund eine Mitteilung davon zu machen.

Am Abend eines außerordentlich warmen Tages saß ich mit einem Buch in der Hand an einem offenen Fenster, das eine weite Aussicht längs der Ufer des Flusses auf einen entfernten Hügel gestattete, dessen mir zugekehrter Abhang größtenteils der Bäume entblößt worden war. Meine Gedanken waren schon lange von dem Buch in meiner Hand zu den Verwüstungen gewandert, die in der benachbarten Stadt herrschen mochten. Als ich einmal meine Blicke von den Blättern erhob, fielen sie auf das nackte Bild jenes Hügels und auf einen Gegenstand — auf ein lebendiges Ungeheuer von schaudererregender Gestalt, das sich mit großer Schnelligkeit vom Gipfel zum Tal bewegte und endlich in dem dichten Wald am Fuß des Hügels verschwand. Als mein Auge dieses Wesen zuerst wahrnahm, bezweifelte ich meinen gesunden Verstand oder wenigstens das Zeugnis meiner Augen; und es dauerte mehrere Minuten lang, ehe ich mich davon überzeugte, daß ich weder irre sei noch träume. Und dennoch fürchtete ich, daß alle, denen ich das Ungeheuer beschreibe, das ich doch deutlich sah und auf seinem ganzen Weg unausgesetzt beobachtete, noch schwerer zu überzeugen sein werden, als ich es selbst war.

Ich schätzte die Größe des Untieres durch einen Vergleich mit dem Durchmesser der großen Bäume ab, der wenigen Waldriesen, die man bei der Abholzung übergangen hatte, und schloß, daß sie beträchtlicher sei als die eines der mittelgroßen Dampfboote, die auf dem Fluß verkehrten. Ich sagte, als die eines Bootes, weil die Gestalt des Ungeheuers den Vergleich mit dem Rumpf eines solchen Fahrzeuges nahelegte. Der Mund des Tieres befand sich am Ende eines Rüssels, der sechzig oder siebzig Fuß lang und so dick wie der Körper eines gewöhnlichen Elefanten war. An der Wurzel des Rüssels wucherte eine ungeheure Menge schwarzen Haares – es war mehr, als die Haut von zwanzig Büffeln hätte liefern können; und aus diesem Haar wuchsen seitlich nach unten zwei leuchtende Hauer hervor, ähnlich wie bei dem wilden Eber, doch von unendlich größeren Dimensionen. Parallel mit dem Rüssel, nach vorwärts gerichtet, befand sich auf jeder Seite desselben etwas wie ein riesiger Stab, dreißig oder vierzig Fuß lang, anscheinend aus reinstem Kristall und von der Gestalt eines regelrechten Prismas, das die Strahlen der untergehenden Sonne auf das prächtigste widerspiegelte. Der Rumpf hatte die Form eines Keils, dessen Spitze zur Erde gerichtet ist. Von ihm spreizten sich zwei Paar Flügel aus, und zwar lag ein Paar über dem anderen; jeder einzelne Flügel mochte ungefähr hundert Ellen lang sein und war reichlich mit Metallschuppen bedeckt, von denen jede wohl zehn bis zwölf Fuß Durchmesser hatte. Ich bemerkte, daß das obere und untere Paar Flügel durch eine starke Kette miteinander in Verbindung standen. Das Sonderbarste an diesem schrecklichen Wesen war das Bild eines Totenkopfes, das fast die ganze Oberfläche der Brust bedeckte und sich nun im strahlenden Weiß so deutlich von dem übrigen Schwarz des Körpers abhob, als habe es ein Künstler sorgfältig aufgezeichnet. Während ich dies fürchterliche Tier und besonders das Bild auf seiner Brust mit Furcht und Entsetzen betrachtete, mit einer Vorempfindung kommenden Unheils, die ich durch keine Verstandesgründe niederzuringen vermochte, bemerkte ich, daß sich die ungeheuren Kiefer am Ende des Rüssels teilten und ein so lauter, eindringlicher Wehlaut aus ihnen hervordrang, daß er meine Nerven zerriß wie ein Totengeläute ... Als das Ungeheuer am Fuß des Berges verschwand, sank ich ohnmächtig zu Boden.

Ich kam jedoch bald wieder zu mir. Meine erste Empfindung war, meinem Wirt alles, was ich gesehen und gehört hatte, sofort mitzuteilen – und es ist mir selbst kaum erklärlich, welches Gefühl des Widerwillens mich zum Schluß dennoch daran hinderte.

Eines Abends, drei oder vier Tage nach dem Vorfall, saßen wir zusammen in dem Zimmer, von dem aus ich die Erscheinung beobachtet hatte. Ich hatte denselben Sitz an demselben Fenster inne, er lag gemächlich auf dem Sofa an meiner Seite. Die Ähnlichkeit der Situation trieb mich, ihm von dem Phänomen doch noch zu

berichten. Er hörte mich bis zu Ende an — lachte erst herzlich —, wurde aber dann plötzlich außerordentlich ernst, als zweifle er an meinem gesunden Verstand. In diesem Augenblick jedoch erblickte ich das Ungeheuer wieder ganz deutlich und richtete mit einem Schrei des Entsetzens die Aufmerksamkeit meines Freundes darauf. Er blickte aufmerksam hin, behauptete jedoch, nichts zu sehen, obwohl ich ihm bis ins kleinste den Weg des Tieres auf dem nackten Abhang des Hügels bezeichnete.

Ich war nun über die Maßen erschreckt, denn ich hielt die Erscheinung entweder für eine Vorbedeutung meines Todes oder, was noch schlimmer war, für den Vorläufer eines Wahnsinnsanfalles. In höchster Erregung warf ich mich in meinen Stuhl zurück und verbarg ein paar Augenblicke lang mein Gesicht in meinen Händen. Als ich wieder aufblickte, war die Erscheinung nicht mehr zu sehen.

Mein Gastgeber jedoch hatte seine Ruhe so ziemlich wieder erlangt und fragte mich nun auf das genaueste nach der Gestalt des geschauten Wesens. Als ich ihn vollständig befriedigt hatte, seufzte er auf, als sei er von einer schweren Last erlöst, und begann mit einer, wie mir schien, grausamen Ruhe von verschiedenen Punkten der spekulativen Philosophie zu sprechen, über die wir schon oft diskutiert hatten. Ich erinnere mich, daß er sich unter anderem ganz besonders über den Gedanken verbreitete, daß die hauptsächlichste Quelle des Irrtums aller menschlichen Erforschungen in der Neigung des Verstandes begründet läge, die Größe eines Gegenstandes zu über- oder zu unterschätzen, und zwar durch falsche Taxierung seiner Nähe. »So müßte«, sagte er, »wenn man den Einfluß abschätzen wollte, den einst die gänzliche Ausbreitung der Demokratie auf die Menschheit haben wird, die Entfernung jenes Zeitpunktes, an dem eine solche Ausbreitung möglich sein würde, ein beachtenswertes Moment bei dieser Abschätzung bilden. Und doch — kannst du mir einen Sozialpolitiker nennen, der jemals diesen Punkt der Diskussion wert erachtete?«

Hier unterbrach er sich, ging zum Bücherschrank hinüber und entnahm ihm einen der gewöhnlichen Leitfäden der Naturgeschichte. Dann bat er mich, den Platz mit ihm zu wechseln, damit er den kleinen Druck des Buches besser lesen könne, schob meinen Lehnstuhl ans Fenster und nahm seine Rede in dem gleichen Ton wie vorhin wieder auf.

»Wenn du mir das Ungeheuer nicht so außerordentlich genau beschrieben hättest«, sagte er, »hätte ich dir niemals zeigen können, was es wirklich ist. Zuerst will ich dir vorlesen, was die Schulknaben von der Gattung Sphinx, aus der Familie Crepuscularia, aus der Ordnung Lepidoptera der Klasse der Insekten, lernen müssen. Hier heißt es folgendermaßen:

›Vier häutige Flügel, mit kleinen, farbigen Schuppen von metallischem Aussehen bedeckt. Mund bildet einen Rüssel, hervorgebracht durch eine Verlängerung der Kiefer. Das untere Flügelpaar ist mit dem oberen durch ein steifes Haar verbunden; antennae hat die Gestalt einer verlängerten Keule, prismatisch. Unterleib läuft spitz zu. Die Totenkopf-Sphinx hat zu gewissen Zeiten durch die Klagetöne, die sie ausstößt, und durch die Zeichnung des Totenkopfes, die sie auf der Brust trägt, großen Schrecken unter dem Volk hervorgerufen.‹ «

Hier schloß er das Buch und neigte sich in dem Stuhl ein wenig vor, bis er genau dieselbe Stellung einnahm, die ich in dem Augenblick inne hatte, als ich das ›Ungeheuer‹ erblickte.

»Ah, da ist es!« rief er aus, »es steigt den Abhang des Hügels wieder hinauf, und ich muß gestehen, daß es wirklich ein höchst merkwürdig aussehendes Geschöpf ist. Doch ist es nicht im entferntesten so groß oder so entfernt, wie du dachtest, denn in Wirklichkeit mißt es, während es sich jetzt an dem Faden, den eine Spinne an dem Fensterflügel gesponnen hat, hinaufwindet, von seinem äußeren Ende zum anderen ein sechzehntel Zoll und ist ebenso ungefähr ein sechzehntel Zoll von der Pupille meines Auges entfernt.«

DIE ENTDECKUNG DES HERRN VAN KEMPELEN

Man wird nicht vermuten, daß ich nach dem sehr eingehenden und gründlichen Aufsatz Aragos und dem kurzen, aber treffenden, von Herrn Leutnant Maury veröffentlichten Bericht mit meinen wenigen flüchtigen Äußerungen die Erfindung des Herrn van Kempelen von einem wissenschaftlichen Standpunkt aus beurteilen will. Ich beabsichtige nur, ein paar Worte über van Kempelen selbst zu sagen, dessen vorübergehende persönliche Bekanntschaft ich vor einigen Jahren zu machen die Ehre hatte; denn ich glaube, daß augenblicklich alles, was ihn betrifft, von Interesse für meine Leser ist; sodann will ich ganz im allgemeinen die Resultate seiner Erfindung in Erwägung ziehen.

Ich halte es für angebracht, meine summarischen Notizen mit der Bemerkung einzuleiten, daß das Publikum aus den Zeitungen wie gewöhnlich wieder einmal einen ganz falschen Eindruck von der Entdeckung bekommen hat, einer Entdeckung, die, wie erstaunlich sie zweifelsohne auch ist, doch schon vorgeahnt war.

Wenn man im ›Diarium‹ Humphrey Davys (Cottle & Munroe, London) nachschlägt, so wird man auf den Seiten 55 und 82 Stellen finden, die deutlich beweisen, daß der berühmte Chemiker die fragliche Idee nicht allein schon gehabt, sondern sogar die Analyse, die jetzt Herr van Kempelen zu ihrem so glorreichen Ende gebracht hat, selbst schon ziemlich weit durchgeführt hatte. Obwohl nun Herr van Kempelen nicht die geringste Anspielung auf dieses Werk macht, verdankt er diesem doch ganz sicher (ich behaupte es, ohne zu zögern, und kann es beweisen) zum mindesten den ersten Antrieb, die erste Andeutung seines Unternehmens. Ich kann es mir nicht versagen, zwei Stellen aus dem ›Diarium‹ mit einer der Gleichungen Sir Humphrey Davys einzufügen * ... Der Abschnitt aus dem ›Courier and Enquirer‹, der jetzt durch alle Blätter geht und die Erfindung einem Herrn Popper aus Braun-

* *Da wir nicht die nötigen algebraischen Lettern besitzen und das ›Diarium‹ in den meisten Buchhandlungen zu finden ist, lassen wir hier einen kleinen Teil von Herrn Poes Manuskript aus.* *Die Redaktion.*

schweig zuschreiben will, scheint mir dagegen aus mehreren Gründen zweifelhaft zu sein, obgleich er nichts an sich Unmögliches oder Unwahrscheinliches enthält. Ich brauche nicht auf Einzelheiten einzugehen. Meine Meinung bezieht sich hauptsächlich auf die Art und Weise, in der er geschrieben ist. *Er sieht nicht wahr aus.* Jemand, der *Tatsachen* berichtet, spezialisiert selten so wie Herr Popper, der Datum, Tag, Ort und alle möglichen, die Entdeckung begleitenden Umstände so überflüssig genau herzählt. Und überdies: wenn Herr Popper wirklich zu der angegebenen Zeit, vor ungefähr acht Jahren also, seine Entdeckung machte, wie kommt es, daß er *nicht sofort* Schritte tat, sich die unglaublichen Vorteile zunutze zu machen, die, wie jeder Tölpel wissen würde, wenn nicht sofort der ganzen Welt, so doch ihm persönlich aus der bewußten Entdeckung erwachsen mußten? Ich halte es für ganz ausgeschlossen, daß ein Mensch mit gesundem Menschenverstand, der das entdeckt hätte, was Herr Popper entdeckt zu haben behauptet, nun weiterhin so dumm wie ein Wickelkind, so blind wie eine Eule sein und die Entdeckung auf sich beruhen lassen könnte — wie Herr Popper es getan haben will. Nebenbei gefragt: Wer ist Herr Popper? Und ist der ganze Artikel im ›Courier and Enquirer‹ nicht etwa nur geschrieben worden, um ein Schwätzchen zu machen, he!? Man muß gestehen, daß er einen manchmal wirklich ein bißchen mondkalbhaft anmutet. Meiner bescheidenen Meinung nach ist ihm also nur sehr wenig Wichtigkeit beizulegen, und wenn ich nicht aus Erfahrung wüßte, wie leicht gerade Wissenschaftler auf Gebieten, die ihren gewöhnlichen Forschungswegen fernliegen, mystifiziert werden, müßte ich höchst erstaunt sein, daß ein so tüchtiger Chemiker wie Professor Draper die Ausführungen des Herrn von Popper (oder heißt er Fopper?) über seine Entdeckung in ernstem Ton in Erwägung zog.

Doch kehren wir zu dem ›Diarium‹ Humphrey Davys zurück. Diese Schrift war nicht vor, auch nicht nach dem Tode des Autors für die Öffentlichkeit bestimmt, wie jeder, der selbst einmal eine Zeile geschrieben hat, sofort aus ihrem Stil erkennen wird. Auf Seite 13 zum Beispiel — etwa in der Mitte — lesen wir gelegentlich seiner Nachforschungen über Stickstoff-Protoxyd: ›Der Atem setzte nicht aus — verminderten sich die Gefühle allmählich, und es folgte ihnen eine Empfindung, analog einem leichten Druck auf alle Muskeln.‹

Dies und hundert ähnliche Beispiele beweisen, daß das so unbedachtsam veröffentlichte Manuskript ein bloß für das Auge seines Besitzers bestimmtes Notizbuch war. Ein Blick in das Schriftstück wird jeden denkenden Menschen von der Richtigkeit meiner Annahme überzeugen. Dazu war Herr Humphrey Davy der letzte, sich auf wissenschaftlichen Gebieten zu kompromittieren. Nicht nur, daß er jeder Pfuscherei von Grund aus abhold war: er empfand es sogar als sehr peinlich, wenn man ihn für einen Empiriker hielt. Wäre er auch noch so überzeugt gewesen, auf der richtigen Spur zu sein, er würde nicht eher von der Sache gesprochen haben, bis er alles zum *praktischen* Beweis bei der Hand gehabt hätte. Ich bin fest überzeugt, er wäre nicht ruhig gestorben, wenn er vorausgesehen hätte, daß man seinem Wunsch, das Diarium zu verbrennen, nicht nachkommen werde. Ich sage ›seinem Wunsch‹, denn es kann wohl kein Zweifel herrschen, daß er unter den verschiedenen Papieren, die man mit der Aufschrift ›Zum Verbrennen‹ fand, auch dies Notizbuch verstanden wissen wollte. Ob es nun zum Glück oder zum Unglück den Flammen entging, muß noch dahingestellt bleiben.

Daß die oben angeführten* Stellen dem Herrn van Kempelen den eigentlichen Wink gaben, ist nicht zu bezweifeln; ich unterstreiche jedoch: es läßt sich noch nicht abschätzen, ob diese wichtige, unter allen Umständen wichtige Entdeckung der Menschheit auf die Dauer der Zeit zum Guten oder Bösen gereichen wird. Daß van Kempelen und seine unmittelbaren Freunde persönlich eine Ernte haben werden, steht jedoch wohl außer Frage. Sie werden kaum so töricht sein, ihren geistigen Besitz nicht beizeiten durch große Ankäufe von Grundstücken, Häusern und anderem Eigentum von wirklichem Wert zu realisieren.

In dem kurzen, im ›Home Journal‹ erschienenen und seit der Zeit häufig wieder abgedruckten Bericht van Kempelens selbst scheint der Übersetzer, der ihn, wie er wenigstens behauptet, einer Nummer der Preßburger ›Schnellpost‹ entnommen hat, einige Worte falsch übersetzt zu haben. Offenbar hat er das Wort ›viele‹, wie dies oft geschieht, falsch verstanden, und was der Übersetzer mit ›sorgen‹ übersetzt, hieß wahrscheinlich ›leiden‹; das würde dann dem ganzen Bericht eine andere Färbung geben — doch hat man hier natürlich nichts weiter als eine bloße Vermutung meinerseits.

Van Kempelen ist keinesfalls ein ›Misanthrop‹ oder, was er auch immer sein mag, er *scheint* es nicht zu sein. Meine Bekanntschaft mit ihm war nur eine ganz flüchtige; ich kann eigentlich kaum sagen, daß ich ihn überhaupt kenne. Doch ist es immerhin keine kleine Sache, mit einem Mann, der eine so große Berühmtheit erlangt hat oder in ein paar Tagen erlangen wird, des öfteren geredet zu haben.

Die ›Literary World‹ behauptet zuversichtlich (wahrscheinlich durch den Bericht im ›Home Journal‹ irregeführt), van Kempelen sei in Preßburg geboren. Ich freue mich jedoch, unabweislich — da

* *bzw. nicht angeführten Stellen. Die Redaktion.*

ich es von ihm selbst habe — feststellen zu können, daß er in Utica im Staate New York das Licht der Welt erblickte. Seine Eltern scheinen allerdings beide von Preßburger Abstammung zu sein, die Familie hat Beziehungen zu dem bekannten Mäelzel, schachspielerautomatenhaften Angedenkens.* Er selbst ist kurz und dick von Gestalt, hat große, fette, blaue Augen, sandfarbenes Haar und gelbe Kotelettchen, einen großen, doch angenehmen Mund, schöne Zähne und, glaube ich, eine Römernase. An dem rechten Fuß hat er irgendein Gebrechen. Sein Benehmen ist frei, die ganze Art und Weise zeugt von Biederkeit. Im allgemeinen spricht und handelt er so wenig wie ein Misanthrop, wie nur irgend jemand, den ich gesehen habe. Wir wohnten vor ungefähr sechs Jahren eine Woche zusammen in Earls Hotel in Providence, Rhode Island, und ich habe verschiedene Male wohl drei oder vier Stunden hintereinander mit ihm geplaudert. Wir unterhielten uns meist über Tagesereignisse, und kein Wort von ihm ließ auf wissenschaftliche Beschäftigung schließen. Er verließ das Hotel eher als ich, in der Absicht, nach New York zu gehen; von dort wollte er nach Bremen. Hier wurde seine große Entdeckung zum erstenmal veröffentlicht oder vielmehr, hier vermutete man zuerst, daß er sie gemacht habe. Dies ist alles, was ich von der Person des jetzt unsterblichen van Kempelen weiß; doch glaube ich, selbst diese wenigen Bemerkungen werden das Publikum interessieren.

Es scheint durchaus zweifelhaft zu sein, daß die verschiedenen in dieser Angelegenheit kursierenden wunderbaren Gerüchte nichts weiter als Erfindungen sind, die ebensoviel Glauben beanspruchen dürfen wie die Geschichte von Aladins Wunderlampe. Und doch ist es möglich, daß hier wieder einmal die Wahrheit seltsamer ist als die Erfindung. Die folgende seltsame Anekdote über den großen Erfinder ist jedenfalls so wohl verbürgt, daß wir sie mit gutem Gewissen abdrucken können:

Van Kempelen hatte sich während seines Aufenthalts in Bremen durchaus nicht in guten Verhältnissen befunden und mußte oft zu den äußersten Mitteln greifen, um ganz unbedeutende Summen zu erlangen. Als die großen Fälschungen bei Gutsmuth & Cie. ans Tageslicht kamen, fiel Verdacht auf Herrn van Kempelen, der sich inzwischen ein großes Eigentum gekauft hatte und auf Befragen über den Erwerb der Ankaufssumme keine Aufklärung geben wollte. Man verhaftete ihn; da sich jedoch keine Beweise gegen ihn beibringen ließen, wurde er wieder in Freiheit gesetzt. Er blieb aber heimlich unter Polizeiaufsicht, und so entdeckte man, daß er sehr oft seine Wohnung verließ und sich immer auf dem-

* *Wenn wir nicht irren, hieß der Erfinder des ›automatischen Schachspielers‹ Kempelen, van Kempelen oder so ähnlich. Die Redaktion.*

selben Weg in den Wirrwarr der engen und vielgewundenen Gäßchen der Altstadt begab. Hier glückte es ihm gewöhnlich, den Augen seiner Wächter zu entschlüpfen. Endlich, nachdem man beharrlich fortgefahren war, auf seine Schritte aufzupassen, gelang es eines Tages, ihm bis auf die Bodenkammer eines alten, sieben Stock hohen Hauses zu folgen, wo man ihn dann, wie erwartet, bei der Fabrikation von Geldstücken ertappte. Er war so aufgeregt, daß den Beamten sofort jeder Zweifel an seiner Schuld genommen wurde. Man legte ihm Handschellen an und durchsuchte den Raum oder vielmehr die Räume, denn er schien alle Mansarden zu benutzen.

In die Bodenkammer, in der man ihn überraschte, mündete ein kleiner Raum von zehn zu acht Fuß, der mit verschiedenen chemischen Apparaten ausgestattet war, deren Zweck man noch nicht hat feststellen können. In einer Ecke stand ein kleiner Herd mit einem offenen Feuer, und über diesem hing ein Schmelztiegel, und zwar einer, der aus zwei kleinen Tiegeln bestand, die durch eine Röhre miteinander verbunden waren. Einer war fast bis an die Öffnung der Verbindungsröhre, die sich ziemlich hoch oben am Rand befand, mit schmelzendem Blei gefüllt. In dem anderen kochte eine Flüssigkeit, die, als die Beamten eintraten, mit Heftigkeit verdampfte. Als van Kempelen sich ertappt sah, berichten die Polizisten, ergriff er mit seinen durch asbestene Handschuhe geschützten Händen beide Schmelztiegel und goß ihren Inhalt auf den mit Ziegelsteinen gepflasterten Fußboden. Jetzt erst legte man ihm die Handschellen an, und ehe man die Räumlichkeiten weiter durchstöberte, untersuchten sie ihn persönlich, fanden jedoch nichts als ein in Papier gehülltes Paketchen, das, wie sich später herausstellte, in fast gleichen Verhältnissen eine Mischung von Antimon und einer *unbekannten* Substanz enthielt. Alle Versuche, diese Substanz zu analysieren, sind bis jetzt erfolglos geblieben, doch steht zu hoffen, daß es in allernächster Zeit gelingen wird.

Aus diesem Raum gingen die Beamten durch eine Art Vorzimmer hindurch in das Schlafzimmer des Chemikers, durchstöberten dort alle Schubladen und Schränke, entdeckten jedoch weiter nichts als ein paar unwichtige Papiere und einige echte Silber- und Goldmünzen. Zum Schluß, als sie unter das Bett blickten, sahen sie einen großen, gewöhnlichen Koffer, ohne Riegel, Klammern oder Schloß. Als sie versuchten, diesen unter dem Bett hervorzuholen, bemerkten sie zu ihrem größten Erstaunen, daß sie ihn nicht einen Zoll weiterzubewegen vermochten. Und doch waren sie zu dreien und jeder von ihnen stark und kräftig. Höchst verwundert kroch einer unter das Bett, guckte in den Koffer hinein und rief: »Kein Wunder, daß wir ihn nicht bewegen können: er ist bis zum Rande mit alten Kupferstücken gefüllt!«

Er stemmte sich nun mit den Füßen fest gegen die Mauer und stieß den Koffer mit aller Kraft von sich ab, während seine Kameraden zogen. So schleiften sie ihn denn mit vieler Mühe unter dem Bett hervor und prüften seinen Inhalt. Was der eine für Kupfermünzen gehalten hatte, war in Wirklichkeit eine Menge kleiner Stücke von der Größe einer halben Erbse bis zu der eines Talers, ihre Gestalt jedoch war, obgleich durchweg mehr oder weniger flach geformt und abgeplattet, sehr verschieden; im allgemeinen sahen sie so aus, wie irgendein Erz aussieht, das in geschmolzenem Zustand auf die Erde gefallen und dort kalt geworden ist. Nicht einer der Beamten kam auch nur einen Augenblick lang auf den Gedanken, das Metall könne irgend etwas anderes als Kupfer sein. Die Vermutung, man habe gar Gold vor sich, kam ihnen denn auch natürlicherweise erst recht nicht. Wie sollte sie auch?! Man kann sich ihr Erstaunen kaum vorstellen, als es am anderen Tag in ganz Bremen bekannt wurde, daß die ›Ladung Kupfer‹, die sie so verachtungsvoll nach dem Polizeibüro gekarrt hatten, ohne sich die Mühe zu geben, auch die kleineren Stücke sorgfältig aufzuladen, nicht nur Gold war – wirkliches Gold –, sondern viel feineres Gold, als es zu Münzzwecken gebraucht wird; tatsächlich absolut reines Gold, ohne die mindeste Legierung!

Ich brauche das Bekenntnis van Kempelens nicht mehr zu wiederholen: es ist dem Publikum bekannt. Daß er im Geist und in der Wahrheit, wenn auch nicht buchstäblich, die alte Chimäre vom Stein der Weisen wahr gemacht hat, darf jetzt kein vernünftiger Mensch mehr bezweifeln. Die Ansichten Aragos verdienen natürlich die größte Beachtung, doch ist er keinesfalls unfehlbar, und was er in seinem Bericht an die Akademie von Bismuth sagt, ist cum grano salis zu nehmen. Die einfache Tatsache ist eben die, daß *alle* Analyse bis jetzt auf dem falschen Wege war, und wenn uns van Kempelen nicht selbst den Schlüssel zu seinem Rätsel gibt, ist es höchst wahrscheinlich, daß die Sache noch auf Jahre hinaus in status quo verbleiben wird. Man kann bis jetzt ja noch nichts weiter sagen als: daß man willkürlich und sehr schnell aus Blei, in Verbindung mit gewissen anderen Substanzen, deren Qualität und verwandte Quantität noch unbekannt sind, Gold machen kann.

Die Spekulation beschäftigt sich natürlich lebhaft mit den voraussichtlichen Folgen dieser Entdeckung – einer Entdeckung, die kein nachdenkender Mensch versäumen wird, in gewisse Beziehungen zu den neueren Goldgräbereien in Kalifornien zu bringen. Man sagte sich unwillkürlich, wie außerordentlich *inopportun* van Kempelens Erfindung ist. Wenn sich schon bisher viele nicht nach Kalifornien wagten, aus Furcht, das Gold, das dort in den Minen so reich zu finden sei, könne so wohlfeil werden, daß sich die Spekulation zum Schluß nicht bezahlt mache — was werden wohl jetzt die Auswandernden und die im Goldland schon Arbeitenden sagen, wenn sie von der überraschenden Erfindung van Kempelens hören, die, abgesehen von ihrem tatsächlichen Nutzen zu Zwecken der Manufaktur (wie groß oder wie klein dieser Nutzen auch sein mag), zur Folge haben muß, daß Gold jetzt oder wenigstens bald (es ist schließlich kaum anzunehmen, daß van Kempelen sein Geheimnis *lange* bewahren wird) so wohlfeil sein wird wie Blei und jedenfalls viel weniger Wert haben wird als Silber. Es ist nun allerdings sehr schwer, bezüglich der Folgen dieser Entdeckung einigermaßen gültige Vermutungen aufzustellen — eins jedoch kann man füglich behaupten: Wäre die Entdeckung sechs Monate früher gekommen, so hätte sie einen mächtigen Einfluß auf die Ansiedlung in Kalifornien ausgeübt.

In Europa ist bis jetzt ein bemerkenswertes Ergebnis zutage getreten: das Blei ist zweihundert Prozent, das Silber fünfundzwanzig Prozent im Wert gestiegen.

DU HAST'S GETAN

Ich will jetzt den Ödipus des Rätsels spielen, das ganz Rattelburg so lange Zeit in Aufregung hielt. Ich will, ja, ich allein *kann* Ihnen die geheime Maschinerie erklären, die das Wunder zustande brachte – das einzig dastehende, das wahrhaftige, das eingestandene, das unbestrittene und unbestreitbare Wunder, das allem Unglauben unter den Rattelburgern ein für allemal ein Ende machte und alle Weltlichgesinnten und alle, die es gewagt hatten, skeptisch zu sein, zu der Strenggläubigkeit unserer Großmutter bekehrte.

Das Ereignis, von dem ich um keinen Preis im Tone unschicklicher Leichtfertigkeit reden möchte, trug sich im Sommer des Jahres 18.. zu. Herr Barnabas Schüttelwert, einer der wohlhabendsten und angesehensten Bürger des Städtchens, wurde seit ein paar Tagen vermißt, und zwar unter Umständen, die das Schlimmste befürchten ließen. Er hatte eines Samstagmorgens in aller Frühe Rattelburg zu Pferde verlassen, um, wie man wußte, die etwa fünfzehn Meilen entfernte Stadt B. zu besuchen und am Abend desselben Tages zurückzukehren. Zwei Stunden nach seinem Aufbruch kam sein Pferd ohne ihn und seinen Sattelranzen zurück. Das Tier war überdies verwundet und mit Kot bedeckt. Dies alles erregte natürlich bei den Freunden des Vermißten große Aufregung, und als er am Sonntagmorgen noch nicht zurückgekehrt war, wollte sich der ganze Flecken aufmachen, um nach seinem Leichnam zu suchen.

Der Eifrigste und der Energischste bei den späteren Nachforschungen war der Busenfreund des Herrn Schüttelwert – ein Herr Karl Biedermann – oder, wie man ihn allgemein nannte, das ›alte Karlchen‹ Biedermann. Mag man es nun für ein wunderbares Zusammentreffen halten, oder mag der Name selbst einen unbemerkbaren Einfluß auf den Charakter seines Trägers ausüben, jedenfalls steht fest, daß es noch nie eine Person mit Vornamen ›Karl‹ gegeben hat, die nicht offenherzig, mannhaft, ehrlich und gutmütig gewesen ist, die nicht eine volle, klare, wohltuende Stimme gehabt hat und ein Auge, das einem stets gerade ins Gesicht schaut, als wollte es sagen: ›Ich habe ein gutes Gewissen; ich fürchte niemanden und bin keiner niederen Handlung fähig.‹ Und deshalb werden wohl auch in Zukunft alle sorglosen, herzlichen Herren, die gemütvoll auf der Weltbühne umherspazieren, Karl genannt werden müssen.

Dem ›alten Karlchen‹ Biedermann war es denn auch gar nicht schwer gefallen, die Bekanntschaft aller ehrenwerten Leute des Fleckchens zu machen, obwohl er sich erst seit ungefähr sechs Monaten in Rattelburg aufhielt und ganz fremd dorthin gekommen war. Da war nicht einer, dem *ein* Wort von ihm nicht wie tausend gewesen wäre; und was gar die Frauen anbetrifft, so läßt sich überhaupt nicht sagen, was sie alles getan hätten, um ihm einen Gefallen zu erweisen. Und dies alles, weil er ›Karl‹ getauft worden war und mithin jenes offene Gesicht besaß, das, wie das Sprichwort sagt, ›der beste Empfehlungsbrief‹ ist.

Ich habe schon erwähnt, daß Herr Schüttelwert einer der angesehensten und zweifellos der reichste Einwohner von Rattelburg war. Das ›alte Karlchen‹ Biedermann stand auf so vertrautem Fuß mit ihm, daß man sie für Brüder hätte halten können. Die beiden alten Herren waren Nachbarn, und obgleich Herr Schüttelwert das ›alte Karlchen‹ sehr selten oder vielleicht nie besuchte und, wie jedermann wußte, nie bei ihm speiste, hinderte dies die beiden Freunde doch nicht, außerordentlich intim miteinander zu sein, denn das ›alte Karlchen‹ ließ keinen Tag vorübergehen, ohne sich drei- oder viermal nach dem Befinden seines Nachbarn zu erkundigen. Häufig blieb er dann gleich zum Frühstück oder zum Tee da, und sein Mittagsmahl nahm er fast täglich bei Herrn Schüttelwert ein. Wieviel Wein die beiden Tischgenossen dann jedesmal vertilgten, würde nur sehr schwer zu bestimmen sein. Des ›alten Karlchens‹ Lieblingsgetränk war Chateau Margaux, und es schien Herrn Schüttelwerts Herzen wirklich gut zu tun, wenn er sah, wie der alte Knabe behaglich ein Glas nach dem anderen schlürfte, so daß er eines Tages, als der Wein *drinnen* war und natürlicherweise den Witz nach *außen* trieb, seinem alten Freund auf den Buckel klopfte und sagte: »Weißt du was, altes Karlchen? Du bist wahrhaftigen Gotts der famoseste alte Kerl, den ich mein Lebtag getroffen habe, und da du so gern ein bißchen schlemmst, soll mich der Geier holen, wenn ich dir nicht eine ganz große Kiste Chateau Margaux verehre. Ich will des Teufels sein!« (Herr Schüttelwert hatte leider die betrübliche Angewohnheit, zu fluchen, obwohl er nur selten über »Ich will des Teufels sein!« oder »Verflucht und zugenäht!« oder »Hol mich der Kuckuck!« hinausging). »Ich will des Teufels sein«, sagte er also, »wenn ich nicht schon heute nachmittag in der Stadt eine doppelte Kiste vom Besten, der zu haben ist, für dich bestelle! Kein Wort, mein Sohn, ich will es! Das ist abgemacht! Und nun pack auf! Eines schönen Morgens wird die Kiste ankommen, vielleicht gerade dann, wenn du sie am wenigsten erwartest!« Ich erwähne diesen kleinen Zug der Freigebigkeit des Herrn Schüttelwert nur, um Ihnen eine Vorstellung von der Vertraulichkeit zu geben, die zwischen den beiden Freunden herrschte.

Also an dem fraglichen Sonntagmorgen, als es nicht länger mehr zweifelhaft sein konnte, daß Herrn Schüttelwert irgend etwas zugestoßen sei, sah ich niemand so im Innersten beunruhigt und erschrocken, wie das ›alte Karlchen‹ Biedermann. Als er zuerst erfuhr, daß das Pferd ohne seinen Herrn und ohne seines Herrn Satteltasche zurückgekommen war, ganz blutüberströmt von dem Pistolenschuß, der dem Tier durch und durch gegangen war, ohne es zu töten – als er das hörte, wurde er zuerst bleich, als sei der Vermißte sein eigener, lieber Bruder oder sein Vater gewesen. Es überfiel ihn, und er zitterte am ganzen Leibe, als habe er einen Anfall von kaltem Fieber.

Zuerst überwältigte ihn der Schmerz so sehr, daß er weder etwas tun noch überhaupt den Plan fassen konnte, Licht in die Sache zu bringen; eine lange Zeit bemühte er sich, den übrigen Freunden Herrn Schüttelwerts auszureden, schon jetzt Nachforschungen anzustellen, da es ihm das beste scheine, noch etwas damit zu warten – sagen wir mal, ein oder zwei Wochen oder ein oder zwei Monate –, man könne ja fürs erste abwarten, ob nicht von selbst etwas herauskäme oder ob nicht vielleicht Herr Schüttelwert selbst wiederkäme und die Gründe auseinanderlegte, die ihn bewogen hatten, sein Pferd in diesem Zustand heimzuschicken. Sie haben wohl selbst oft bei Leuten, die ein recht schwerer Kummer niederdrückt, diese Neigung zum Aufschieben und Zeitnehmen bemerkt. Ihre Geisteskräfte scheinen ganz erschlafft zu sein, so daß sie einen Abscheu davor haben, irgendwie handelnd vorzugehen, und am allerliebsten ruhig in ihrem Bett liegen und ›ihren Kummer nähren‹, wie die alten Damen sich ausdrücken, das heißt: über ihre Traurigkeit unaufhörlich nachgrübeln.

Die Leute von Rattelburg aber hatten eine so hohe Meinung von der Weisheit und der Umsicht des ›alten Karlchen‹, daß die meisten geneigt waren, ihm zuzustimmen und keine weiteren Nachforschungen anzustellen, »bis von selbst etwas herauskäme«, wie der alte, ehrliche Herr sich ausgedrückt hatte; und ich glaube, am Ende würde man wohl allgemein bei diesem Entschluß geblieben sein, wenn nicht Herrn Schüttelwerts Neffe, ein junger Mann von ziemlich leichtfertigen Gewohnheiten und auch sonst schlechtem Charakter, in verdächtiger Weise dagegengeredet hätte. Dieser Neffe, ein Herr Pfennigfeder, wollte nichts von Aufschieben hören und bestand hartnäckig darauf, sofort Nachforschungen nach dem »Leichnam des ermordeten Mannes« anstellen zu lassen. *Diesen* Ausdruck wandte er an; und Herr Biedermann bemerkte sofort, daß das, gelinde gesagt, ein *sehr sonderbarer* Ausdruck gewesen sei, und diese Bemerkung des ›alten Karlchen‹ übte ebenfalls eine große Wirkung auf die Menge aus, und man hörte jemanden recht nachdrücklich fragen: wie es komme, daß dem jungen Herrn Pfennigfeder die Umstände, die mit dem Verschwinden seines reichen Onkels zusammenhingen, so genau bekannt seien, daß er sich berechtigt fühle, deutlich und unzweideutig zu behaupten, sein Onkel sei ein »ermordeter Mann«. Hierauf fielen in der Menge und besonders zwischen dem ›alten Karlchen‹ und Herrn Pfennigfeder ein paar spitze Bemerkungen. Dies letztere war absolut nichts Neues, denn seit drei oder vier Monaten lebten die beiden auf gespanntem Fuße miteinander. Es war sogar so weit gekommen, daß Herr Pfennigfeder den Freund seines Onkels in dessen Haus, in dem auch er selbst wohnte, zu Boden geschlagen hatte, weil er sich dort zu große Frechheiten gestattet haben sollte. Wie es hieß, hatte sich das ›alte Karlchen‹ bei dieser Gelegenheit durch außerordentliche Mäßigung und christliche Liebe ausgezeichnet. Er erhob sich nach dem Schlag, ordnete seine Kleider wieder, machte jedoch nicht den geringsten Versuch, Gleiches mit Gleichem zu vergelten. Er murmelte nur etwas von »summarischer Rache bei der nächsten passenden Gelegenheit« – aber das war wohl nur eine sehr natürliche und leicht entschuldbare Äußerung seines gerechten Zornes, die nichts auf sich hatte und sofort wieder vergessen worden war.

Wie dem nun aber auch sei, für unsere Geschichte hat es nichts zu sagen – jedenfalls kamen die Leute von Rattelburg, hauptsächlich durch die überzeugende Beredsamkeit des Herrn Pfennigfeder, endlich zu dem Entschluß, die Umgegend zu durchstreifen, um eine Nachsuche nach dem vermißten Herrn Schüttelwert abzuhalten. Ich sage also, sie kamen im allgemeinen zu diesem Entschluß. Und nachdem sie ihn einmal gefaßt hatten, nahm man es als ganz selbstverständlich an, daß die Sucher sich in Trupps verteilen sollten, um die Gegend recht gründlich durchsuchen zu können. Ich erinnere mich jedoch nicht mehr, durch welche scharfsinnige Logik das ›alte Karlchen‹ die Versammlung überzeugte, dies sei das Unklügste, was man tun könne. Jedenfalls überzeugte er alle – Herrn Pfennigfeder ausgenommen –, daß es das beste sei, wenn die Bürger en masse eine sorgfältige und gründliche Nachsuchung anstellten; er selbst, das ›alte Karlchen‹, wolle den Zug anführen.

Man konnte sich in der Tat, wie schon eingangs erwähnt, keinen besseren Pionier bei diesen Nachforschungen denken als

Herrn Biedermann. Jeder wußte, daß er ein Luchsauge hatte; aber, obgleich er die guten Rattelburger in zahlreiche abgelegene Löcher und Winkel und auf Wege führte, von denen kein Mensch bisher eine Ahnung gehabt hatte, und die Nachforschungen eine ganze Woche lang Tag und Nacht fortsetzte, ließ sich nicht die geringste Spur von Herrn Schüttelwert entdecken. Doch möchte ich das Wort ›Spur‹ nicht wörtlich verstanden haben, denn eine Spur von einiger Bedeutung wurde immerhin gefunden. Die eigentümlichen Hufspuren des Pferdes, auf dem der arme Herr fortgeritten war, waren auf der Straße, die zur Stadt führte, drei Meilen weit nach Osten zu verfolgen. Dann führten sie auf einen kleinen Abweg, der durch ein Wäldchen ging und sich später wieder mit dem Hauptweg vereinigte und ungefähr eine halbe Meile abschnitt. Man ging den Hufspuren nach und kam endlich an einen Sumpf mit stagnierendem Wasser, der, von Brombeergebüschen halb verdeckt, rechts am Weg lag. Jenseits des Sumpfes verlor sich jede Spur. Es schien, als habe hier ein Kampf stattgefunden, und aus verschiedenen Zeichen ließ sich ersehen, daß ein großer, schwerer Körper, viel größer und schwerer als der eines Mannes, von dem Pfad aus in den Sumpf geschleift worden war. Dieser letztere wurde zweimal sorgfältig durchsucht, ohne daß man etwas gefunden hätte, und man war schon nahe daran, die Nachforschungen als hoffnungslos aufzugeben, als die Vorsehung Herrn Biedermann auf den Gedanken brachte, das Wasser des Sumpfes vollständig abzulassen.

Dieser Vorschlag wurde mit Freuden begrüßt und das ›alte Karlchen‹ mit zahllosen Komplimenten über seinen Scharfsinn und seine Umsicht überhäuft. Da viele von den Bürgern in der Befürchtung, vielleicht einen Leichnam ausgraben zu müssen, Spaten mitgebracht hatten, wurde der Sumpf mit leichter Mühe und bald trockengelegt. Kaum war der Boden sichtbar, da entdeckte man mitten im Schlamm, der zurückblieb, eine schwarze Weste aus Seidensammet, die jeder Anwesende sofort als das Eigentum des Herrn Pfennigfeder erkannte. Die Weste war vielfach zerrissen und mit Blut bedeckt, und mehrere der Anwesenden erinnerten sich genau, daß ihr Eigentümer sie am Morgen der Abreise des Herrn Schüttelwert getragen hatte, während andere sich bereit erklärten, nötigenfalls eidlich zu bezeugen, daß Herr Pfennigfeder das fragliche Kleidungsstück während des *Restes* jenes denkwürdigen Tages nicht mehr getragen habe; und endlich konnte niemand behaupten, daß er die Weste an irgendeinem Tage nach dem Verschwinden des Herrn Schüttelwert am Leibe des Herrn Pfennigfeder gesehen habe.

Nun begannen die Sachen für Herrn Pfennigfeder bös auszusehen, und der Verdacht, den man nun einmal gegen ihn hatte, wurde fast zur Gewißheit, als man bemerkte, daß er tödlich erbleichte und auf die Frage, was er denn zu seiner Entschuldigung vorzubringen habe, nicht ein Wort antworten konnte. Nun fielen auch die wenigen Freunde, die er sich bei seinem ausschweifenden Lebenswandel noch erhalten hatte, wie ein Mann von ihm ab und verlangten sogar noch eindringlicher als seine alten, erklärten Feinde seine sofortige Festnahme.

Dagegen zeigte sich der Edelmut Herrn Biedermanns in desto strahlenderem Lichte. Er verteidigte Herrn Pfennigfeder mit warmer, inniger Beredsamkeit und spielte mehr als einmal darauf an, wie er dem wilden jungen Mann, ›dem Erben des würdigen Herrn Schüttelwert‹, die Beleidigung, die dieser ihm, Herrn Biedermann, ohne Zweifel in der Hitze der Leidenschaft zuzufügen für gut befunden, längst vergessen und vergeben habe. Er verzeihe ihm, sagte er, aus tiefstem Herzen, und was ihn, Herrn Biedermann selbst, anbeträfe, so sei er nicht nur weit davon entfernt, diese leider höchst verdächtigenden Umstände zum Nachteil des Herrn Pfennigfeder auszubeuten, er wolle im Gegenteil sein möglichstes tun und seine ganze bescheidene Beredsamkeit aufwenden, um — um — um, soweit er es nur mit seinem Gewissen vereinbaren könne, diese wirklich so außerordentlich bedenkliche Sache in ihren schlimmsten Zügen zu *mildern*.

In dieser Weise, die sowohl seinem Herzen wie auch seinem Verstand alle Ehre machte, redete Herr Biedermann wohl eine halbe Stunde oder noch länger; doch warmherzige Personen sind in ihren Bemerkungen selten mäßig genug. In dem übereifrigen, hitzigen Bemühen, einem Freund beizustehen, lassen sie sich zu allen möglichen Schnitzern und unangebrachten A-tempo-Hieben oder zu Ungeschicklichkeiten verleiten, die, obwohl sie in der besten Absicht von der Welt geschehen, das Vorurteil gegen den Verteidigten eher bestärken als zerstreuen.

Diese Wirkung hatte auch die ganze Beredsamkeit des ›alten Karlchen‹, denn obgleich er sich in allem Ernst für den Verdächtigten ins Zeug gelegt hatte, geschah es dennoch, daß jede Silbe, die er äußerte, den Argwohn, der sich gegen Herrn Pfennigfeder nun einmal erhoben hatte, nur noch bestärkte und die Wut der Menge gegen ihn aufstachelte.

Der Redner hatte den merklichen Fehler gemacht, den Verdächtigten den »Erben des würdigen Herrn Schüttelwert« zu nennen. Daran hatten die Rattelburger bis jetzt noch gar nicht gedacht. Man erinnerte sich nur gewisser Drohungen, die der Onkel, der außer seinem Neffen keine anderen lebenden Verwandten mehr besaß, vor ein oder zwei Jahren verkündet hatte: er wolle Herrn Pfennigfeder enterben, und hatte seit der Zeit die Enterbung als eine abgemachte Sache angesehen, doch die Bemerkung des ›alten

Karlchen‹ richtete ihre Aufmerksamkeit wieder auf diesen Punkt und stellte ihnen die Möglichkeit vor Augen, daß diese Drohungen eben nichts als Drohungen gewesen sein könnten. Und daraufhin stellte man sich sofort die natürliche Frage: Cui bono? — eine Frage, die den jungen Mann fast noch schwerer belastete als die gefundene Weste.

Und hier muß man mir, wenn man mich nicht mißverstehen will, gestatten, eine kleine Abschweifung zu machen und zu bemerken, daß die kurze lateinische Phrase, die ich soeben anwandte, immer falsch übersetzt und mißverstanden worden ist. In allen bekannten Romanen sind die beiden lateinischen Worte ›cui bono‹ mit ›zu welchem Zwecke‹ oder ›zu welchem Ende‹ übersetzt worden. Ihre wirkliche Bedeutung ist jedoch ›zu wessen Nutzen‹. Cui, wem; bono, zum Nutzen. Es ist eine rein juristische Phrase und genau anwendbar bei Fällen wie dem vorliegenden, bei denen es sich darum handelt, die Wahrscheinlichkeit der Täterschaft aus der Wahrscheinlichkeit des dem mutmaßlichen Täter aus der Tat erwachsenden Vorteils herzuleiten. In unserem Fall deutete die Frage ›Cui bono‹? ganz entschieden auf Herrn Pfennigfeder. Sein Onkel hatte ihm, nachdem er zuerst ein Testament zu seinen Gunsten gemacht hatte, mit Enterbung gedroht. Doch die Drohung war nicht ausgeführt worden und das ursprüngliche Testament anscheinend unverändert geblieben. Wäre dies nicht der Fall gewesen, so hätte man dem Verdächtigten kein anderes Motiv als Rache unterschieben können, doch sprach die Möglichkeit, bei dem Onkel noch einmal wieder zu Gnaden zu kommen, entschieden gegen eine solche Annahme. Da jedoch das Testament nicht umgestoßen war, die Drohung einer Enterbung aber noch immer über dem Haupt des Neffen schwebte, so wird uns plötzlich das stärkste Motiv zu einer solchen Greueltat klar: wenigstens schlossen die würdigen, scharfsinnigen Einwohner von Rattelburg in dieser Weise.

Herr Pfennigfeder wurde also auf der Stelle festgenommen und von der Menge, die sonst so gut wie keine Nachforschungen mehr anstellte, in die Stadt zurückgeführt. Unterwegs geschah noch etwas, das den Argwohn gegen ihn steigern mußte. Man bemerkte, daß Herr Biedermann, der in seinem Eifer immer ein Stückchen Weges vor der Menge herlief, plötzlich einen kleinen Gegenstand aus dem Gras aufhob und, nachdem er ihn schnell untersucht hatte, einen halben Versuch machte, ihn in seiner Tasche verschwinden zu lassen. Doch, wie gesagt, die Handlung wurde bemerkt und infolgedessen verhindert, und der aufgehobene Gegenstand stellte sich als ein spanisches Messer heraus, das ein Dutzend Personen sofort als Eigentum des Herrn Pfennigfeder erkannten. Überdies waren die Anfangsbuchstaben seines Namens in den Griff graviert. Das Messer war geöffnet, und seine Klinge wies Blutspuren auf.

Nun stand die Schuld des Neffen wohl außer allem Zweifel, und sofort nach der Ankunft in Rattelburg wurde er vor den Untersuchungsrichter geführt.

Hier nahmen die Dinge ebenfalls eine für ihn überaus ungünstige Wendung. Als man den Angeklagten fragte, wo er sich an dem Morgen, an dem Herr Schüttelwert verschwunden sei, aufgehalten habe, hatte er wahrhaftig die Frechheit, zu gestehen, daß er an demselben Morgen mit seiner Büchse draußen gejagt habe und zwar in unmittelbarer Nähe des Sumpfes, in dem man seine blutbesudelte Weste dank dem Scharfsinn des Herrn Biedermann gefunden hatte.

Nun trat das ›alte Karlchen‹ vor und bat mit Tränen in den Augen darum, vernommen zu werden. Er sagte, daß sein strenges Pflichtgefühl Gott und den Menschen gegenüber ihm nicht gestatte, noch länger zu schweigen.

Bisher habe ihn die aufrichtige Zuneigung zu dem jungen Manne, ungeachtet der üblen Behandlung, die er ihm, Herrn Biedermann, hätte angedeihen lassen, bewogen, alle nur erdenklichen Einwendungen zu machen, um den Verdacht, der ja leider schwer auf Herrn Pfennigfeder laste, zu entkräften; doch sprächen jetzt die Umstände *zu* überzeugend, *zu* verdammend gegen ihn — Herrn Pfennigfeder nämlich; nun dürfe er nicht länger zurückhalten und müsse alles sagen, sollte auch sein — Herrn Biedermanns — Herz darunter brechen.

Und nun setzte er deutlich auseinander, wie an dem Nachmittag des Tages vor dem Verschwinden des Herrn Schüttelwert dieser würdige alte Herr seinem Neffen in seiner — Herrn Biedermanns — Gegenwart gesagt habe, der Zweck der Reise, die er morgen unternehmen werde, sei der, bei der Farmerbank eine ungewöhnlich hohe Geldsumme zu deponieren, und daß bei dieser Gelegenheit der besagte Herr Schüttelwert dem besagten Neffen deutlich seinen unabänderlichen Entschluß kundgetan habe, das ursprüngliche Testament für nichtig erklären zu lassen und ihn ›mit einem Ei und einem Butterbrot‹ abzuspeisen.

Er, der Zeuge, fordere nun den Angeklagten in feierlicher Weise auf, auszusagen, ob er, der Zeuge, in allen wesentlichen Punkten die Wahrheit gesagt habe oder nicht.

Zum großen Erstaunen aller Anwesenden gab Herr Pfennigfeder die Wahrheit dieser Aussagen ohne die geringste Einschränkung zu.

Der Untersuchungsrichter hielt es nun für seine Pflicht, etliche Polizisten in das Haus des Herrn Schüttelwert zu schicken, damit sie das Zimmer des Angeklagten einer genauen Durchsuchung unterzögen. Von dieser Haussuchung kamen sie fast umgehend wieder mit der wohlbekannten stahlbeschlagenen Brieftasche aus rotbraunem Leder zurück, die, wie jeder wußte, Herr Schüttelwert seit Jahren bei sich getragen hatte. Ihr wertvoller Inhalt jedoch war verschwunden, und vergebens bemühte sich der Untersuchungsrichter, aus dem Angeklagten herauszubringen, welchen Gebrauch er von dem Geld gemacht oder wo er es verborgen habe. Er leugnete hartnäckig, von der Sache auch nur das geringste zu wissen.

Die Polizeidiener hatten außerdem noch in dem Bett des Unglückseligen auf dem Strohsack eines seiner Hemden und ein Halstuch gefunden, beides mit den Anfangsbuchstaben seines Namens gezeichnet und mit dem Blut des Opfers auf das gräßlichste besudelt.

Kaum war dies alles festgestellt, so wurde auch gemeldet, daß das Pferd des Ermordeten soeben infolge der erhaltenen Verletzung verendet sei. Herr Biedermann schlug sofort die Sezierung des Tieres vor, damit man, wenn möglich, die Kugel fände. Man folgte seinem Rat und fand, als hätte sich alles vereinigt, um die Schuld des Angeklagten restlos zu beweisen, nach langem Suchen in dem Brustkasten des Pferdes eine ungewöhnlich große Kugel, die bei näherer Untersuchung genau in den Lauf der Büchse des Herrn Pfennigfeder paßte, während sie für die Büchsen aller übrigen Einwohner von Rattelburg und Umgegend zu groß war.

Um die Sache noch klarer zu machen, stellte sich überdies heraus, daß die Kugel außer der gewöhnlichen noch eine kleine Naht hatte, die mit der anderen einen rechten Winkel bildete, und diese zweite Naht entsprach genau einer zufälligen Erhöhung in dem Kugelgießer, den der Angeklagte selbst als sein Eigentum anerkannte.

Nach Auffindung dieser Kugel hielt der Richter alle weiteren Schuldbeweise für überflüssig und erklärte, daß der Angeklagte vor die nächsten Assisen gestellt werden würde. Jede Bürgschaft – Herr Biedermann mit seinem warmen Herzen hatte sich erboten, dieselbe in beliebiger Höhe zu leisten – müsse er unbedingt zurückweisen. Dieser Edelmut des ›alten Karlchen‹ stimmte auf das schönste zu dem ehrenhaften, liebenswürdigen Betragen, dessen er sich während der ganzen Zeit seines Aufenthalts in Rattelburg befleißigt hatte. Im vorliegenden Fall ließ sich der würdige Herr so von seiner warmen Herzensgüte fortreißen, daß er, als er sich anbot, Bürgschaft für seinen jungen Freund zu leisten, ganz vergessen zu haben schien, daß er auf Gottes weiter Erde eigentlich kein festes Besitztum im Werte auch nur eines Dollars hatte.

Es war nicht schwer, vorauszusehen, wie der Urteilsspruch lauten werde. Unter den lauten Verwünschungen der Rattelburger wurde Herr Pfennigfeder vor die Geschworenen gestellt, und die

Kette der überzeugenden Schuldbeweise, die Herrn Biedermanns zartes Gewissen noch durch einige weitere belastende Aussagen verstärkte, wurde für völlig ausreichend befunden, die Schuldfrage zu bejahen; der Angeklagte wurde, ohne daß die Geschworenen auch nur ihre Sitze verließen, ›des vorsätzlichen Mordes‹ schuldig befunden. Darauf wurde dann über den Unglücklichen das Todesurteil ausgesprochen. Man brachte ihn in das Gefängnis zurück, bis die unerbittliche Rache des Gesetzes ihren Lauf nehmen sollte.

Das ›alte Karlchen‹ hatte sich jedoch durch sein wahrhaft edelmütiges Betragen den Herzen der ehrlichen Bürger von Rattelburg nur noch teurer gemacht. Noch mehr als sonst wurde er ihr erklärter Liebling, und um die reichlichste Gastfreundschaft, die man ihm erwies, wenigstens in etwas zu erwidern, war er, wie er einmal durchblicken ließ, gezwungen, die sehr sparsamen Gewohnheiten, die ihm seine Armut bis jetzt auferlegt habe, daranzugeben. Er gab kleine Gesellschaften, bei denen es lustig herging – nur wurde Heiterkeit *natürlicherweise* hin und wieder ein wenig gedämpft, wenn man sich gelegentlich des widrigen, trüben Loses erinnerte, dem der Neffe des vielbetrauerten Busenfreundes des großherzigen Gastgebers entgegenging.

Eines schönen Tages wurde der alte edelmütige Herr durch den Empfang des folgenden Briefes auf das angenehmste überrascht:

Herrn Karl Biedermann, Wohlgeboren,
Rattelburg,
von H., F., B. & Cie.

Chat. Mar. A – Nr. 1. – 6 Dtz. Flaschen (1/2 Groß).

Herrn Karl Biedermann,
Wohlgeboren.

Sehr geehrter Herr!

Infolge einer Bestellung, die unserer Firma vor etwa zwei Monaten durch unseren Geschäftsfreund Herrn Barnabas Schüttelwert gemacht wurde, haben wir die Ehre, heute morgen eine doppelte Kiste Chateau Margaux an Ihre Adresse abgehen zu lassen. Qualität Antilope. Violettes Siegel. Kiste numeriert und wie obenstehend markiert.

Wir verbleiben, sehr geehrter Herr,
Ihre ergebensten Diener

Stadt B., 21. Juni 18 . .   Hoggs, Frogs, Bogs & Cie.

P. S. Die Kiste wird Ihnen einen Tag nach Empfang dieses Briefes per Fracht zugehen. Unsere Empfehlungen an Herrn Schüttelwert.   H., F., B. & Cie.

Seit dem Tode des Herrn Schüttelwert hatte Herr Biedermann jede Hoffnung aufgegeben, den versprochenen Chateau Margaux jemals zu bekommen, und sah die Sache jetzt fast als eine Fügung der gütigen Vorsehung an. Er war im höchsten Grade entzückt und lud im Übermaß seiner Freude für den nächsten Abend eine große Gesellschaft ein, die ihm helfen sollte, das Geschenk des guten alten Herrn Schüttelwert seiner Bestimmung zu übergeben. Doch erwähnte er den ›guten alten Herrn Schüttelwert‹ bei seinen Einladungen mit keinem Worte. Er dachte viel darüber nach und kam zu dem Schluß, daß es wirklich besser sei, nichts zu sagen. Also, wie gesagt, er erzählte nichts von einem Geschenk, sondern bat seine Freunde nur, ihm zu helfen, ein paar Flaschen ganz besonders guten Weines, den er schon vor ein paar Wochen in der Stadt bestellt habe und der morgen eintreffen müsse, austrinken zu helfen. Ich habe mich selbst oft gefragt, warum das ›alte Karlchen‹ beschlossen hatte, *nicht* zu sagen, daß es den Wein von seinem alten Freunde zum Geschenk erhalten habe. Ich konnte wirklich nicht klug daraus werden, obgleich mir einleuchtete, daß er *jedenfalls* einen *wichtigen* Grund zum Schweigen hatte.

Der Abend kam und mit ihm eine hoch ehrenwerte Gesellschaft; das halbe Städtchen war im Hause des Herrn Biedermann erschienen – auch ich befand mich unter den Eingeladenen. Doch zum größten Verdrusse des Wirtes kam die Kiste Chateau Margaux erst an, als man dem leckeren Abendmahl schon alle Ehre angetan hatte. Es war eine ungeheuer große Kiste, und da man bereits in ausgezeichneter Stimmung war, wurde unter allgemeinem Beifall beschlossen, sie auf die Tafel hinaufzuheben und dort ihres Inhaltes zu entledigen.

Gesagt, getan. Ich half mit, und im Nu stand die Kiste auf dem Tisch, mitten zwischen Flaschen und Gläsern, denen dabei bös mitgespielt wurde. Das ›alte Karlchen‹, das schon ziemlich angeheitert und puterrot im Gesicht war, setzte sich mit einer Miene komischer Würde an die Spitze der Tafel, schlug wie ein Besessener mit einer festen Karaffe auf den Tisch und befahl jedermann, sich ruhig zu verhalten, »bis der Schatz gehoben« sei.

Das Lachen und Schreien dauerte noch ein wenig an, endlich wurde es ruhig, ja, wie es bei dergleichen Gelegenheiten oft geschieht, es trat *Totenstille* ein. Man forderte mich auf, den Deckel zu öffnen, und ich kam diesem Wunsche »mit unendlichem Vergnügen« nach. Ich steckte einen Meißel zwischen Deckel und Kiste und schlug einige Male leicht mit dem Hammer darauf.

Der Deckel flog plötzlich mit Heftigkeit in die Höhe – und im selben Augenblick richtete sich, dem Wirt gerade gegenüber, der blutige, schon halb verweste Leichnam des ermordeten Herrn Schüttelwert in sitzender Stellung aus der Kiste auf. Er blickte

Herrn Biedermann ein paar Augenblicke lang mit seinen verglasten Augen starr und kummervoll an. Dann sprach er langsam, aber deutlich und nachdrücklich die drei Worte: »Du hast's getan!« und fiel, als sei er nun zufriedengestellt, aus der Kiste heraus und streckte seine Glieder auf dem Tisch aus.

Die Szene, die folgte, spottet jeder Beschreibung. In grauenhaftem Entsetzen stürzte alles auf die Türen und Fenster zu, und selbst einige der stärksten Männer wurden vor bloßem Schreck ohnmächtig. Doch nach dem ersten wilden Ausbruch des Grauens richteten sich aller Augen auf Herrn Biedermann. Wenn ich tausend Jahre alt würde, könnte ich nie die Todesangst vergessen, die sich auf seinem eben noch so triumphierenden, strahlenden, nun geisterhaft verzerrten Gesicht widerspiegelte.

Mehrere Minuten lang saß er wie versteinert, seine vollständig ausdruckslos gewordenen Augen schienen nach innen gewandt und in der Anschauung seiner elenden, heuchlerischen Seele ganz versunken zu sein. Endlich wurden sie sich der äußeren Welt wieder bewußt, es blitzte in ihnen auf, und im selben Augenblick sprang er von seinem Stuhl und fiel mit Kopf und Schultern schwer auf den Tisch, so daß er den Leichnam berührte, und legte ein ausführliches Geständnis des grausigen Verbrechens ab, um dessentwillen man Herrn Pfennigfeder eingekerkert und zum Tode verurteilt hatte.

Er erzählte im wesentlichen folgendes:

Er folgte seinem Opfer bis in die Nähe des Sumpfes, dort schoß er mit einer Pistole auf das Pferd und erschlug den Reiter mit dem Griff der Pistole, eignete sich die Brieftasche an und schleppte das Pferd, das er für tot hielt, mit vieler Mühe in die Brombeerbüsche, die den Sumpf umstanden. Den Leichnam des Herrn Schüttelwert befestigte er auf seinem eigenen Pferd, um ihn, weit von dem Tatort, im Wald zu verbergen.

Die Weste, das Messer, die Brieftasche, ja sogar die Kugel hatte er selbst an die Stellen gebracht, an denen man sie gefunden hatte, in der Absicht, sich an Herrn Pfennigfeder zu rächen. Auch hatte er die Entdeckung des blutgeröteten Halstuches und Hemdes herbeigeführt.

Gegen Ende dieser haarsträubend gräßlichen Aussagen wurde die Stimme des schuldigen Elenden unsicher und hohl. Als er endlich fertig war, erhob er sich, schwankte ein paar Schritte vom Tisch zurück und fiel *tot* zu Boden.

Die Mittel, die dieses rechtzeitige Geständnis herbeiführten, waren trotz ihrer großen Wirksamkeit äußerst einfache. Herrn Biedermanns übermäßige Biederkeit hatte mich angeekelt und gleich anfangs Verdacht bei mir erregt. Ich war dabei gewesen, als Herr

Pfennigfeder ihn geschlagen hatte, und der teuflische Ausdruck, der damals, wenn auch nur für einen Augenblick, sein Gesicht verzerrte, hatte mich überzeugt, daß er die Drohung, sich zu rächen, reichlich ausführen werde. So war es mir also möglich, die Manöver des ›alten Karlchen‹ in einem ganz anderen Licht zu erblikken, als es die guten Rattelburger taten. Ich sah sofort, daß alle belastenden Entdeckungen direkt oder indirekt von Herrn Biedermann ausgingen. Was mir jedoch die Augen über den wahren Sachverhalt öffnete, war der Umstand, daß Herr Biedermann in dem Kadaver des Tieres eine Kugel *fand*. Ich hatte nicht, wie die Rattelburger, vergessen, daß der Körper des Pferdes ein Loch aufwies, durch das die Kugel eingedrungen, und ein anderes, durch das sie wieder hinausgegangen war. Wenn man dennoch eine Kugel fand, war es klar, daß die Person, die sie gefunden hatte, diese vorher dort versteckt haben mußte. Das blutige Tuch und das Hemd bestärkten ebenfalls meine Annahme, denn bei genauer Prüfung stellte sich heraus, daß das vermeintliche Blut guter Bordeaux war. Als ich dies alles recht bedachte und auch die Ausgaben und ungewohnte Freigebigkeit des Herrn Biedermann bemerkte, wuchs mein Argwohn stündlich, doch sprach ich zu niemandem darüber.

Mittlerweile stellte ich eifrige Nachforschungen nach dem Leichnam des Herrn Schüttelwert an und suchte aus naheliegenden Gründen an Orten, die möglichst weit von denen, die Herr Biedermann mit seiner Schar durchstöbert hatte, entfernt waren. Nach einigen Tagen kam ich an einen alten, versiechten Brunnen, dessen Öffnung durch Brombeergestrüpp verborgen war, und auf seinem Boden fand ich, was ich suchte.

Ich hatte jedoch auch zufällig die Unterhaltung der beiden Freunde mit angehört, in der das ›alte Karlchen‹ Herrn Schüttelwert durch allerlei Schmeichelei zu überreden gewußt hatte, ihm eine Kiste Chateau Margaux zu versprechen. Diesen Umstand benutzte ich. Ich verschaffte mir ein steifes Stück Fischbein, stieß es in den Hals des Leichnams hinab und legte ihn in eine alte Weinkiste, derart, daß sich der Körper mit dem Fischbein beugen mußte. Dann drückte ich den Deckel kräftig nieder und nagelte ihn an. Ich konnte also erwarten, daß er, sobald man die Nägel entfernte, aufspringen und der Leichnam in die Höhe schnellen würde.

Danach markierte und numerierte ich die Kiste, schrieb die Adresse und den Brief unter dem Namen des Weinhändlers, mit dem Herr Schüttelwert in Verbindung gestanden hatte; meinem Diener gab ich den Befehl, die Kiste zu einer genau angegebenen Zeit in das Haus des Herrn Biedermann zu schaffen; und die Worte, die der Leichnam sprechen sollte, beschloß ich selbst so wirkungsvoll wie möglich hervorzubringen: infolge meines Talentes als Bauchredner durfte ich mir's schon zutrauen. Im übrigen aber überließ ich alles dem bösen Gewissen des Mörders.

Weiter habe ich nichts zu erzählen. Höchstens, daß Herr Pfennigfeder auf der Stelle freigelassen wurde: er erbte das Vermögen seines Onkels und zog aus seiner schlimmen Erfahrung manche gute Lehre, begann einen neuen Lebenswandel, wurde ein anderer und lebte noch lange glücklich und zufrieden.

LIEBE AUF DEN ERSTEN BLICK

Vor noch nicht allzulanger Zeit gehörte es zum guten Ton, den Glauben an die ›Liebe auf den ersten Blick‹ für eine Lächerlichkeit zu halten, doch alle Leute, die denken und tief empfinden können, sind stets von seiner Wahrheit überzeugt gewesen. Neue Entdeckungen auf dem Gebiet des — sagen wir — ethischen und ästhetischen Magnetismus machen es sehr wahrscheinlich, daß die natürlichsten und folglich die wahrsten und stärksten Empfindungen der Menschen plötzlich, wie durch eine elektrische Wirkung, im Herzen entstehen — mit einem Wort, daß die schönsten und dauerndsten Seelenbande durch *einen* Blick geknüpft werden. Das Bekenntnis, das ich hier ablegen will, wird die unzähligen Beweise für die Wahrheit dieser Behauptung um einen neuen vermehren.

Im Interesse meiner Geschichte muß ich ziemlich weit ausholen.

Ich bin noch ein ganz junger Mensch und zähle noch nicht volle zweiundzwanzig Jahre. Mein jetziger Name kommt ziemlich häufig vor und ist ziemlich plebejisch: ich heiße Simpson. Ich sagte mein ›jetziger‹ Name, denn ich führe ihn noch nicht lange. Erst im Laufe des vergangenen Jahres nahm ich ihn beim Antritt einer großen Erbschaft, die mir von einem entfernten Verwandten namens Adolf Simpson hinterlassen wurde, gesetzlich an. Das Vermächtnis war nämlich mit der Bedingung verbunden, daß mit dem Besitz auch der Name des Testators auf mich übergehen müsse, das heißt der Familienname, nicht der Taufname. Mein Taufname ist Napoleon Bonaparte.

Den Namen Simpson nahm ich nur mit Widerstreben an, da ich auf meinen wirklichen Familiennamen Froissart verzeihlicherweise sehr stolz war, weil ich glaubte, meine Abstammung von dem Verfasser der ›Chronicles‹ ableiten zu können. Da wir einmal von Namen sprechen, möchte ich nicht unterlassen, die seltsame Übereinstimmung des Klanges zu erwähnen, welche die Namen einiger meiner direkten Vorfahren aufweisen. Mein Vater war ein Monsieur Froissart aus Paris. Seine Gattin, meine Mutter, die er im fünfzehnten Lebensjahr geheiratet hatte, war eine Mademoiselle Croissart, die älteste Tochter des Bankiers Croissart, dessen Gattin, die bei ihrer Verheiratung auch erst sechzehn Jahre zählte, die älteste Tochter eines gewissen Victor Noissart war. Monsieur Noissart hatte sonderbarerweise eine Dame von ähnlich klingendem Namen geheiratet, eine Mademoiselle Moissart. Sie war ebenfalls noch fast ein Kind, als sie heiratete, und ihre Mutter, Madame Moissart, zählte, als sie zum Altar geführt wurde, eben erst vierzehn Jahre.

Die Namen Moissart, Noissart, Croissart und Froissart folgen also in meiner Familie in direkter Linie aufeinander.

Über Mangel an persönlichen Vorzügen kann ich nicht klagen. Im Gegenteil glaube ich mit einem ziemlich einnehmenden Äußeren ausgestattet zu sein und besitze, was neun Zehntel der Menschen ›ein hübsches Gesicht‹ nennen würden. Ich bin fünf Fuß elf Zoll hoch, mein Haar ist schwarz und gelockt, meine Nase genügend wohlgebildet. Meine Augen sind groß und von grauer Farbe, und obgleich ich so schlecht sehe, daß mir oft Unannehmlichkeiten daraus erwachsen, läßt ihr Aussehen durchaus nicht auf diese Schwäche schließen. Ich habe schon zu allen möglichen Mitteln gegriffen, um dieselbe zu beseitigen, doch konnte ich mich nie entschließen, eine Brille zu tragen. Ich kenne wirklich nichts, was das Gesicht eines jungen hübschen Menschen mehr entstellen könnte als die Augengläser, die jedem einzelnen seiner Züge einen Ausdruck steifer Ehrbarkeit verleihen, sein Gesicht älter machen und ihm einen Schein falscher Würde geben. Eine Lorgnette hat jedoch immer etwas Geckenhaftes und Geziertes. Ich habe mich bisher, so gut es eben gehen wollte, ohne jedes äußere Hilfsmittel beholfen. Doch fürchte ich, schon zu viel von rein persönlichen Dingen erzählt zu haben, die zum Schluß doch nur von ganz geringer Bedeutung sind. Ich will mich damit begnügen, noch kurz zu bemerken, daß ich sanguinischen Temperaments bin, sehr leicht in Feuer und Begeisterung gerate — und daß ich mein Leben lang ein ergebener Bewunderer schöner Frauen gewesen bin.

Im verflossenen Winter besuchte ich eines Abends mit meinem Freunde, einem Herrn Talbot, das Apollotheater. Es wurde eine Oper gegeben, und der Theaterzettel versprach so ungewöhnliche Genüsse, daß das Haus überfüllt war.

Während der ersten beiden Stunden widmete mein Freund, der ein leidenschaftlicher Musikliebhaber war, seine ganze Aufmerksamkeit der Bühne. Ich unterhielt mich inzwischen damit, das Publikum, welches größtenteils aus der besten Gesellschaft der Stadt bestand, zu beobachten. Nachdem ich meine Neugierde befriedigt hatte, wollte ich gerade meine Augen der Primadonna zuwenden, als sie durch eine Erscheinung in einer Loge, die bis jetzt meinen Blicken entgangen war, festgehalten wurden.

Wenn ich tausend Jahre alt würde, ich könnte die heftige Erregung, mit welcher ich den Kopf der Dame betrachtete, nicht vergessen. Seine Form war das Auserlesenste, was meine Augen je gesehen haben. Das Gesicht war der Bühne zugewandt, und es dauerte ein paar Minuten lang, ehe ich es ganz erblicken konnte, aber wie ich schon sagte, die Formbildung des Kopfes war göttlich schön — keine andere Bezeichnung könnte die herrlichen Verhältnisse der Linien genügend ausdrücken, und selbst das Wort *göttlich* scheint mir, da ich es niederschreibe, lächerlich schwach zu sein.

Es war mir von jeher unmöglich, dem Zauber lieblicher Formen, der überwältigenden Macht weiblicher Reize zu widerstehen. Hier jedoch erblickte ich die verkörperte Anmut, das Ideal der Schönheit, das mir in meinen überschwenglichsten, begeistertsten Träumen vorgeschwebt hatte. Die Beschaffenheit der Loge gestattete mir, fast die ganze Gestalt der Dame zu erfassen: sie war von etwas mehr als mittlerer Größe und fast majestätisch zu nennen. Wuchs und Haltung waren tadellos. Die Linien des Kopfes wetteiferten an Schönheit mit denen der griechischen Psyche und wurden durch einen eleganten Kopfputz aus duftiger Gaze eher hervorgehoben als verborgen. Der rechte Arm ruhte auf der Logenbrüstung, und der Anblick seiner seltsam schönen Symmetrie und Rundung ließ jede Fiber in mir vor Entzücken erbeben. Der obere Teil wurde von einem weiten, offenen Ärmel verhüllt, wie sie damals gerade Mode waren. Er reichte bis zum Ellbogen, und unter demselben befand sich ein anderer, dicht anschließender Ärmel von zartem, durchsichtigem Gewebe, der in einer Krause von kostbarer Spitze endete, die leicht und zierlich über die Hand fiel und nur die schlanken Finger frei ließ. An einem von ihnen funkelte ein Brillantring, der, wie ich sofort bemerkte, von außerordentlichem Wert war. Die wundervolle Rundung des Handgelenkes wurde sehr geschickt durch ein Armband hervorgehoben, das durch eine Agraffe von Juwelen geschlossen war und von dem Reichtum und dem erlesenen Geschmack der Dame zeugte.

Wohl eine halbe Stunde lang starrte ich wie gebannt wie zu Stein geworden diese königliche Erscheinung an und empfand die Wahrheit dessen, was je in Versen oder Prosa über die ›Liebe auf den ersten Blick‹ gesagt worden ist, mit sehnsüchtiger Freude. Meine Gefühle waren von allen, die ich je, selbst in Gegenwart der gepriesensten Schönheiten empfunden hatte, vollständig verschieden. Eine unerklärliche, ich möchte sagen magnetische Anziehungskraft von Seele zu Seele schien nicht nur meine Blicke, sondern auch die ganze Kraft meiner Gedanken und Gefühle auf das bewunderungswürdige Wesen vor mir zu lenken. Ich sah, ich fühlte, ich erkannte, daß ich rettungslos, wahnsinnig verliebt war —

schon jetzt, obwohl ich das Angesicht der Geliebten noch nicht erblickt hatte. Meine Leidenschaft war so heftig, so brennend, daß ich glaube, sie würde nur sehr wenig, ja vielleicht gar nicht an Gewalt eingebüßt haben, wenn die Gesichtszüge, die ich noch nicht gesehen hatte, ganz durchschnittliche, banale gewesen wären; so wenig logisch ist nun einmal das Wesen der wahren Liebe, der Liebe auf den ersten Blick, so wenig hängt sie von den äußeren Umständen ab, durch welche sie anscheinend entsteht und bedingt wird.

Während ich nun ganz in Bewunderung des reizenden Geschöpfes versunken war, wandte sie plötzlich, durch irgendeinen Vorgang im Publikum veranlaßt, ihren Kopf ein wenig herum, so daß ich das ganze Profil erblicken konnte. Seine Schönheit übertraf meine Erwartungen noch bei weitem, und dennoch lag etwas in ihm, was mich enttäuschte, ohne daß es mir möglich gewesen wäre, genau zu sagen, *was* es war. Auch ist ›enttäuscht‹ nicht ganz das richtige Wort für meine Gefühle, die durch diesen Anblick zugleich beruhigt und erhoben worden waren. Das berauschte Entzücken hatte einer mehr stillen Schwärmerei, einer verklärten, ruhigen Hingabe Platz gemacht. Dieser Wechsel der Empfindung rührte vielleicht von dem madonnenhaften, mütterlichen Ausdruck des Gesichts her, und doch empfand ich sofort, daß er nicht die einzige Ursache sein konnte. Es war noch etwas anderes da, etwas Geheimnisvolles, das ich mir nicht zu enträtseln vermochte, ein besonderer Ausdruck, der mir nicht ganz angenehm auffiel und dennoch mein Interesse für die Person bedeutend erhöhte. Ich befand mich in einer Gemütsverfassung, die einen jungen, lebhaften Mann leicht zu einer Torheit hätte hinreißen können – wäre die Dame allein gewesen, ich hätte nicht einen Augenblick gezögert, sie in ihrer Loge aufzusuchen und auf jede Gefahr hin anzureden. Glücklicherweise aber befand sie sich in der Gesellschaft eines Herrn und einer auffallend schönen Dame, die allem Anschein nach ein paar Jahre jünger war als sie selbst.

Ich spann tausend Pläne, wie es zu ermöglichen sei, später die Bekanntschaft der älteren Dame zu machen und für einen Augenblick wenigstens ihre Schönheit genauer betrachten zu können. Ich dachte daran, meinen Platz mit einem, der mehr in ihrer Nähe war, zu vertauschen; da jedoch das Haus überfüllt war, ging dies nicht an. Die Gesetze des Anstandes und der Mode untersagten auf das strengste, sich zu solchen Zwecken eines Operngucker zu bedienen. Selbst wenn ich im Besitz eines solchen gewesen wäre, ich hätte ihn nicht gebrauchen dürfen.

Endlich fiel es mir ein, mich an meinen Begleiter zu wenden.

»Talbot«, sagte ich, »Sie haben einen Operngucker; leihen Sie ihn mir.«

»Einen Operngucker? Nein — was sollte *ich* mit einem Operngucker tun?« Mit diesen Worten wandte er sich ungeduldig der Bühne wieder zu.

»Hören Sie doch, Talbot«, fuhr ich fort und rüttelte ihn ein wenig an der Schulter, »hören Sie mir bitte einen Augenblick zu. Sehen Sie die Loge da in der Nähe der Bühne? Nein, die folgende. Haben Sie je eine so entzückende Frau gesehen?«

»Sie ist wirklich sehr schön«, bestätigte er.

»Ich möchte nur wissen, wer sie sein mag!«

»Wie? Du lieber Himmel, Sie wissen *wirklich* nicht, wer sie ist? Das hätte ich von Ihnen am allerwenigsten erwartet. Es ist die berühmte Madame Lalande, die Schönheit des Tages, von der die ganze Stadt spricht. Sie ist unermeßlich reich. Witwe — eine brillante Partie und eben erst aus Paris herübergekommen.«

»Sind Sie mit ihr bekannt?«

»Ja — ich habe die Ehre.«

»Wollen Sie mich bei ihr einführen?«

»Gewiß, mit dem größten Vergnügen. Wann wollen Sie ihr einen Besuch abstatten?«

»Morgen! Gegen eins. Ich werde Sie abholen.«

»Gut! Aber jetzt seien Sie bitte still, wenn es Ihnen möglich ist!«

Ich mußte wohl oder übel Talbots Aufforderung Folge leisten, denn er blieb für jede weitere Frage oder Bemerkung hartnäckig taub und beschäftigte sich während des Restes des Abends ausschließlich mit den Vorgängen auf der Bühne.

Ich selbst wandte jedoch kein Auge von Madame Lalande, und endlich gewährte mir das Glück einen vollen Blick in ihr Gesicht. Es war von außerordentlichem Liebreiz, wie mein Herz es mir, schon ehe Talbot meine Ahnung bestätigte, verkündet hatte, und dennoch störte mich wieder jenes nicht zu erklärende Etwas, von dem ich schon einmal gesprochen habe. Ich schloß, daß es wohl ein gewisser Ausdruck von Ernsthaftigkeit, Traurigkeit oder vielmehr Abspannung sein mußte, der dem Gesicht etwas von seiner Frische und Jugendlichkeit nahm, ihm dafür jedoch eine wahrhaft seraphische Milde und Majestät verlieh, die es meinem leicht begeisterten, romantischen Temperament noch zehnmal interessanter erscheinen ließ.

Während ich so ganz in Anschauung versunken war, entnahm ich plötzlich zu meiner großen Bestürzung aus einem fast unmerklichen Aufzucken der Dame, daß ihr mein eifriges Anstarren aufgefallen sein mußte. Doch war ich so von ihrem Anblick hingerissen, daß ich meine Blicke auch jetzt noch nicht losreißen konnte. Sie wandte ihr Gesicht zur Seite, so daß ich nun wieder die wie gemeißelt schönen Umrisse ihres Kopfes bewundern durfte. Nach einigen Minuten drehte sie mir, als sei sie neugierig, zu erfahren, ob ich noch immer zu ihr hinstarre, ihr Gesicht wieder zu und begegnete aufs neue meinen glühenden Blicken. Ihre großen, dunklen Augen senkten sich sofort, und ein tiefes Erröten übergoß ihre Wangen. Doch wie groß war mein Erstaunen, als ich bemerkte, daß sie es nicht nur unterließ, ihren Kopf zum zweiten Male abzuwenden, sondern daß sie sogar aus ihrem Gürtel ein Lorgnon hervorzog, in die Höhe hob und mich mehrere Minuten lang eifrig und genau betrachtete.

Wäre der Blitz vor mir niedergefahren, ich hätte nicht bestürzter sein können — denn ich war *nur* bestürzt und nicht im geringsten beleidigt oder auch nur unangenehm berührt, obwohl mich ein so kühnes Vorgehen bei jeder anderen Dame peinlich, ja widerwärtig berührt haben würde. Sie jedoch tat alles mit einer solchen Gelassenheit, mit soviel Ruhe und Natürlichkeit und ganz in der vornehmen Art der guten Gesellschaft, daß von Dreistigkeit nicht die Rede sein konnte und ich nur Verwunderung und Staunen empfand.

Als sie das Glas zum erstenmal vor die Augen erhob, bemerkte ich, daß sie mit der flüchtigen Prüfung meiner Person zufrieden zu sein schien und das Lorgnon beiseite legen wollte. Dann jedoch erhob sie es plötzlich wieder, als sei ihr ein zweiter Gedanke gekommen, und betrachtete mich mehrere — wenigstens fünf Minuten lang mit größter Aufmerksamkeit.

Ein solches Tun mußte in einem amerikanischen Theater natürlich Aufsehen erregen, es veranlaßte sogar eine unbestimmte Bewegung, fast ein Summen im Publikum, das mich einen Augenblick lang in Verwirrung setzte, während die Züge der Madame Lalande ihren ruhigen Ausdruck beibehielten.

Nachdem sie ihre Neugierde — wenn es Neugierde war, was sie antrieb — befriedigt hatte, ließ sie das Glas sinken und wandte ihre Aufmerksamkeit wieder der Bühne zu. Ich konnte nun wieder, wie vorhin, ihr Profil betrachten und ließ sie, obwohl ich mir meiner Unschicklichkeit vollkommen bewußt war, nicht eine Sekunde aus den Augen. Bald sah ich, wie sie langsam, kaum merkbar, ihren Kopf mehr zur Seite wandte, und gewann nach und nach die Überzeugung, daß sie, während sie anscheinend den Vorgängen auf der Szene zusah, in der Tat jedoch nur mich beobachtete.

Es ist wohl überflüssig, zu sagen, wie glücklich es mich machte, die Aufmerksamkeit einer so bezaubernden Dame erregt zu haben.

Als sie mich wohl eine Viertelstunde lang der genauesten Betrachtung unterzogen hatte, wandte sie sich an den Herrn ihrer Begleitung. Ich entnahm aus beider Blicken ganz deutlich, daß sie von mir redeten.

Dann kehrte Madame Lalande mir wieder den Rücken zu und schien nur noch Interesse für die Sänger und Sängerinnen zu haben. Kurze Zeit darauf geriet ich jedoch wieder in die größte Aufregung, als ich bemerkte, daß sie zum zweitenmal ihr Lorgnon ergriff und, unbekümmert um das erneute Gemurmel des Publikums, mich wieder vom Kopf bis zu den Füßen mit derselben unvergleichlichen Ruhe betrachtete, die schon einmal meine Seele verwirrt und entzückt hatte.

Dies ungewöhnliche Benehmen versetzte mich in ein Fieber von Aufregung, in ein wahres Delirium von Liebe und trug nur dazu bei, mich noch kühner zu machen.

Die tolle Heftigkeit meiner Empfindung ließ mich alles um mich her vergessen. Ich sah und fühlte nur noch die königliche, liebreizende Erscheinung, an der meine Blicke wie gefesselt hingen.

Ich wartete auf den Augenblick, in dem ich die Aufmerksamkeit des Publikums durch die Aufführung vollständig von mir abgelenkt wußte, begegnete dann den Blicken der Madame Lalande und machte ihr eine leichte, doch nicht zu verkennende Verbeugung.

Sie errötete tief, wandte ihre Augen ab, blickte langsam und vorsichtig in der Runde umher, augenscheinlich um sich zu überzeugen, ob meine unbesonnene Haltung bemerkt worden sei, und neigte sich zu dem an ihrer Seite sitzenden Herrn.

Mit brennender Beschämung wurde ich mir nun plötzlich der Unschicklichkeit meines Benehmens bewußt und erwartete jeden Augenblick eine scharfe Zurechtweisung, während mir allerlei unbehagliche Vorstellungen von Pistolenläufen durch den Sinn schwirrten. Doch fühlte ich mich bald wieder erleichtert, als ich sah, daß die Dame dem Herrn, ohne ein Wort zu sagen, nur den Theaterzettel überreichte. Der Leser wird sich aber nur eine schwache Vorstellung von dem Erstaunen machen können, von der grenzenlosen Verwunderung, von dem verwirrenden Entzücken, das mein ganzes Wesen erfüllte, als sie gleich darauf, nachdem sie einmal flüchtig umhergespäht hatte, ob man sie beobachte, ihre strahlenden Augen mit einem festen, vollen Blick auf mir ruhen ließ und dann mit kaum merklichem Lächeln, das die glänzende Perlenschnur ihrer Zähne enthüllte, zwei deutlich markierte, unverkennbar bejahende Bewegungen mit dem Kopf machte.

Es wäre nutzlos, meine Freude, mein Entzücken und meine hingerissene Seligkeit schildern zu wollen. Wenn je ein Mensch vom Übermaß des Glückes toll wurde, so war ich es. Ich liebte! Ich liebte zum *ersten* Male – meine Liebe war grenzenlos, spottete jeder Beschreibung. Es war eine ›Liebe auf den ersten Blick‹, und auf den ersten Blick war sie auch verstanden und erwidert worden.

Ja: erwidert! Wie und warum sollte ich auch nur einen Augenblick daran zweifeln? Welch andere Auslegung ließ dies Benehmen der schönen, reichen, offenbar so gebildeten, so fein erzogenen Dame zu, wie Madame Lalande es war? Ja, sie liebte mich! Sie erwiderte meine begeisterten Gefühle mit einer ebenso rücksichtslos blinden Leidenschaft, mit einer ebenso unbegrenzten Hingabe, wie ich sie selbst empfand!

Diese entzückend schönen Phantasien und Gedanken wurden jetzt durch das Fallen des Vorhangs unterbrochen; das Publikum erhob sich und drängte den Ausgängen zu. Ich verabschiedete mich rasch von Talbot und suchte mir einen Weg in die Nähe meiner Angebeteten zu bahnen. Bei dem großen Gedränge gelang es mir jedoch nicht; ich mußte meinen Plan aufgeben und meine Schritte heimwärts lenken. Doch tröstete ich mich darüber, daß es mir nicht einmal vergönnt gewesen war, den Saum ihres Kleides zu berühren, mit der Hoffnung hinweg, morgen in aller Form durch Talbot bei ihr eingeführt zu werden.

Endlich, endlich kam denn auch dies ›Morgen‹, das heißt: nach einer in qualvoller Ungeduld durchwachten Nacht begann der Tag zu dämmern, und dann schlichen die Stunden so langsam wie auf Schneckenfüßen dahin; es wollte nicht ein Uhr werden. Doch wie man sagt, hat ja ›alles ein Ende‹ – so schlug denn auch die Uhr die ersehnte Stunde, und ich sprang sofort auf, um Talbot aufzusuchen.

»Ist nicht zu Hause«, sagte Talbots Diener.

»Nicht zu Hause?« wiederholte ich und taumelte ein halbes Dutzend Schritte zurück – »lassen Sie es sich gesagt sein, mein Bester, daß Sie da eine ganz faule Ausrede vorbringen. Herr Talbot ist *wohl* zu Hause. Weshalb eigentlich wollen Sie ihn verleugnen?«

»Herr Talbot ist nicht zu Hause, mein Herr. Er ritt gleich nach dem Frühstück zum Gut hinaus und hinterließ nur, daß er vor acht Tagen nicht wieder in der Stadt sein werde.«

Von Schreck und Wut gepackt stand ich wie versteinert da. Ich wollte mich zu irgendeiner Antwort zwingen, doch die Zunge versagte mir den Dienst. Dann wandte ich mich, bleich vor Ingrimm, zum Gehen und verfluchte das ganze Geschlecht der Talbots in die tiefsten Tiefen der Hölle. Offenbar hatte mein rücksichtsvoller Freund, der Musikenthusiast, die Verabredung mit mir vergessen, ebenso schnell vergessen, wie sie geschlossen war. Er hatte es ja nie mit seinen Versprechungen genau genommen. Da war also nichts mehr zu machen. Ich schluckte meinen Ärger, so gut es gehen wollte, hinunter, schlenderte verstimmt die Straße hinab und suchte durch tausend unbedeutende Fragen von jedem Bekannten, der mir in den Weg kam, etwas über Madame Lalande zu er-

CAFE

fahren. Dem Namen nach war sie allen bekannt, vielen auch vom Ansehen, doch befand sie sich erst seit ein paar Wochen in der Stadt, hatte nur sehr wenig persönliche Bekannte, und diese wenigen waren nicht so vertraut mit ihr, daß sie sich die Freiheit nehmen konnten oder wollten, mich bei ihr einzuführen. Während ich nun voller Verzweiflung dastand und mich mit drei Freunden über den Gegenstand, der mein ganzes Herz ausfüllte, unterhielt, geschah es, daß dieser selbst plötzlich erschien.

»Wahrhaftiger Gott! Da ist sie ja!« rief einer von ihnen.

»Wie hinreißend schön sie aussieht!« flüsterte ein anderer.

»Ein Engel auf Erden!« meinte der dritte.

Ich sah auf und erblickte in einem offenen Wagen, der sich uns langsam näherte, die bezaubernde Erscheinung aus der Oper, in Begleitung der jüngeren Dame, die in der Loge neben ihr gesessen hatte.

»Ihre Begleiterin sieht auch noch immer gut aus«, bemerkte einer der Freunde.

»Erstaunlich gut«, meinte der zweite, »ihr Äußeres ist immer noch ganz brillant; aber die Kunst kann Wunder tun. Auf mein Wort, sie sieht heute besser aus als vor fünf Jahren in Paris. Sie ist noch immer eine schöne Frau — finden Sie nicht, Froissart, ich wollte sagen Simpson?«

»Allerdings!« wiederholte ich, »und weshalb sollte sie es auch nicht. Aber im Vergleich mit ihrer Freundin ist sie wie ein Kerzenlicht neben dem Abendstern — wie ein Glühwurm neben dem Antares.«

»Hahaha! Simpson, Sie haben wahrhaftig das Talent, Vergleiche zu machen — und noch dazu originelle.«

Hierauf trennten wir uns, und mein Freund trällerte ein heiteres Liedchen vor sich hin, von dem ich nur die Worte verstand:

Ninon, Ninon, Ninon à bas —
A bas Ninon de l'Enclos.

Während dieser kleinen Szene hatte sich etwas zugetragen, was mich außerordentlich tröstete, obwohl es die verzehrende Leidenschaft meines Herzens nur nährte. Als der Wagen der Madame Lalande an unserer Gruppe vorüberfuhr, hatte ich bemerkt, daß sie mich wiedererkannte. Ja, noch mehr als das! Sie hatte mich mit dem liebreizendsten Lächeln beglückt, ein nicht mißzuverstehendes Zeichen des Erkennens.

Auf die Hoffnung, ihr vorgestellt zu werden, mußte ich wohl verzichten, bis es Talbot einfallen würde, von seinem Landaufenthalt zurückzukehren. Unterdessen besuchte ich mit unermüdlicher Ausdauer alle Vergnügungsorte der vornehmen Welt; und endlich traf ich sie wieder einmal im Theater, doch waren nach dem ersten Erlebnis schon vierzehn Tage verflossen, ehe ich wieder das Glück hatte, ein paar Blicke mit ihr wechseln zu können.

In der Zwischenzeit hatte ich täglich nach Talbot gefragt, und jeden Tag versetzte mich das gleichgültige »Noch nicht zurückgekehrt!« des Dieners in einen Anfall von Raserei.

An dem erwähnten Abend hatte sich mein Zustand so verschlimmert, daß ich dem Wahnsinn nahe war. Ich hatte gehört, daß Madame Lalande eine Pariserin und erst kürzlich aus ihrer Vaterstadt herübergekommen sei; konnte sie nicht plötzlich wieder heimreisen — abreisen, ehe Talbot zurückgekehrt war — und mir so für immer verloren sein? Ich wagte nicht, das Schreckliche auszudenken. Und da meine ganze Zukunft, mein Lebensglück auf dem Spiele stand, entschloß ich mich kurz zu einer männlichen Tat. Mit einem Wort: nach Schluß der Vorstellung folgte ich der Dame bis zu ihrer Wohnung, merkte mir ihre Adresse und schrieb ihr am nächsten Morgen einen langen, feurigen Brief, in welchem ich ihr mein ganzes Herz ausschüttete. Ich sprach kühn und frei, ich redete die Sprache der Leidenschaft. Ich verhehlte ihr nichts — selbst nicht meine Schwäche.

Ich spielte auf die romantischen Umstände unserer ersten Begegnung an — selbst auf die Blicke, die wir gewechselt hatten. Ja, ich ging so weit, zu behaupten, daß ich auch ihrer Liebe gewiß sei, und bat sie, diese Gewißheit und meine eigene tiefe Verehrung als Entschuldigung für mein sonst unverzeihliches Betragen annehmen zu wollen. Dann sprach ich auch von meiner Befürchtung, daß sie die Stadt verlassen möchte, noch ehe mir zu einer offiziellen Vorstellung Gelegenheit geboten worden sei. Ich schloß diesen begeistertsten aller Liebesbriefe mit einer offenen Darlegung meiner Verhältnisse, meiner Vermögenslage und mit der Bitte um ihre Hand.

In qualvoller Unsicherheit erwartete ich dann die Antwort. Eine Ewigkeit schien mir vergangen zu sein, als ich sie endlich erhielt.

Ja, ich erhielt wirklich eine Antwort. So romantisch es sich wohl anhören mag: ich bekam einen Brief von Madame Lalande — der schönen, reichen, vergötterten Madame Lalande. Ihre Augen — ihre herrlichen Augen — hatten mich nicht betrogen, sie besaß ein edles Herz. Als echte Französin war sie dem freien Antrieb ihres Wesens gefolgt und, nur ihrer vorurteilsfreien Vernunft gehorchend, hatte sie sich über alle konventionelle Prüderie der Welt hinweggesetzt. Sie war nicht erzürnt über meinen Antrag. Sie hatte sich nicht in Schweigen gehüllt, nicht meinen Brief ungeöffnet zurückgesendet. Sie hatte mir mit ihren eigenen zarten Fingern eine Antwort geschrieben, die folgendermaßen lautete:

›Herr Simpson wird mich verzeihen, nicht seine prächtige Landessprache zu sprechen. Es ist nur kurze Zeit, daß ich hier bin, und ich habe noch nich der Gelegenheit gefunden, es zu lernen.

Mit diese Entschuldigung für meine manière kann ich es nicht verleugnen das hélas! Herr Simpson Recht haben. Muß ich noch mehr sagen? Hélas! habe ich nicht schon zu Viel gesagen?

Eugénie Lalande.‹

Diesen unvergleichlichen Brief küßte ich wohl millionenmal und beging seinetwegen noch unzählige andere Extravaganzen, deren ich mich nicht mehr genau entsinne. Aber Talbot wollte noch immer nicht zurückkehren. Ach, wenn er nur eine blasse Ahnung davon gehabt hätte, welch unbeschreibliche Leiden mir seine Abwesenheit bereitete, hätte sein mitfühlendes Herz ihn sicher gleich zu seinem bedauernswerten Freunde zurückgetrieben. Und doch kam er nicht. Ich schrieb. Er antwortete, er sei durch dringende Geschäfte noch zurückgehalten, er würde aber in kürzester Zeit wiederkehren. Er bat mich, nicht ungeduldig zu sein, meine Gefühle zu mäßigen, besänftigende Bücher zu lesen, nichts Stärkeres als Bier zu trinken und mich mit Philosophie zu trösten. Der Narr! Wenn er selbst nicht kommen konnte, weshalb in Teufels Namen legte er mir nicht einfach einen Empfehlungsbrief bei? Ich schrieb noch einmal und bat ihn, mich doch mit einem solchen Schreiben zu versehen. Mein Brief wurde von dem Diener mit folgender Bemerkung in Bleistift zurückgesandt (der Lump war seinem Herrn aufs Land gefolgt):

›Verließ das Gut gestern; jetziger Aufenthaltsort unbekannt, ebenso wann er zurück sein wird. Halte es für das beste, Ihren Brief zurückzuschicken, da ich Ihre Handschrift kenne. In Eile!

Ihr aufrichtiger Stubbs.‹

Ich wünschte sowohl Herrn wie Diener in die Hölle; aber meine Wut war nutzlos, und meine Klagen brachten mir keinen Trost.

Doch mein erfinderischer Geist wies mir noch einen, allerdings sehr gewagten Ausweg. Meine Kühnheit hatte mir bisher noch immer genützt; sie sollte mir auch im letzten, entscheidenden Moment zur Seite stehen. Außerdem: welchen Verstoß gegen die gesellschaftliche Form hätte sie mir noch übelnehmen können, nachdem dieser Briefwechsel zwischen uns stattgefunden hatte? Ich hatte in der letzten Zeit Madame Lalandes Haus fortwährend belagert und bemerkt, daß sie in der Dämmerung gewöhnlich in dem naheliegenden Park einen Spaziergang unternahm, bei dem sie nur ein schwarzer Diener begleitete. Hier, inmitten der üppigen, schattigen Büsche, in dem dunklen Leuchten eines Sommerabends, nahm ich die Gelegenheit wahr und sprach sie an.

Um den Diener zu täuschen, ging ich mit der Miene eines guten alten Bekannten auf sie zu, und sie besaß die echt pariserische Geistesgegenwart, mich ganz unbefangen zu begrüßen, indem sie mir ihre entzückende kleine Hand reichte. Der Diener zog sich sofort zurück; und nun sprachen wir lange, ließen unseren überströmenden Herzen freien Lauf und versicherten uns gegenseitig unserer Liebe.

Da Madame Lalande noch weniger englisch sprach als schrieb, wurde unsere Unterhaltung natürlich in Französisch geführt. In dieser wunderbaren Sprache, die für die Leidenschaft besonders geeignet ist, gab ich meinem ungestümen Enthusiasmus beredten Ausdruck, und mit aller Überredungskunst suchte ich sie zu einer sofortigen Heirat zu bewegen. Sie lächelte über meine Ungeduld. Sie kam mit den bekannten Redensarten von den Forderungen des Anstandes — diesem Popanz, der schon so manchen hinderte, das Glück zu ergreifen, bis es zu spät war. Sie machte die Einwendung, daß ich unklugerweise schon zu mehreren meiner Freunde den Wunsch geäußert hätte, ihre Bekanntschaft zu machen, so daß man es nicht verheimlichen könne, auf welche Art und Weise wir uns nun kennengelernt hätten. Und dann bemerkte sie unter Erröten, daß unsere Beziehungen doch noch zu neu wären; daß eine sofortige Trauung unpassend und extravagant erscheinen möchte. Dies alles sagte sie mit einer ganz entzückenden Naivität, welche mich schmerzte und doch überzeugte. Ja, sie klagte mich sogar unter Lachen der Übereilung und der Unklugheit an. Sie erinnerte mich daran, daß ich doch eigentlich kaum wüßte, wer sie sei, welche Verbindungen, welche gesellschaftliche Stellung sie habe. Sie bat mich mit einem Seufzer, meinen Antrag wohl zu überlegen, und nannte meine Liebe eine Laune, eine Phantasie, eine Verblendung, eine grundlose und unbeständige Empfindung, die mehr meiner Einbildung als meinem Herzen entstamme. All diese Vernunftgründe brachte sie vor, während die weichen Schatten der Dämmerung sich immer mehr vertieften und uns in Dunkelheit hüllten — und dann stieß sie mit einem einzigen leisen Ruck ihrer süßen Finger dies ganze künstliche Kartenhaus von Argumenten wieder um.

Ich antwortete, so gut ich konnte — wie es nur ein treuer, feuriger Liebhaber tun kann. Ich sprach lange und ausführlich von meiner innigen Zuneigung, von Leidenschaft — von ihrer berückenden Schönheit und meiner überschwenglichen Bewunderung. Kurz, ich betonte mit überzeugendem Nachdruck die vielen Gefahren, welche jeder Liebe drohen, und bewies ihr logisch, es *sei* eine Gefahr, die Verlobungszeit unnötig zu verlängern.

Dieses letzte Argument schien denn auch ihren festen Entschluß ins Wanken zu bringen. Sie gab nach, doch mit dem Bemerken, es existiere noch ein Hindernis, das ich nicht in Betracht gezogen hätte. Es sei dies ein delikater Punkt; besonders eine Frau könne ihn nicht gut erörtern; wenn sie dennoch darüber spreche, so koste sie das eine große Überwindung, aber mir zuliebe sei sie zu jedem Opfer bereit. Ob ich auch an den Altersunterschied zwischen uns dächte? Daß der Mann ein paar Jahre, ja selbst fünfzehn bis zwanzig Jahre älter sei als die Frau, sei ja noch nie als unpassend angesehen worden, aber sie selbst sei immer der Ansicht gewesen, daß die Frau nicht älter als der Mann sein dürfe. Das sei unnatürlich und nur allzuleicht der Grund zu späterem Unglück. Sie habe erst heute gesehen, daß ich nicht älter als zweiundzwanzig Jahre sei, und ich habe vielleicht noch nicht bemerkt, daß ihr Alter das meinige bei weitem übersteige.

Sie sagte dies mit einem so wunderbaren Zartgefühl und solch zurückhaltender Würde, daß ich in ein Entzücken geriet, welches mich erst recht in meinem Vorhaben bestärkte.

»Aber süßeste Eugénie«, rief ich, »welch Bedenken wäre das für uns! Und wenn du auch älter bist als ich, was tut das? Die Sitten der Welt sind doch nur Torheiten. Für zwei Menschen, die sich so sehr lieben wie wir, ist der Unterschied eines Jahres gleich dem einer Stunde. Du sagtest ganz richtig, ich sei zweiundzwanzig Jahre alt, du hättest ebensogut dreiundzwanzig sagen können. Nun bist du, teuerste Eugénie, doch nicht älter als — nicht älter als — — als —«

Hier stockte ich einen Augenblick in der Erwartung, daß Frau Lalande mich mit der Angabe ihres wirklichen Alters unterbrechen würde. Aber eine Französin ist selten ganz offen, sie weiß immer noch eine kleine ausweichende Antwort, eine unbestimmte Erwiderung. In diesem Augenblick ließ Eugénie, die etwas in ihrem Busen gesucht hatte, ein kleines Miniaturbild fallen, das ich gleich aufhob und ihr hinreichte. »Behalte es«, sagte sie mit ihrem bezauberndsten Lächeln. »Behalte es um Eugénies willen, die es allerdings ein wenig geschmeichelt darstellt. Außerdem kannst du auf der Rückseite die Antwort finden, die du zu wünschen scheinst. Aber jetzt wird es zu dunkel, du kannst es morgen früh betrachten. Inzwischen begleite mich nach Hause. Meine Bekannten sind zu einer kleinen musikalischen Unterhaltung versammelt. Du wirst auch guten Gesang zu hören bekommen. Wir Franzosen sind nicht so kleinlich wie ihr Amerikaner; es wird mir nicht schwerfallen, dich als einen alten Bekannten einzuschmuggeln.«

Mit diesen Worten ergriff sie meinen Arm, und ich begleitete sie nach Hause. Ihre Wohnung war sehr vornehm und mit exquisitem Geschmack eingerichtet. Die zwei nebeneinanderliegenden

Räume, in welchen sich die Gesellschaft hauptsächlich aufhielt, waren nur schwach erleuchtet, so daß das ganze Interieur in ein angenehmes Dämmerlicht gehüllt war. Dies ist eine schöne Sitte, die den Gästen erlaubt, je nach Belieben im Licht oder im Halbdunkel sich aufzuhalten, und welche auch von unsern überseeischen Freunden schnell nachgeahmt wurde.

Der Abend, den ich so verbrachte, war unzweifelhaft der herrlichste meines Lebens. Madame Lalande hatte die musikalischen Leistungen ihrer Freunde nicht überschätzt; ich habe nie wieder so ausgezeichnete Stimmen in einem Privatkreis gehört. Die Instrumentalmusik wurde von außerordentlich begabten Künstlern ausgeführt. Verschiedene Damen erfreuten uns mit durchweg sehr schönen Gesangsvorträgen. Dann bat man allgemein Madame Lalande, und sie erhob sich auch gleich, ohne sich lange bitten zu lassen, von der Chaiselongue, auf der sie mit mir Platz genommen hatte, und ging mit ein paar Herren und ihrer Freundin aus dem Opernhaus an das Klavier im Nebenzimmer. Ich hätte sie gern selbst dorthin begleitet, aber ich sah ein, daß es unter den Umständen, unter denen ich in diese Gesellschaft eingeführt worden war, besser für mich sei, mich möglichst unbemerkt zu halten. So wurde ich zwar des Vergnügens beraubt, sie singen zu sehen, jedoch nicht, sie singen zu hören.

Der Eindruck, den sie auf die Gesellschaft machte, war erstaunlich. Ich wüßte nicht, wie ich ihn auch nur annähernd beschreiben könnte. Ich selbst war ganz hingerissen. Das rührte vielleicht zum guten Teil von der großen Liebe her, in der ich im Augenblick nur noch lebte. Doch bin ich überzeugt, die größte Künstlerin hätte diese Arie oder dies Rezitativ nicht mit leidenschaftlicherem Ausdruck singen können. Die Art, wie sie die Arie aus Othello vortrug, der Ton, mit dem sie die Worte Capuletts: *Sul mi sasso* wiedergab, klingen mir noch heute in der Seele. Ihre tiefen Töne waren einfach wunderbar. Die Stimme umfaßte drei ganze Oktaven, reichte vom tiefen D des Alt bis zum hohen D des Sopran und war so volltönend, daß sie für den großen Saal des San Carlos ausgereicht hätte, dabei von vollendeter Reinheit und Biegsamkeit und von einem Schmelz, der selbst bei den schwierigsten Kadenzen und Koloraturen den Hörer zur höchsten Begeisterung hinriß.

In dem Finale aus der ›Somnambule‹ wußte sie bei der Stelle

Ah! non guinge uman pensiero
Al contento ond' io son piena

einen ganz besonderen Effekt zu erzielen.

Hier änderte sie den Originaltonsatz Bellinis und ließ, die Malibran nachahmend, ihre Stimme erst zum mittleren G hinabsteigen, um dann zwei ganze Oktaven zu überspringen und das viergestrichene hohe G anzuschlagen.

Nach diesen Wundern von Gesangskunst stand sie vom Klavier auf und kehrte zu ihrem Platz an meiner Seite zurück. Ich sprach natürlich in den Tönen tiefster Bewunderung mein Entzücken aus. Ich war eigentlich außerordentlich überrascht, denn ihre schwache, fast zitternde Stimme beim Sprechen hatte mich solche ungewöhnliche Kunstleistungen nicht erwarten lassen. Ich verhehlte ihr nichts, denn ich fühlte, ich hatte das Recht, ihrer entgegenkommenden Zutraulichkeit nichts zu verbergen. Ermutigt durch ihre eigene Aufrichtigkeit in bezug auf ihr Alter, sprach ich dann mit vollkommener Offenheit von meinen verschiedenen kleinen Schwächen und Fehlern, nicht allein von den moralischen, auch von den physischen, von welchen zu reden viel mehr Selbstüberwindung kostet und was somit ein um so sicherer Beweis der Liebe ist. Ich erzählte von den jugendlichen Torheiten der Studentenzeit, von meinen Ausschweifungen, Schulden und Liebeleien. Ja, ich erwähnte sogar einen gewissen hektischen Husten, der mich zuweilen befällt, einen chronischen Rheumatismus, der mich zuweilen als Mahnung an ein erbliches Gichtleiden zwickt, und die unangenehme, lästige, obwohl bisher sorgfältig verhehlte Schwäche meiner Augen.

»Was den letzten Punkt anbetrifft, so war es sicher eine Unklugheit Ihrerseits, ihn zu erwähnen; denn ohne Ihr Geständnis würde ich es nie geglaubt haben, wenn jemand Sie dieser Schwäche beschuldigt hätte. Übrigens«, setzte sie hinzu, »entsinnen Sie sich vielleicht noch dieses kleinen Augenglases, das ich da um den Hals hängen habe, mein teurer Freund?«

Trotz des Halbdunkels bemerkte ich, wie sie bei dieser Frage tief errötete, während ihre Finger nervös mit dem zierlichen Gegenstand spielten, der mich schon damals im Opernhaus in solche Verwirrung versetzt hatte.

»Ach ja, natürlich kenne ich es noch«, rief ich lebhaft und preßte feurig die zarte Hand, die mir das Augenglas zur Besichtigung reichte. Es war ein entzückendes, kunstvoll zusammengesetztes Spielzeug in Goldfiligran, reich verziert mit kostbaren Juwelen, die selbst in der schwachen Beleuchtung wunderbar blitzten.

»Nun wohl, mein Freund«, sagte sie mit einer gewissen Eindringlichkeit, die mich etwas befremdete, »Sie haben von mir eine Gunst verlangt, die Sie selbst als unschätzbar bezeichneten. Sie baten mich um die Einwilligung, morgen schon die Ihre zu werden. Wenn ich nun Ihrem Verlangen nachgebe — und ich muß gestehen, auch gleichzeitig dem innersten Drang meines Herzens —, dürfte ich nicht ein kleines Gegengeschenk von Ihnen erbitten?«

»Nennen Sie es!« rief ich, so voll feurigem Eifer, daß ich beinahe die Aufmerksamkeit der versammelten Gäste auf mich gezogen hätte, die allein mich davon zurückhielten, dem geliebten Wesen zu Füßen zu sinken. »Sprich es aus! Du, meine geliebte Eugénie! Meine Einzige! Sprich es aus! Ach, es ist ja schon gewährt, ehe du es ausgesprochen hast.«

»Nun, mein Freund, so bezwingen Sie um Ihrer Eugénie willen jene kleine Schwäche, welche Sie soeben eingestanden haben und welche, ich versichere Sie, so wenig eines wirklich vornehmen Charakters, Ihrer sonst so offenherzigen Natur würdig ist, und die Sie auch sicher, falls Sie diese nicht überwinden, in unangenehme Situationen bringen wird. Sie müssen die kleine Eitelkeit, die Sie dazu bewegt, Ihr Gebrechen zu verheimlichen, ablegen. Denn Sie verleugnen wirklich diesen Fehler, indem Sie die Mittel zur Abhilfe verschmähen. Mein Wunsch ist also der, daß Sie Augengläser tragen. Doch Sie haben mir meine Bitte ja schon im voraus gewährt! Nun, so nehmen Sie diese kleine Spielerei von mir als Geschenk an. Sie sehen, daß man durch eine kleine Verschiebung eine Brille daraus machen oder anders sie als Lorgnette in der Tasche mitführen kann. Doch ich wünsche, daß Sie sie in der ersteren Form um meinetwillen und für immer tragen sollen.«

Dies Verlangen verwirrte mich nicht wenig, muß ich gestehen. Aber die Bedingung, die daran geknüpft war, machte jedes Zögern und alle Bedenken zunichte.

»Es sei!« rief ich mit der ganzen Begeisterung, derer ich im Augenblick fähig war. »Es wird von Herzen gern geschehen. Um deinetwillen würde ich jede Eitelkeit unterdrücken. Heute abend werde ich dies köstliche Gut als Lorgnon noch auf meinem Herzen tragen. Aber morgen mit dem ersten Frührot des Tages, der dich mir gibt, werde ich es auf meine Nase setzen und in der wenig schönen, aber zweckmäßigen Form einer Brille zu Ehren meiner Angebeteten tragen.«

Unsere Unterhaltung ging nun auf die Einzelheiten der Anordnungen für den folgenden Tag über. Wie ich von meiner Verlobten erfuhr, war Talbot am selben Morgen von seiner Reise zurückgekehrt. Ich wollte sofort gehen, ihn zu holen und einen Wagen zu beschaffen. Die Gesellschaft konnte vor zwei Uhr kaum aufbrechen, und um diese Zeit sollte das Gefährt an der Tür warten. Beim allgemeinen Aufbruch konnte Madame Lalande leicht unbemerkt hineinschlüpfen. Wir wollten dann nach dem Hause eines Priesters fahren, der inzwischen benachrichtigt worden war. Nach der Trauung sollte Talbot wieder heimkehren, während wir uns direkt nach dem Osten begeben wollten, es der Welt überlassend, sich in allen möglichen Vermutungen über die Ursache unseres Verschwindens zu ergehen.

Nachdem wir alles überlegt hatten, verabschiedete ich mich

gleich, um Talbot aufzusuchen, doch unterwegs konnte ich nicht umhin, in ein erleuchtetes Hotel einzutreten, um das Miniaturbild mit Hilfe des Augenglases zu betrachten. Das Gesicht war von unübertrefflicher Schönheit! Diese großen strahlenden Augen! Diese stolze griechische Nase! Diese üppigen dunklen Locken! ›Ach!‹ sagte ich, ganz außer mir vor Freude, ›es ist in der Tat das sprechendste Ebenbild meiner Geliebten!‹ Ich wendete es um und fand die Worte: ›Eugénie Lalande, im Alter von siebenundzwanzig Jahren und sieben Monaten.‹

Ich traf Talbot zu Hause an und erzählte ihm mein ganzes Glück. Er war natürlich furchtbar erstaunt, gratulierte mir herzlichst und bot mir bereitwilligst seine Mithilfe an. Kurz, wir führten unser Vorhaben buchstäblich aus, und um zwei Uhr morgens, gerade zehn Minuten nach der Trauungszeremonie, befand ich mich mit Madame Lalande, jetzt Frau Simpson, in einem geschlossenen Wagen; wir verließen die Stadt und fuhren nach Nordosten.

Talbot hatte uns geraten, die Nacht durchzufahren und erst in C . . ., einem kleinen Dorf, zwanzig Meilen von der Stadt entfernt, halt zu machen, dort ein kleines Frühstück zu nehmen, um nach kurzer Rast unsere Reise fortzusetzen. Um vier Uhr erreichten wir den Ort, und der Wagen hielt an der Tür des besten Gasthauses. Ich hob mein angebetetes Weib hinaus und bestellte das Frühstück; inzwischen setzten wir uns in ein Wohnzimmer.

Es war mittlerweile heller Tag geworden, und als ich voll Entzücken den Engel an meiner Seite ansah, fiel mir ein, daß ich zum erstenmal seit meiner Bekanntschaft mit der schönen Madame Lalande Gelegenheit hatte, diese Schönheit bei Tageslicht zu bewundern.

»Und nun, mein Freund«, sagte sie, meinen Gedankengang plötzlich unterbrechend, »nun, da wir unauflöslich miteinander verbunden sind, da ich deinem leidenschaftlichen Drängen nachgegeben und so meinen Teil unseres Übereinkommens erfüllt habe, nun hoffe ich, daß auch du die kleine Bitte nicht vergessen hast, die ich an dich gestellt habe und die du mir zu erfüllen versprochen hast. Laß mich nachdenken! Ja: ich entsinne mich genau der Worte des teuren Versprechens, welches du vergangene Nacht deiner Eugénie gegeben hast. Du sagtest so: ›Es soll geschehen! — Es ist von Herzen gern bewilligt. Für dich opfere ich jede Eitelkeit. Heute nacht werde ich dies Augenglas noch als Lorgnon auf meinem Herzen tragen, aber mit dem ersten Morgenrot des Tages, an welchem ich dich mein Weib nennen darf, werde ich es auf meine Nase setzen — um es in der wenig schönen, aber zweckmäßigen Form einer Brille zu Ehren meiner Angebeteten zu tragen.‹ Waren dies nicht deine Worte, mein teurer Gatte?«

»Ja«, erwiderte ich. »Du hast ein ausgezeichnetes Gedächtnis; und ich denke auch nicht daran, mein Wort zu brechen, schönste Eugénie. Sieh zu! Sieh nur! Sie steht mir gut, nicht wahr?« und nachdem ich das Ding richtig gestellt hatte, brachte ich es in die geeignete Lage; unterdessen zog Madame Simpson ihre Haube zurecht, legte die Arme übereinander und saß in einer steifen, gezwungenen Haltung ein wenig würdevoll auf ihrem Stuhl.

»Allmächtiger Himmel!« rief ich im selben Augenblick, da ich die Brille aufgesetzt hatte, aus. »Um Gottes willen, was ist denn mit diesen Gläsern los?« und rasch nahm ich sie ab, putzte sie sorgfältig mit meinem seidenen Tuch und setzte sie dann wieder auf.

Doch wenn ich beim erstenmal überrascht war, verwandelte sich nun meine Überraschung in höchstes Erstaunen — ja in Erstaunen und Entsetzen. Was in aller Welt konnte das bedeuten? Ich traute meinen Augen nicht. War das nicht — war das nicht — Schminke? Und waren dies wirkliche Runzeln auf dem Gesicht Eugénie Lalandes? Und — Jupiter und alle Götter des Olymps steht mir bei! — was, Götter, was war aus ihren Zähnen geworden? Ich schleuderte die Brille wutentbrannt zu Boden und stellte mich dann bebend vor Zorn gerade vor Frau Simpson hin, in meiner übermenschlichen Wut unfähig, ein Wort zu äußern.

Wie ich schon einmal sagte, sprach Madame Eugénie Lalande, das heißt Simpson, noch weniger gut Englisch als sie schrieb, und deshalb redete sie auch für gewöhnlich nicht in dieser Sprache. Aber der Zorn treibt eine Frau zu allem, und in diesem Fall trieb er Mrs. Simpson sogar so weit, in einer Sprache sich auszudrücken, die sie kaum verstand.

»Nun wohl, mein Herr«, sagte sie, nachdem sie mir einen Blick voll tiefsten Erstaunens zugeworfen hatte, »nun wohl, mein Herr! Was ist es mit Sie? Haben Sie den Tanz von Saint Veit? Wenn ich Ihn nicht gefalle, weshalb haben Sie gekauft der Katz im Sack?«

»Du Hexe!« schrie ich mit zornerstickter Stimme, »du niederträchtige alte Vettel!«

»Vettel? Alt? Ich bin nicht so sehr alt, ich habe kein einzig Tag mehr als zweiundachtzig Jahren.«

»Zweiundachtzig!« stotterte ich, an die Wand taumelnd. »Da sollen doch zweiundachtzighunderttausend Bomben dreinschlagen! Auf dem Medaillon stand doch siebenundzwanzig Jahre und sieben Monate!«

»Das ist sicher — ganz richtig! — Aber das Porträt ist gemacht worden vor fünfundfünfzig Jahre. Als ich ging mein zweiten Gatten zu heiraten, ließ ich das Porträt machen für die Tochter von mein erster Gatte, Herr Moissart.«

»Moissart?« sagte ich.

»Ja, Moissart!« wiederholte sie, meine Aussprache nachahmend, welche offen gestanden nicht gerade die beste war. »Und was macht das? Kennen Sie Herrn Moissart?«

»Nein, du altes Scheusal! Ich kenne ihn nicht, ich hatte nur einen alten Vorfahren dieses Namens.«

»Dieses Namens? Was haben Sie über diesen Namen zu sagen? Der Name ist von sehr gutem Klang, gerade so wie Voissart. Meine Tochter, Mademoiselle Moissart, heiratete Monsieur Voissart, welches sind beide sehr ehrenwerte Namen.«

»Moissart?« fragte ich, »und Voissart? Was meinen Sie damit?«

»Was ich meine? Ich meine Moissart und Voissart; und was das anbetrifft, meine ich Croissart und Froissart auch, wenn ich Lust habe. Meiner Tochter ihre Tochter, Mademoiselle Voissart, heiratete Monsieur Croissart, und dann heiratete die Enkelin von meiner Tochter, Mademoiselle Croissart, Monsieur Froissart; wollen Sie vielleicht behaupten, daß dies kein sehr guter Name sei?«

»Froissart sagten Sie?« und ich fühlte, wie ich ohnmächtig wurde. »Moissart, Voissart, Croissart und Froissart?«

»Ja«, antwortete sie, indem sie sich in ihren Stuhl zurücklehnte und die unteren Extremitäten weit von sich streckte, »ja, Moissart, Voissart, Croissart und Froissart. Aber Froissart war ein sehr großer Narr, ein sehr großer Esel, wie Sie selbst – denn er ging aus das schöne Frankreich nach dies dumme Amerika, und als er dort war, hatte er ein sehr dummen, einen sehr, sehr dummen Sohn, wie ich habe gehört, und den ich noch nicht zu kennenlernen das Vergnügen hatte. Sein Name ist Napoleon Bonaparte Froissart, und Sie werden auch wohl von ihm sagen, er sei kein ehrenwerter Name?«

Entweder die Länge oder der Gegenstand ihrer Rede hatte Mrs. Simpson in ungewöhnlicher Weise aufgeregt, denn als sie zu Ende gekommen war, sprang sie wie verhext auf, wobei verschiedene Wattierungen aus ihrem Kleide fielen. Vor mir stehend, fuchtelte sie wie wahnsinnig mit den Armen, rollte ihre Ärmel auf und drohte mit beiden Fäusten; zum Schluß riß sie die Haube vom Kopf und mit ihr eine mächtige Perücke wundervollen schwarzen Haares, warf das Ganze auf die Erde, trampelte mit den Füßen darauf herum und tanzte unter gellendem Geschrei einen wahren Fandango sinnlosester Wut.

Unterdessen sank ich schreckensbleich auf den Stuhl, den sie verlassen hatte. »Moissart und Voissart«, wiederholte ich gedankenvoll, während sie weiter raste, »und Croissart und Froissart!« während sie dazwischenrief: »Moissart, Voissart, Croissart und Napoleon Bonaparte Froissart!« – »Was? Du alte Schlange, das bin ich – das bin ich – hörst du? Das bin ich!« schrie ich mit Fistel-

stimme. »Ich bin Napoleon Bonaparte Froissart! Und wenn ich nicht meine Urgroßmutter geheiratet habe, will ich in Ewigkeit verdammt sein!«

Madame Eugénie Lalande, quasi Simpson, frühere Moissart, war in der Tat meine Urgroßmutter. In ihrer Jugend war sie sehr schön gewesen und hatte selbst bis in ihr jetziges Alter ihre majestätische Gestalt, die klassisch-schöne Kopfform, die schönen Augen und die griechische Nase bewahrt. Mit Hilfe sowohl von Puder, Schminke, falschem Haar, falschen Zähnen und falschen ›Formen‹ wie durch die Künste der geschicktesten Pariser Schneiderin wußte sie noch immer einen Platz unter den schon etwas verjährten Schönheiten der französischen Hauptstadt einzunehmen. In dieser Hinsicht hatte sie allerdings viel mit der berühmten Ninon de l'Enclos gemein.

Sie war ungeheuer reich, und da sie zum zweitenmal Witwe wurde und kinderlos war, erinnerte sie sich meiner und kam nach Amerika, in der Absicht, mich zu ihrem Erben einzusetzen. Zur Begleitung auf ihrer Reise hatte sie eine entfernte Verwandte ihres zweiten Gatten, eine gewisse früh verwitwete Madame Stephanie Lalande, eine Dame von ganz ungewöhnlichem Liebreiz, mitgenommen.

In dem Opernhaus hatte ich die Aufmerksamkeit meiner Urahne auf mich gezogen, weil sie durch ihre Lorgnette eine auffallende Familienähnlichkeit mit sich entdeckt hatte. Da sie wußte, daß ich in der Stadt wohnte, hatte sie Erkundigungen über mich eingezogen. Der Herr, der bei ihr war, kannte mich und gab ihr über meine Persönlichkeit Auskunft. Daraufhin hatte sie mich von neuem so auffällig angesehen, und diese Blicke hatten mich ermutigt, daß ich in der bereits erzählten Weise antwortete. Sie erwiderte meine Verbeugung nur unter dem Eindruck, daß ich durch irgendeinen seltsamen Zufall ihre Person erkannt hätte. Als ich, durch meine schwachen Augen und ihre Toilettenkünste über das Alter und die Reize der Dame getäuscht, Talbot so eindringlich nach ihrem Namen fragte, glaubte er, ich meine die jüngere Dame, und antwortete der Wahrheit gemäß, es sei die »berühmte Witwe Madame Lalande«.

Am nächsten Morgen hatte meine Urahne dann Talbot, der ein alter Pariser Bekannter von ihr war, auf der Straße getroffen; natürlicherweise kam die Rede auf mich. Er erzählte ihr unter anderem, daß ich mein Gebrechen so eifrig zu verheimlichen suche, denn obwohl ich keine Ahnung davon hatte, war meine Eitelkeit allgemein bekannt, und meine gute alte Verwandte entdeckte so zu ihrem Leidwesen, daß sie sich getäuscht hatte, als sie annahm, ich habe sie erkannt, und daß ich mich lächerlich genug gemacht hatte, mich in eine alte Frau zu verlieben. Um mich für meine

Dummheit zu bestrafen, hatte sie mit Talbot ein Komplott geschlossen. Er ging mir sorgfältig aus dem Wege und vermied es hartnäckig, mir die geringste Auskunft zu geben. Meine Erkundigungen, die ich auf der Straße über die reizende Witwe Madame Lalande machte, wurden natürlich so aufgefaßt, als ob sie sich auf die jüngere Dame bezögen; weshalb auch die Unterhaltung, welche ich mit den drei Herren nach Talbots Abreise hatte, leicht begreiflich schien, ebenso ihre Anspielung auf Ninon de l'Enclos. Ich hatte nie Gelegenheit gehabt, Madame Lalande bei Tage zu sehen, und auf ihrer musikalischen Abendgesellschaft verhinderte mich meine alberne Eitelkeit, keine Augengläser zu tragen, wirklich daran, ihr Alter zu bemerken. Als man ›Madame Lalande‹ zum Singen aufforderte, meinte man die jüngere der beiden Damen, die dem Verlangen auch gleich nachkam; meine Urgroßmutter war, um mich vollständig zu täuschen, mit ihr ins Musikzimmer gegangen. Wenn ich darauf bestanden hätte, sie zu begleiten, würde sie mich schon unter irgendeinem Vorwand daran zu hindern gewußt haben. Die Arien, die mich so entzückt und mich nur noch in dem Glauben an die Jugend meiner Geliebten bestärkt hatten, waren von Madame Stephanie Lalande gesungen worden. Das Augenglas wurde mir geschenkt, um dem schlimmen Streich noch einen Verweis hinzuzufügen, um dem hohnvollen Verrat noch einen besonders schmerzlichen Stachel zu geben. Denn als sie es mir schenkte, konnte sie mir ja, wie erwähnt, eine kleine Rede über Ziererei halten. Natürlich waren die Gläser, welche die Damen getragen hatten, durch neue, für meine Augen berechnete, ersetzt worden. Und sie paßten mir in der Tat ausgezeichnet.

Der Priester, der angeblich dies verhängnisvolle Band geknüpft hatte, war ein Freund Talbots gewesen und durchaus kein Diener der Kirche. Er war aber ein ausgezeichneter Rosselenker, der — nachdem er seinen Talar abgelegt hatte — in einen langen Mantel gehüllt das ›glückliche Paar‹ aus der Stadt fuhr. Talbot saß an seiner Seite. So hatten diese beiden Halunken gemeinsame Sache gemacht und schauten jetzt unter höllischem Gelächter der Auflösung des Dramas durch ein geöffnetes Fenster des Zimmers zu. Ich glaube, ich werde mich mit beiden duellieren müssen.

Aber ich bin zum wenigsten nicht der Gatte meiner Urgroßmutter, und diese Gewißheit gewährt mir eine ungeheure Erleichterung; denn ich bin jetzt wohl der Gatte der Madame Lalande — aber der Madame Stephanie Lalande, mit welcher mich meine gute alte Verwandte, nachdem sie mich zum einzigen Erben nach ihrem Tode (wenn sie überhaupt je stirbt!) eingesetzt hat, doch noch nach vieler Mühe verbunden hat. Aber ich versichere Ihnen: in meinem Leben schreibe ich keine Liebesbriefe mehr, und nie mehr gehe ich ohne meine Brille aus.

DAS SYSTEM DES DOKTORS PECH UND DES PROFESSORS FEDER

Im Herbst des Jahres 18 .. machte ich eine Reise durch die südlichen Provinzen Frankreichs. Mein Weg führte mich in die Nähe einer Privat-Irrenanstalt, von der mir meine medizinischen Freunde in Paris viel erzählt hatten. Da ich noch nie eine ähnliche Anstalt besucht hatte, wollte ich die günstige Gelegenheit nicht vorübergehen lassen und schlug meinem Reisegefährten — einem Herrn, den ich ein paar Tage früher zufällig kennengelernt hatte — vor, den kleinen Abstecher mit mir zu machen und die Anstalt zu besichtigen. Er willigte jedoch nicht ein, schützte zuerst Eile vor, bekannte dann aber, daß ihm der Anblick eines Wahnsinnigen stets einen unangenehmen Schauder bereite. Doch bat er mich, mir um seinetwillen nur ja keinen Zwang aufzuerlegen — er wolle langsam weiterreisen, so daß ich ihn bis zum Abend, auf jeden Fall aber morgen im Laufe des Tages wieder einholen könne. Als wir uns voneinander verabschieden wollten, fiel mir ein, daß es mir vielleicht Schwierigkeiten machen würde, Einlaß in die Anstaltsgebäude zu erlangen, und ich sprach ihm meine Befürchtungen aus. Er meinte auch, daß ich, ohne persönlich mit dem Direktor, einem Herrn Maillard, bekannt zu sein oder wenigstens einen Empfehlungsbrief an ihn zu besitzen, wohl kaum Zutritt in die Anstalt erlangen könne, da das Reglement in diesen Privat-Irrenhäusern viel strenger sei als in den öffentlichen Heilanstalten. Er habe jedoch vor einigen Jahren die Bekanntschaft Maillards gemacht und wolle gern mit mir bis an das Tor der Anstalt reiten und mich dem Direktor vorstellen — selbst mit einzutreten gehe jedoch, wie gesagt, gegen sein Gefühl, ich müsse ihn also entschuldigen.

Dankend nahm ich sein Anerbieten an; wir bogen von der Hauptstraße ab und gelangten auf einen grasüberwucherten Nebenweg, welcher sich nach einer halben Stunde in einem dichten Wald verlor, der sich am Fuß eines Berges hinzog. Nachdem wir ungefähr zwei Meilen weit durch diesen feuchten, düsteren Wald geritten waren, erblickten wir die Heilanstalt. Es war ein phanta-

stisch gebautes, halb verfallenes Schloß, das Alter und Vernachlässigung fast unbewohnbar gemacht zu haben schienen. Sein Anblick erfüllte mich mit einem Gefühl wie Schrecken, ich hielt mein Pferd an, halb entschlossen, umzukehren. Doch schämte ich mich bald meiner Schwäche und ritt vorwärts.

Als wir vor dem Haupttor ankamen, sah ich, daß es leicht geöffnet war, und ein Mann, wie neugierig, herausspähte. Der Betreffende trat alsbald heraus, redete meinen Gefährten bei seinem Namen an, schüttelte ihm herzlich die Hand und bat ihn, abzusteigen. Es war der Direktor Maillard selbst: ein stattlicher, vornehm aussehender Herr, ein Mann aus der alten Schule, von höflichen Formen und einem ernsten, würdigen, gebietenden Wesen, das wohl auf jeden Menschen Eindruck machen mußte.

Als mein Freund mich vorgestellt und dem Direktor meinen Wunsch, die Anstalt zu besichtigen, mitgeteilt hatte, empfahl er sich, und ich sah ihn nie wieder.

Nun führte mich der Direktor in ein kleines, außerordentlich sauberes Sprechzimmer, das mit allen Anzeichen eines verfeinerten Geschmackes möbliert war, unter anderem viele gute Bücher, Zeichnungen, schöne Blumentöpfe und Musikinstrumente enthielt. Im Kamin brannte ein lustiges Feuer. Am Klavier saß eine außerordentlich schöne, junge Dame und sang eine Arie von Bellini. Bei meinem Eintritt erhob sie sich und begrüßte mich mit anmutiger Herzlichkeit. Sie sprach mit leiser Stimme, und ihr ganzes Wesen hatte etwas Gedrücktes. Auch glaubte ich auf ihren schönen, für meine Empfindung wundervoll bleichen Zügen die Spuren eines verborgenen Kummers zu entdecken. Sie war in tiefe Trauer gekleidet, und ich betrachtete sie mit einem aus Hochachtung, Neugier und Bewunderung sonderbar gemischten Gefühl.

Ich hatte in Paris sagen hören, daß die Anstalt des Herrn Maillard nach einem System, das gewöhnlich das ›der Beschwichtigung‹ genannt wird, geleitet werde, daß grundsätzlich keinerlei Strafen angewandt wurden, daß man die Kranken nur im Notfall einsperrte, daß man sie nur im geheimen bewachte und sie scheinbar die größte Freiheit genießen ließ – ja, daß man den meisten erlaubte, in ihrem gewöhnlichen Anzug frei im Haus und in den umliegenden Gärten umherzuspazieren wie jeder vernünftige Mensch.

Da ich mich an dies alles erinnerte, war ich in Gegenwart der jungen Dame sehr vorsichtig mit meinen Worten, denn ich wußte ja nicht, ob sie nicht auch eine Kranke war. Ein gewisses unruhiges Glänzen in ihren Augen schien meine Befürchtung zu bestätigen. Und so redete ich denn nur von allgemeinen Dingen, die meines Erachtens nach selbst einer Wahnsinnigen nicht mißfallen konnten. Sie antwortete auf das, was ich sagte, vollständig vernünftig, und ihre Bemerkungen trugen alle den Stempel eines durchaus gesunden Menschenverstandes. Doch hatte ich mich zu lange mit der Metaphysik der Mania beschäftigt, um nicht zu wissen, daß man solchen Anzeichen von Gesundheit nicht trauen dürfe, und behielt während der Unterredung all meine Vorsichtsmaßregeln bei. Ein Diener in einer sehr eleganten Livree brachte ein Tablett mit Wein, Früchten und anderen Erfrischungen herein, denen ich gern zusprach. Die Dame verließ nach einiger Zeit das Zimmer, und ich wandte meine Augen fragend auf meinen Wirt.

»Nein!« antwortete er, »o nein! Sie gehört zu meiner Familie, sie ist meine Nichte — übrigens ein reizendes, liebenswürdiges Wesen!«

»Ich bitte tausendmal wegen meines Argwohns um Entschuldigung, doch hoffe ich, daß Sie mich am leichtesten entschuldbar finden werden. Die ausgezeichnete Verwaltung Ihrer Anstalt hat in Paris viel Bewunderung erregt, und da dachte ich, es sei wohl möglich, daß — nun Sie verstehen!«

»Gewiß, gewiß! Reden wir nicht mehr davon — oder vielmehr, ich muß Ihnen für Ihre lobenswerte Vorsicht dankbar sein. Bei jungen Leuten begegnet man sehr selten solcher Besonnenheit, und ich habe schon oft erfahren müssen, daß die Gedankenlosigkeit unserer Besucher sehr unangenehme Zwischenfälle verursachte. Als die Anstalt noch nach meinem früheren System geleitet wurde und die Patienten nach Gutdünken hier herumstreifen durften, habe ich es erlebt, daß sie durch neugierige Personen, die die Anstalt in Augenschein nehmen wollten, zu gefährlichen Wutanfällen gereizt wurden. Deshalb war ich gezwungen, das strengere System der Absonderung wieder einzuführen und niemanden mehr einzulassen, auf dessen Vorsichtigkeit ich mich nicht verlassen konnte.«

»Als die Anstalt noch nach Ihrem *früheren* System geleitet wurde?« sagte ich und wiederholte seine Worte. »Heißt das also, daß jetzt nicht mehr nach dem ›System der Beschwichtigung‹, von dem ich so viel gehört habe, verfahren wird?«

»Vor einigen Wochen«, antwortete er mir, »habe ich mich entschlossen, für immer davon abzusehen.«

»Wirklich? Das setzt mich in Erstaunen.«

»Leider«, entgegnete er mit einem Seufzer, »stellte es sich als notwendig heraus, wieder zu der alten Behandlungsweise zurückzukehren. Die *Gefahr*, die das Beschwichtigungssystem in sich barg, war zu allen Zeiten groß, und seine Vorzüge sind im allgemeinen bei weitem überschätzt worden. Ich glaube, wenn je irgendwo versucht wurde, wirklich konsequent mit Güte vorzugehen, so geschah es hier bei uns. Wir haben alles versucht, was das Menschlichkeitsgefühl Vernünftiges vorschlagen konnte. Es tut mir leid, daß Sie uns nicht früher besucht haben – Sie hätten sich selbst ein Urteil bilden können! Doch darf ich wohl annehmen, daß Sie mit den Einzelheiten des ›Systems der Beschwichtigung‹ bekannt sind –?«

»Nicht vollständig. Ich erfuhr erst aus vierter oder fünfter Hand davon.«

»Ich kann Ihnen dieses System im allgemeinen dahin erklären, daß der Kranke geschont wurde und seinen Neigungen unbehindert nachgehen durfte. Wir unterdrückten keine seiner Launen, im Gegenteil, wir duldeten sie nicht bloß, sondern unterstützten sie auch noch und erzielten auf diese Weise eine stattliche Anzahl von Heilungen. Es gibt nichts, was auf den geschwächten Verstand eines Wahnsinnigen einen so starken Eindruck macht, als wenn man ihn ad absurdum führt. Wir haben zum Beispiel Männer hier gehabt, die sich für ein Huhn hielten. Die Behandlung bestand darin, diese ihre Annahme als eine wirkliche Tatsache hinzustellen, den Kranken hin und wieder der Beschränktheit anzuklagen, weil er diese Tatsache selbst nicht ganz glauben wolle, und ihm eine Woche lang keine andere Nahrung zu bewilligen als die, die ein Huhn bekommt. So genügte oft ein wenig Gerste und Kies, um Wunder zu vollbringen.«

»Bestand das ganze System in dieser Art von Beruhigung?«

»Keineswegs! Wir hatten auch großes Zutrauen zu einfachen Vergnügungen wie Musik und Tanz, zu gymnastischen Übungen, Kartenspielen, der Lektüre von gewissen Büchern und so weiter. Wir taten so, als behandelten wir jeden einzelnen wegen eines körperlichen Übels, das Wort ›Wahnsinn‹ wurde nie ausgesprochen. Von besonderer Wichtigkeit war der Umstand, daß wir jeden Irren heimlich beauftragten, die Handlungen der anderen zu überwachen. Einem Wahnsinnigen zeigen, daß man auf seine Intelligenz und seine Diskretion vertraut, heißt, ihm Körper und Seele zurückzugewinnen. Auf diese Weise konnten wir dann eine ganze Reihe von Aufsehern entbehren.«

»Bestrafungen kamen überhaupt nicht vor?«

»Nein!«

»Und die Kranken wurden nie eingeschlossen?«

»Nur sehr, sehr selten. Zuweilen mußten wir wohl einen Patienten, dessen Krankheit sich zu einer Krise steigerte oder der einen Wutanfall bekam, in eine geheime Zelle bringen, damit er die anderen nicht ansteckte, und wir verwahrten ihn dann so lange, bis wir ihn zu seinen Eltern oder seinen Verwandten zurückschikken konnten, denn wir haben uns nie mit Tobsüchtigen befaßt. Die wurden gewöhnlich in den öffentlichen Irrenanstalten untergebracht.«

»Und Sie haben nun Ihre Behandlungsweise vollständig geändert und glauben, daß es so besser ist?«

»Ganz gewiß! Das alte System hatte zuviel Nachteile. Gott sei Dank wird es jetzt auch in keinem Irrenhaus in Frankreich mehr befolgt.«

»Dies überrascht mich sehr«, entgegnete ich, »denn ich glaubte bis zu diesem Augenblick bestimmt, daß im ganzen Land der Wahnsinn nach dem alten System behandelt würde.«

»Sie sind noch jung, mein Freund«, erwiderte mein Wirt, »doch wird auch für Sie bald die Zeit kommen, wo Sie selbst zusehen, was sich in der Welt zuträgt, ohne auf das Geschwätz der anderen zu achten. Glauben Sie nichts von dem, was Sie hören, und nur die Hälfte von dem, was Sie sehen. Es liegt klar auf der Hand, daß irgendein Ignorant Ihnen einen ganz falschen Begriff von unserer Anstalt gegeben hat. Nach dem Mittagsmahl werde ich Sie, wenn Sie sich von den Strapazen des langen Rittes genügend erholt haben, im ganzen Haus herumführen und Sie mit einem System bekannt machen, das in meinen und den Augen aller Menschen, die sich von seinen günstigen Resultaten überzeugt haben, das wirksamste von allen ist, die bisher Anwendung gefunden haben.«

»Ist es Ihr eigenes System?« fragte ich. »Haben Sie es erfunden?«

»Ich bin stolz darauf«, entgegnete er mir, »es wenigstens bis zu einem gewissen Grad meine Erfindung nennen zu dürfen.«

So unterhielt ich mich wohl ein oder zwei Stunden mit Herrn Maillard, während welcher Zeit er mir die zu der Anstalt gehörigen Gärten und Treibhäuser zeigte.

»Ich kann Ihnen jetzt meine Patienten noch nicht vorführen«, begann er wieder, »denn für einen sensiblen Menschen hat ein Wahnsinniger immer etwas Widerwärtiges, und ich möchte Ihnen nicht vor dem Essen den Appetit verderben. Wir wollen also erst speisen! Ich kann Ihnen heute unter anderem Kalbfleisch à la Sainte-Menehould, Blumenkohl à la sauce velouté und ein Glas Clos de Vougeot anbieten, und ich hoffe, daß dies Ihre Nerven genügend stärken wird.«

Um sechs Uhr bat man zum Essen, und mein Wirt führte mich in einen riesigen Speisesaal, wo eine zahlreiche Gesellschaft versammelt saß; es mochten im ganzen vielleicht fünfundzwanzig oder dreißig Personen sein. Das waren offenbar alles Leute aus der guten Gesellschaft, von ausgezeichneter Erziehung, obgleich es mir schien, daß ihre Kleidung übertrieben elegant, ja gesucht war und allzusehr an den raffinierten Pomp des ancien régime erinnerte. Ich bemerkte auch, daß die Gesellschaft zu wenigstens zwei Drittel aus Damen bestand und einige von ihnen so gekleidet erschienen, daß man es beim besten Willen nicht anders als geschmacklos nennen konnte. So hatten sich zum Beispiel verschiedene Damen, die wenigstens siebzig Jahre alt sein mußten, mit Schmucksachen, Ringen, Armbändern, Ohrgehängen, Ketten und so weiter überladen und enthüllten dafür das, was noch ihr Busen war, in freigebigster Weise. Ich bemerkte auch, daß nur sehr wenige Kleider gut gearbeitet waren oder vielmehr ihren Trägerinnen paßten. Als ich um mich schaute, erblickte ich auch das blasse junge Mädchen, dem mich Direktor Maillard im Sprechzimmer bereits vorgestellt hatte. Wie groß war meine Überraschung, als ich sah, daß sie einen Reifrock anhatte und Schuhe mit hohen Absätzen und eine Haube aus schmutzigen Brüsseler Spitzen trug, die ihr viel zu groß war und ihr Gesicht lächerlich klein erscheinen ließ. Als ich sie zum ersten Male gesehen hatte, war sie, wie man weiß, in Trauerkleidung gehüllt gewesen, die ihr wunderbar gut gestanden hatte.

Eine gewisse Sonderbarkeit im Anzug eines jeden aus der Gesellschaft brachte mich wieder auf den Gedanken, daß das Beschwichtigungssystem vielleicht doch noch in Anwendung sei, daß mich Direktor Maillard vielleicht bloß bis nach dem Essen täuschen wolle, um mir den unangenehmen Gedanken, mit Wahnsinnigen an einem Tisch zu speisen, zu ersparen; doch erinnerte ich mich auch wieder, in Paris von Provinzlern des Südens als von außerordentlich exzentrischen und in ihrem Gebaren lächerlich altmodischen Leuten reden gehört zu haben; und als ich mit verschiedenen Mitgliedern der Gesellschaft sprach, zerstreuten sich meine Befürchtungen in der Tat wieder.

Der Speisesaal, obgleich ziemlich groß und bequem, war doch durchaus nicht elegant möbliert. Auf dem Fußboden lag zum Beispiel kein Teppich, der allerdings in Frankreich nicht so unerläßlich ist wie anderswo. Die Fenster waren durch keinerlei Gardinen noch durch Vorhänge verhüllt, die Fensterläden waren verschlossen und durch zwei diagonal laufende Eisenstangen wohl verwahrt. Ich bemerkte, daß der Speisesaal allein einen ganzen Flügel des Schlosses einnahm; an drei Seiten des Parallelogramms befanden sich die Fenster – es waren nicht weniger als zehn – und an der vierten die Tür. Der Tisch war sehr reichlich gedeckt und mit Leckereien überladen. Die Verschwendung war fast barbarisch; es waren soviel Gerichte vorhanden, daß man ein ganzes Heer damit hätte sättigen können. Niemals in meinem Leben ist mir wieder eine ähnlich monströse Zusammenstellung aller guten Dinge des Lebens vorgekommen. Doch bewies das ganze Arrangement sehr wenig Geschmack, und meine an ruhiges Licht gewöhnten Augen empfanden den strahlenden Glanz der zahllosen, in silbernen Kandelabern allzu reichlich umherstehenden Kerzen höchst unangenehm. Ein paar geschäftige Dienstboten bedienten.

Auf einem großen Tisch am unteren Ende des Saales saßen sieben oder acht Musiker mit Geigen, Flöten, Posaunen und Trommeln. Diese Burschen belästigten mich während der Mahlzeit ganz erheblich durch das unglaubliche Getöse, das sie vollführten. Die Anwesenden schienen es allerdings für Musik zu halten und großes Vergnügen darüber zu empfinden.

Ich konnte mich des Gedankens, wie bizarr meine ganze Umgebung doch sei, immer weniger entschlagen; aber es gibt eben allerlei Menschen auf der Welt, die verschiedene Gedanken und Manieren haben, und ich war zu viel gereist, um mich noch naiv über etwas verwundern zu können. Ich ließ mich also zur Rechten meines Wirtes nieder und tat, da ich guten Appetit hatte, der vortrefflichen Mahlzeit alle Ehre an.

Man unterhielt sich im allgemeinen sehr lebhaft. Die Damen sprachen, wie gewöhnlich, am meisten. Ich fand, daß alle Tischgenossen sehr gut erzogene Leute waren; mein Wirt sprudelte über von lustigen Anekdoten. Er schien offenbar sehr gern von seiner Stellung als Direktor des Irrenhauses zu reden, und zu meiner großen Überraschung bemerkte ich, daß die verschiedenen Äußerungen des Wahnsinns ein beliebtes Gespräch der Tischgesellschaft zu sein schienen.

»Wir hatten neulich ein Individuum hier«, erzählte mir ein dicker, kleiner Herr, der zu meiner Rechten saß, »das sich für eine Teekanne hielt. Und beiläufig gesagt: ist es nicht sonderbar, daß gerade diese Vorstellung das Gehirn der Wahnsinnigen so oft beunruhigt? Ich glaube, es gibt in ganz Frankreich keine Anstalt, die nicht mit einer menschlichen Teekanne aufwarten könnte. *Unser* Herr hielt sich für eine Teekanne aus Britannia-Masse und polierte sich jeden Morgen sorgfältig mit einem Stück Hirschleder und Wiener Putzkalk.«

»Vor nicht langer Zeit«, meinte ein sehr großer Herr, mir gerade gegenüber, »war ein Mensch hier, der sich für einen Esel hielt, was, wie Sie bemerken werden, allegorisch gesprochen auch richtig war. Es war ein sehr unruhiger Patient, und wir hatten oft alle Mühe, ihn von Exzessen zurückzuhalten. Eine Zeitlang wollte er nichts anderes essen als Disteln, doch kurierten wir ihn bald davon, indem wir ihm wirklich nichts anderes zukommen ließen. Dann schlug er immer mit den Hinterbeinen aus, so – sehen Sie – so – so –«

»Herr de Kock, ich wäre Ihnen sehr dankbar, wenn Sie sich ein wenig mäßigen wollten«, unterbrach ihn hier eine alte Dame, die neben ihm saß. »Halten Sie doch, bitte, Ihre Füße bei sich! Sie haben mir mein ganzes Brokatkleid verdorben. Ist es denn unumgänglich nötig, eine Bemerkung praktisch zu illustrieren? Ich glaube, unser Freund hier hätte Sie auch so verstanden. Sie sind wahrhaftig ein ebenso großer Esel wie der Unglückliche, von dem Sie reden. Sie ahmten das Tier wenigstens äußerst naturgetreu nach.«

»Mille Pardons! Ma'mselle!« erwiderte der also angeredete Herr de Kock, »bitte tausendmal um Entschuldigung. Ich hatte nicht die Absicht, Sie zu belästigen. Ma'mselle Laplace — Herr de Kock nimmt sich die Ehre, auf Ihr Wohl zu trinken!«

Bei diesen Worten verbeugte sich Herr de Kock sehr tief, küßte ehrfurchtsvoll seine eigene Hand und trank auf das Wohl der Dame.

»Gestatten Sie mir, mein Freund«, wandte sich Herr Direktor Maillard jetzt an mich, »Ihnen ein Stück von diesem Kalbfleisch à la Sainte-Menehould zu überreichen; es wird Ihnen sicher zusagen.«

Drei sehr kräftige Diener hatten eben eine ungeheure Schüssel ohne weiteren Unfall auf den Tisch gesetzt. Sie war fast so groß wie ein Boot und enthielt, wie mir schien, das

monstrum horrendum, informe, ingens,
cui lumen ademptum.

Ein aufmerksamer Blick überzeugte mich jedoch davon, daß es nur ein kleines unzerlegt gebratenes Kalb sei, das auf seinen Knien lag und einen Apfel im Maul trug, wie man in England gewöhnlich einen Hasen serviert.

»Danke, nein!« erwiderte ich dem Direktor, »ich bin kein besonderer Freund von Kalbfleisch à la Sainte — wie sagten Sie doch? — es bekommt mir nicht! Ich möchte jedoch meinen Teller wechseln lassen und etwas von dem Kaninchenbraten nehmen.«

Auf dem Tisch standen nämlich mehrere Mittelschüsseln, welche den bekannten französischen Kaninchenbraten zu enthalten schienen, den ich sehr liebte.

»Jean!« rief mein Wirt, »reichen Sie dem Herrn einen anderen Teller und etwas von dem Kaninchen nach Katzenart!«

»Kaninchen nach was?« fragte ich.

»Nach Katzenart!« antwortete er.

»Danke nein«, sagte ich rasch. »Ich habe es mir anders überlegt und möchte lieber etwas von dem Schinken nehmen.«

›Man weiß doch wahrhaftig nie‹, dachte ich bei mir, ›was man am Tisch von Provinzmenschen zu essen bekommt. Ich danke für euer Kaninchen nach Katzenart — ebenso wie ich für eure Katze nach Kaninchenart danken würde.‹

»Und weiter«, nahm jetzt eine Person mit einem wahren Leichengesicht am unteren Ende der Tafel das Gespräch, das einen Augenblick gestockt hatte, wieder auf, »— und weiter hatten wir unter anderen Merkwürdigkeiten einmal einen Patienten hier, der sich für ein Stück Cordovakäse hielt, immer mit einem Messer in der Hand herumlief und alle seine Bekannten aufforderte, mal ein Scheibchen aus der Mitte seines Beines zu versuchen.«

»Er war wirklich ein großer Narr«, rief ein anderer dazwischen, »und doch kann man ihn absolut nicht mit einer anderen Person vergleichen, die wir alle – den fremden Herrn da ausgenommen – genau kennen. Ich meine den Mann, der sich für eine Champagnerflasche hielt und oft plötzlich mit einem Pang! pang! aufsprang und pschi-pschi-i-i-i-i dazu machte, so nämlich –«

Hier streckte der Sprecher ungebildeterweise seinen rechten Daumen in die linke Wange, zog ihn mit einem Ton, der dem Aufspringen eines Korkens glich, wieder heraus und brachte durch eine geschickte Bewegung der Zunge auf den Zähnen einen scharfen, zischenden, sprudelnden Laut hervor, der ähnlich klang wie das Moussieren des Champagners. Ich bemerkte sofort, daß dies Betragen Herrn Maillard durchaus nicht gefiel, doch sagte er nichts. Ein sehr magerer, kleiner Mann in einer riesigen Perücke führte die Unterhaltung weiter fort:

»Einmal war ein Ignoramus hier, der hielt sich für einen Frosch, mit dem er übrigens, beiläufig gesagt, wirklich viel Ähnlichkeit hatte. Ich wünschte, Sie hätten ihn gesehen, mein Herr« – hier wandte sich der Sprecher mir zu –, »es hätte Ihrem Herzen wohlgetan, zu beobachten, wie natürlich er sich benahm. Mein Herr, wenn der Mann *kein* Frosch war, so kann ich nur sagen, es war schade, daß er wirklich keiner war. Sein Quaken – er machte es so: o o o o gh! – o o o o gh! – war das schönste Quaken der Welt – ganz b-Moll. Und wenn er, nachdem er ein oder zwei Glas Wein getrunken hatte, seine Ellbogen so, wie ich es jetzt tue, auf den Tisch stützte, seinen Mund auseinanderzog – so – und seine Augen nach oben rollte und fabelhaft schnell mit den Lidern zwinkerte – so ähnlich! – ich glaube, mein Herr, das imitatorische Genie dieses Mannes hätte Sie mit Bewunderung erfüllt!«

»Zweifellos!« erwiderte ich.

»Einmal war auch«, meinte ein anderer, »ein Deutscher, ein Herr Schnupfer, hier, der sich für eine Prise Tabak hielt und untröstlich war, daß er sich nicht zwischen seinen Daumen und Zeigefingern nehmen konnte.«

»Auch war Jules Desoulières ein sonderbares Phänomen, und die Vorstellung, daß er ein Kürbis sei, machte ihn ganz verrückt. Er verfolgte den Koch mit Bitten, ihn doch zu Kompott zu verarbeiten, was ihm der Koch aber voller Entrüstung abschlug. Ich will es jedoch gar nicht so schroff ableugnen, daß ein Kürbiskompott à la Desoulières nicht vorzüglich geschmeckt haben würde.«

»Sie setzen mich in Erstaunen«, erwiderte ich dem lustigen Herrn und blickte den Direktor Maillard fragend an.

»Hahaha!« antwortete mir dieser, »hehehe! hihihi! höhöhö!

hühühü! Das ist sehr gut! Sie müssen sich nicht allzusehr verwundern, mein Freund; der Herr ist ein Schäker, ein Witzbold, Sie dürfen seine Reden nicht wörtlich nehmen.«

»Und außerdem war noch Bouffon-Legrand hier«, rief irgendein anderer Tischgenosse, »er war in seiner Weise auch eine außergewöhnliche Persönlichkeit, die Liebe richtete in seinem Gehirn Verwüstungen an, so daß er sich einbildete, er habe zwei Köpfe. Einer davon, behauptete er, sei der Kopf des Cicero, der andere sei jedoch eine Zusammensetzung: von der Spitze der Stirn bis zum Mund sei er nämlich der Kopf des Demosthenes, und vom Mund bis zum Kinn der Kopf Lord Broughams. Es ist ja möglich, daß er sich täuschte, doch hätte er Sie sicher von der Richtigkeit seiner Ansicht überzeugt, denn er war ein Mann von großer Beredsamkeit. Er hatte eine Leidenschaft für die Kunst des Redens und konnte es sich nicht versagen, diese oft zu zeigen. So pflegte er zum Beispiel auf den Eßtisch zu springen – so ungefähr und – und –«

Hier legte mein Freund, der neben dem Sprecher saß, die Hand auf dessen Schulter und flüsterte ihm ein paar Worte ins Ohr, worauf er ganz plötzlich zu sprechen aufhörte und in seinen Stuhl zurücksank.

»Und dann«, sagte nun der Freund, der eben seinem Nachbar ins Ohr geflüstert hatte, »war noch Boulard hier, der Kreisel. Ich nenne ihn den Kreisel, weil er die drollige, doch nicht ganz unvernünftige Idee hatte, in einen Kreisel verwandelt worden zu sein. Sie wären vor Lachen gestorben, hätten Sie ihn so herumschnurren sehen! Er konnte sich eine Stunde lang auf einem Absatz herumdrehen, so nämlich – so –«

Der Freund, den er vorhin durch die zugeflüsterte Bemerkung unterbrochen hatte, erwies nun seinem Nachbar genau denselben Dienst.

»Ihr Herr Boulard«, schrie jetzt eine alte Dame mit Fistelstimme, »er war verrückt und zwar sehr blödsinnig verrückt, denn wer, gestatten Sie mir die Frage, hat jemals einen lebendigen Kreisel gesehen! Die ganze Sache ist absurd. Da war Frau Soyeuse eine viel gescheitere Person. Sie hatte ja auch ihre Grille, aber eine Grille, die sich mit dem gesunden Menschenverstand wohl vereinigen ließ und allen, die die Ehre ihrer Bekanntschaft genossen, nur Vergnügen bereitete. Sie fand nach reiflicher Überlegung, daß sie durch irgendeinen Unfall ein junger Hahn geworden war, doch benahm sie sich als solcher durchaus schicklich. Sie schlug wundervoll mit den Flügeln – so – so – so – und krähte einfach entzükkend! Kikeriki – Kikeriki – Kikeriki i i i i i!«

»Ich muß Sie bitten, Frau Soyeuse, sich anständig zu benehmen«, unterbrach sie mein Wirt voller Zorn. »Wenn Sie sich hier nicht betragen wollen, wie es einer Dame zukommt, müssen Sie den Tisch verlassen. Sie haben die Wahl!«

Die Dame, die ich nach der Beschreibung, die sie von Frau Soyeuse gegeben hatte, mit großer Überraschung als diese selbst anreden hörte, errötete bis an die Brauen und schien den Vorwurf als eine tiefe Demütigung zu empfinden. Sie senkte den Kopf und erwiderte keine Silbe. Eine andere, jüngere Dame nahm die Unterhaltung wieder auf. Es war das schöne Mädchen, das ich im Sprechzimmer kennengelernt hatte.

»Oh, Frau Soyeuse war eine Närrin«, rief sie aus. »Von wirklich gesundem Menschenverstand zeugten eigentlich nur die Ansichten der Eugenie Salsafette. Sie war ein sehr schönes, trauriges, bescheidenes Mädchen, das es für unpassend hielt, sich wie alle anderen Menschen zu kleiden, und es vorzog, die innere Seite ihrer Kleidungsstücke nach außen zu tragen. Das kann man übrigens leicht bewerkstelligen, Sie brauchen bloß so zu machen — und so — und so — und —«

»Mein Gott! Fräulein Salsafette, was machen Sie denn«, schrien hier wohl zwölf Stimmen auf einmal, »was fangen Sie an! Gott behüte — das genügt ja aber vollständig — wir sehen ja klar genug, wie die Sache gemacht wird! Halten Sie ein, halten Sie ein!«

Mehrere Personen sprangen von ihren Sitzen auf und versuchten Fräulein Salsafette zu hindern, sich auf gleichen Fuß mit der Venus von Medici zu stellen.

Man hatte die junge Dame kaum beruhigt, als plötzlich aus dem Hauptflügel des Schlosses ein fürchterliches Geschrei gellend zu uns herüberklang.

Obwohl der greuliche Lärm meine eigenen gesunden Nerven schon ziemlich angriff, mußte ich die übrige Gesellschaft geradezu bemitleiden, denn sie schien in einer Weise zu erschrecken, wie ich es nie wieder bei vernünftigen Menschen gesehen habe. Sie wurden alle bleich wie Laken, fuhren zusammen, saßen zitternd und bebend da und horchten angstvoll, ob sich der Ton wiederholte. Plötzlich erklang er wieder, lauter und anscheinend viel näher — dann erscholl er ein drittesmal *sehr* laut und ein viertesmal sehr viel leiser und entfernter. Sofort erlangte die Gesellschaft ihre gute Laune wieder. Man sprudelte wie vorhin vor Leben und Lustigkeit über. Ich fragte nun nach dem Grund der Störung.

»Ach, eine Kleinigkeit!« erwiderte mir Herr Maillard. »Wir sind an dergleichen gewöhnt und machen uns wenig daraus. Die Irrsinnigen heulen zuweilen alle zusammen auf — einer steckt den anderen an, wie es oft die Hunde in der Nacht tun. Zuweilen jedoch folgt auf ein solches Konzert eine einmütige Anstrengung, loszubrechen, was immerhin eine kleine Gefahr über uns bringen könnte.«

»Wieviel Wahnsinnige befinden sich denn jetzt in den Zellen?«

»Augenblicklich im ganzen nur zehn.«

»Hauptsächlich wohl Frauen?«

»O nein, alle zehn sind Männer, und kräftige Männer dazu, kann ich Ihnen versichern!«

»Wirklich! Ich habe immer sagen hören, daß die Mehrzahl der Wahnsinnigen dem schöneren Geschlecht angehöre!«

»Im allgemeinen ja, doch nicht immer. Vor einiger Zeit hatten wir siebenundzwanzig Kranke hier, und zwar befanden sich darunter nicht weniger als achtzehn Frauen, doch hat sich das Verhältnis, wie Sie hören, jetzt in kurzer Zeit geändert.«

»O ja, sehr geändert«, unterbrach ihn hier der Herr, der Ma'mselle Laplace vorhin auf ihr Brokatkleid getreten hatte.

»O ja — sehr geändert«, schrie die ganze Gesellschaft im Chorus.

»Halte doch jeder seinen Mund«, rief mein Wirt voller Zorn — und die Tafelrunde beobachtete fast eine ganze Minute lang ein Todesschweigen. Eine Dame jedoch gehorchte Herrn Maillard wörtlich, faßte ihre Lippen mit beiden Händen und hielt sie bis zum Schluß des Essens fest.

»Und die Dame«, wandte ich mich flüsternd an Herrn Maillard, »die eben den Hahn imitierte, ist harmlos — ganz harmlos, nicht wahr?«

»Harmlos?« rief er mit aufrichtiger Überraschung aus. »Was meinen Sie damit?«

»Nun, nur leicht erkrankt«, entgegnete ich und wies auf meinen Kopf. »Ich meine, sie ist durchaus nicht besonders schlimm oder gar gefährlich krank.«

»Mein Gott! Was denken Sie sich nur überhaupt! Die Dame, meine alte, spezielle Freundin, ist so gut bei Verstand wie ich. Sie hat ein paar exzentrische Angewohnheiten, das ist wahr — aber Sie wissen doch: alle alten Frauen, alle *sehr* alten Frauen haben dergleichen an sich und sind mehr oder weniger exzentrisch.«

»Gewiß, gewiß!« entgegnete ich, »und die übrigen Herren und Damen —«

»Sind meine Freunde und untergebenen Beamten«, unterbrach mich Herr Maillard in einem, wie mir schien, etwas hochmütigen Ton, »meine prächtigen Freunde und Helfer.«

»Wie? Alle?« fragte ich, »auch die Frauen?«

»Gewiß!« antwortete er. »Ohne weibliche Hilfe ist eine Anstalt wie die unsrige nicht zu leiten. Frauen sind die besten Irrenpflegerinnen, die man sich denken kann. Sie haben ihre eigene Art und Weise, mit den Wahnsinnigen umzugehen, und ihre schönen Augen tun oft Wunder — es ist ähnlich damit wie mit dem Bann, den die Schlangen ausüben, wissen Sie!«

»Das mag sein, gewiß!« entgegnete ich. »Sie benehmen sich zwar alle ein wenig sonderbar, nicht? Ein bißchen verdreht, was? Finden Sie nicht auch?«

»Sonderbar? Verdreht? Glauben Sie das wirklich? Wir hier im Süden nehmen es allerdings nicht so genau, wir tun, was wir wollen, genießen unser Leben — sind lustig und guter Dinge —«

»Das ist gewiß sehr vernünftig«, erwiderte ich.

»Und überdies, sehen Sie, dieser Clos de Vougeot ist ein bißchen schwer — ein bißchen stark — Sie verstehen — wie?«

»Gewiß, gewiß«, sagte ich. »Habe ich Sie übrigens recht verstanden, daß Sie anstelle des Beschwichtigungssystems eine außerordentlich harte Behandlung gesetzt haben?«

»Nicht vollständig. Wir schließen die Kranken bloß streng ein, ihre Behandlung — ich meine die ärztliche Behandlung — muß ihnen eher angenehm als unangenehm sein.«

»Sie haben das neue System selbst erfunden?«

»Nicht ganz, denn einige Punkte in ihm stammen von Doktor Pech, von dem Sie sicher schon gehört haben. Und verschiedene Abänderungen schreibe ich mit Stolz dem berühmten Professor Feder zu, mit dem Sie, wenn ich mich nicht irre, ja sehr nah bekannt sind.«

»Ich muß leider gestehen«, wandte ich ein, »daß ich keinen der beiden Namen früher gehört habe.«

»Du lieber Himmel«, rief mein Wirt, rückte erschrocken seinen Stuhl zurück und schlug die Hände zusammen, »ich höre wohl nicht recht! Sie wollten doch nicht sagen, daß Sie noch nie von dem gelehrten Doktor Pech, noch nie von dem berühmten Professor Feder etwas gehört haben!«

»Ich muß leider meine vollständige Unwissenheit zugeben. Der Wahrheit die Ehre: ich bedaure aufrichtig, von den Werken dieser beiden berühmten Persönlichkeiten auch nicht das geringste zu wissen. Ich will mir, sobald es angeht, ihre Schriften verschaffen und mit dem nötigen Eifer durchlesen. Sie haben mich nämlich, Herr Maillard, wirklich, Sie haben mich, muß ich gestehen, ganz beschämt gemacht.«

Dies letztere war tatsächlich der Fall.

»Reden wir doch nicht mehr davon, mein lieber junger Freund«, unterbrach mich der Direktor in gütigem Ton und drückte mir die Hand, »stoßen wir lieber mit einem Glas Sauterne an!«

Wir taten es. Die Gesellschaft folgte unserem Beispiel. Sie tranken unaufhörlich — schwätzten, scherzten, lachten und vollführten tausend absurde Dinge. Die Geigen quietschten, die Trommeln rasselten, die Posaunen heulten, der Spektakel wurde, je mehr man dem Wein zusprach, immer wüster und das Ganze zu einer richtigen Orgie. Herr Maillard und ich setzten indes zwischen verschiedenen Flaschen Clos de Vougeot und Sauterne hindurch unsere Unterhaltung fort, mußten jedoch aus Leibeskräften schreien, um einander verstehen zu können. Ein Wort, in gewöhnlicher Klangstärke gesprochen, wäre ebensowenig gehört worden wie die Stimme eines Fisches auf dem Grund des Niagara-Falles.

»Vor dem Mittagessen sprachen Sie von den Gefahren, die das alte ›System der Beschwichtigung‹ mit sich gebracht habe«, schrie ich dem Direktor ins Ohr. »Was meinten Sie damit?«

»Nun«, entgegnete er, »die Launen der Irren sind ganz unberechenbar, und ist sowohl meine Ansicht wie die des Doktors Pech und des Professors Feder, daß es *nie* klug ist, einen Irrsinnigen frei umherlaufen zu lassen. Er kann für eine Zeitlang ›beschwichtigt‹ werden, wie man es nennt, doch muß man sich immer auf Gewalttätigkeiten gefaßt machen. Auch ist seine List so groß, daß sie ja fast schon sprichwörtlich geworden ist. Wenn er irgend etwas vorhat, verheimlicht er seinen Plan mit großer Geschicklichkeit. Und die wunderbare Verstellungskunst, mit welcher er den geistig Gesunden imitiert, ist eines der sonderbarsten Probleme in der psychologischen Wissenschaft. Wenn ein Wahnsinniger *ganz* vernünftig scheint, ist es die höchste Zeit, ihn in die Zwangsjacke zu stecken.«

»Aber die *Gefahr*, von der Sie sprachen? Haben Sie in Ihrer eigenen Praxis die Erfahrung gemacht, daß die Freiheit für einen Wahnsinnigen gefährlich ist?«

»Hier? In meiner eigenen Praxis? O ja, das habe ich! So ist zum Beispiel *vor kurzem* in diesem Hause etwas Merkwürdiges vorgekommen. Damals war das Beschwichtigungssystem noch in Anwendung und die Kranken alle in Freiheit. Sie betrugen sich *außerordentlich* gut, so gut, daß jeder vernünftige Mensch auf den Gedanken kommen mußte, hinter dieser Bravheit verberge sich irgendein teuflisches Vorhaben. Und wahrhaftig! Eines schönen Morgens fanden sich alle Aufseher an Händen und Füßen gebunden und in Zellen gesperrt, in denen sie von den Irren, die sich plötzlich alle für Aufseher hielten, wie Wahnsinnige behandelt wurden.«

»Was Sie sagen! Das ist allerdings ganz unerhört!«

»Tatsache! Die ganze Katastrophe wurde durch einen Burschen herbeigeführt – einen Wahnsinnigen –, der sich plötzlich einbildete, er habe ein Regierungssystem erfunden, das besser sei als alle bisher bekannten – Irrenregierungssysteme meine ich natürlich. Er wollte seine Erfindung auf die Probe stellen und überredete die übrigen Kranken zu einer Verschwörung, um die regierenden Mächte über den Haufen zu werfen.«

»Und es gelang ihm auch?«

»Vollständig. Die Aufseher und die Beaufsichtigten wechselten ihre Plätze, das heißt, die Irren waren ja immer frei gewesen, doch die Aufseher wurden nun in Zellen gesperrt und, wie ich leider gestehen muß, sehr ehrenvoll behandelt.«

»Doch wurde nun gewiß schnell eine Gegenrevolution gemacht, denn so konnten die Dinge doch nicht lange bleiben. Die Bauern aus der Nachbarschaft oder zufällige Besucher der Anstalt erstatteten wohl sofort Anzeige?«

»Da irren Sie sich. Der Anführer der Rebellen war zu schlau, er ließ überhaupt keinen Besucher ein — nur einmal einen jungen Mann, der ziemlich dumm aussah und der ihm keine Besorgnis einflößte. Er ließ ihn ein, um eine Abwechslung zu haben und sich über ihn zu amüsieren. Als er genug Hanswurst gespielt hatte, ließ er ihn wieder laufen.«

»Und wie lange dauerte denn die Regierung der Narren?«

»Oh, sehr lange, gewiß einen Monat lang — oder noch länger, ich weiß es nicht genau. Mittlerweile führten die Tollen ein vergnügtes Leben. Das können Sie sich denken. Sie warfen ihre schäbigen alten Sachen ab und plünderten den Familienkleiderschrank und die Familienschmuckschatulle. In den Kellern des Schlosses lagen reiche Weinvorräte — die Irren sind gerade die Richtigen dazu, um sie zu trinken. Sie lebten gut, das kann ich Ihnen nur sagen.«

»Und die Behandlung — was für eine Art von Behandlung führte der Rebellenführer ein?«

»Nun, wie ich schon bemerkte: ein Wahnsinniger braucht nicht immer dumm zu sein! Und es ist auch meine bescheidene Meinung, daß das System, welches er einführte, besser war als das, welches er über Bord geworfen hatte. Es war ein vorzügliches System, einfach, sauber, ohne Schwierigkeit — es war ganz köstlich — es war —«

Hier wurde mein Wirt durch eine lange, neue Reihe von Schreien unterbrochen, die genauso klangen wie die zuvor gehörten. Diesmal jedoch schienen sie von Personen ausgestoßen zu werden, die sich dem Saal rasch näherten.

»Himmlischer Vater!« rief ich aus. »Wahrscheinlich sind die Wahnsinnigen losgebrochen!«

»Ich fürchte auch«, entgegnete Herr Maillard und wurde blaß.

Jetzt ertönten die lauten Schreie und Rufe dicht unter unserem Fenster. Dann hörten wir jedoch auch, wie einige Personen sich bemühten, von außen, vom Korridor her in das Zimmer zu dringen. Die Tür wurde mit einem Widder oder riesigen Hammer bearbeitet, während andere mit unheimlicher Kraft an den Fenstergittern rüttelten und brachen.

Nun entstand die fürchterlichste Verwirrung. Herr Maillard versteckte sich zu meiner größten Überraschung hinter dem Büfett.

Eigentlich hatte ich von ihm mehr Entschlossenheit erwartet. Die Mitglieder des Orchesters, die seit einer Viertelstunde zu betrunken schienen, um ihrer Aufgabe nachzukommen, sprangen mit ihren Instrumenten wieder auf den Tisch, begannen einmütig mit fast übermenschlicher Energie und Tonfülle die ›Schusterjungen‹ zu spielen und musizierten während der ganzen Katastrophe, die nun hereinbrach, unentwegt weiter.

Der Herr, den man vorhin mit großer Mühe davon abgehalten hatte, auf den Tisch zu springen, hüpfte jetzt mitten zwischen die Flaschen und Gläser. Sobald er dort einen bequemen Standpunkt gefunden hatte, begann er eine große Rede zu halten, die wahrscheinlich vorzüglich war – hätte man nur ein Wort verstehen können. Im selben Augenblick fing der Herr, der die Vorliebe für den Kreisel hatte, mit ungeheurem Kraftaufwand an, im Zimmer herumzuwirbeln. Dabei hielt er die Arme im rechten Winkel ausgestreckt, so daß er in der Tat einem Kreisel ähnlich sah und jeden, der in seine Nähe kam, zu Boden schleuderte. Zu gleicher Zeit vernahm ich ein unglaubliches, paffendes und zischendes Geräusch, wie von aufspringenden Champagnerflaschen, ein Geräusch, das von der Persönlichkeit herkam, die schon während des Mittagessens sich für eine Flasche des animierenden Stoffes gehalten hatte. Der Froschmann quakte dazu, als hänge sein Seelenheil von jedem Ton ab, indes der Deutsche, Herr Schnupfer, schnupfte, was das Zeug hielt. Doch über alles hinweg hörte ich das langanhaltende *Ia Ia* eines Esels. Und meine alte Freundin, Frau Soyeuse – ich hätte Tränen über sie weinen können, denn die Ärmste schien die Fassung vollständig verloren zu haben: Sie stand in einer Ecke am Kamin und konnte nichts weiter äußern als ein unaufhörlich aus Leibeskräften geschrienes *Kikeriki i i i,* während ihr gegenüber, in der anderen Ecke, Fräulein Salsafette, völlig ausgezogen, als Venus von Medici Posto gefaßt hatte.

Und nun hatte die Komödie ihren Höhepunkt erreicht. Da man den Anstrengungen der Belagernden weiter keinen Widerstand entgegensetzte als Heulen, Schreien und Krähen, waren die Fenster bald erbrochen, war die Tür bald gesprengt. Niemals werde ich die Bestürzung und das Entsetzen vergessen, das mich befiel, als ich sah, wie durch die Fenster heulende Ungeheuer einstiegen, die ich für Schimpansen, Orang-Utans und schwarze Paviane hielt, wie sie am Kap der Guten Hoffnung vorkommen mögen.

Ich bekam einen Schlag, rollte unter ein Sofa und blieb da still liegen. Nach ungefähr fünfzehn Minuten, während welcher ich angestrengt auf das horchte, was im Zimmer vor sich ging, erlangte ich endlich mit dem Schluß des Dramas auch die Aufklärung seiner Verwicklungen. Herr Maillard hatte mir anscheinend mit der Geschichte des Rebellen, der die Irren befreite, nur seine eigenen Heldentaten erzählt. Er war in der Tat vor zwei oder drei Jahren Direktor der Anstalt gewesen, dann hatte sich jedoch auch sein Kopf verwirrt, und er wurde selbst der Abteilung für die Kranken zugewiesen. Das aber war meinem Reisegefährten nicht bekannt gewesen.

Die Hüter, zehn an der Zahl, hatte er von seinen Mitpatienten ergreifen lassen; darauf wurden sie mit Pech überzogen und mit Federn besteckt und in unterirdische Zellen geworfen. Über einen Monat lang hatte man sie gefangen gehalten, und Direktor Maillard hat ihnen nicht nur Pech und Federn gelassen (darin bestand nämlich sein System), sondern ihnen sogar ein wenig Brot und soviel Wasser zugestanden, wie sie haben wollten. Täglich ließ er sie mit einer Pumpe duschen. Endlich war es einem von ihnen gelungen, durch ein Abflußrohr zu entkommen und die anderen zu befreien.

Jetzt ist das Beschwichtigungssystem mit einigen wichtigen Veränderungen wieder eingeführt worden. Doch kann ich nicht umhin, völlig mit Herrn Maillard darin übereinzustimmen, daß seine selbsterfundene Behandlungsweise eine äußerst vorzügliche gewesen war. Wie er sehr richtig bemerkte: einfach, sauber, und sie machte keine Mühe, wirklich nicht die geringste.

Ich will zum Schluß nur noch erwähnen, daß ich, obwohl ich alle Bibliotheken Europas nach den Werken des Doktors Pech und des Professors Feder durchsucht habe, doch bis heute noch keine ihrer Schriften habe finden können.